Où et quand observer les oiseaux dans la région de Montréal

Pierre Bannon

Illustrations de Sylvain Tanguay et René Roy

Société québécoise de protection des oiseaux
et
Centre de conservation de la faune ailée de Montréal

Légende des cartes

20 : AUTOROUTE

132 : ROUTE NUMÉROTÉE

: ROUTE SECONDAIRE

: CHEMIN FORESTIER

: SENTIER

: CHEMIN DE FER

: LIMITE DE PARC OU REFUGE

: LIGNE DE TRANSPORT D'ÉNERGIE

: FRONTIÈRE PROVINCIALE

: FRONTIÈRE INTERNATIONALE

: BOIS

: CLÔTURE

: VILLE / VILLAGE

P : STATIONNEMENT

: BARRIÈRE

: MARÉCAGE OU TOURBIÈRE

10 : SITE D'OBSERVATION OU D'INTÉRÊT PARTICULIER

: PLATE-FORME OU POSTE D'OBSERVATION

NOTE DE L'AUTEUR

Ce guide comprend la description de quelques sites se trouvant sur des propriétés privées. Ceci n'est pas une invitation à y circuler sans autorisation. Comme il se doit, le visiteur doit donc s'assurer d'obtenir la permission du propriétaire avant de circuler sur une propriété privée.

Photographie de la page couverture :
Normand David

Textes :
Pierre Bannon

Collaboration :
Marika Ainley, Bob Barnhurst, Chuck Kling, Gaétan Duquette, Raynald Fortier, Lucie Giroux, Denis Henri, Guy Huot, Daniel Jauvin, Claude Lavoie, Barbara McDuff, Mabel McIntosh, Elsie Mitchell, François Morneau, Richard Pelletier, Desneiges Perreault, Michel Sainte-Marie.

Comité de lecture :
Gaétan Duquette, Michel Robert, Normand David, Richard Yank

Cartographie :
Pierre Bannon, Sylvain Tanguay

Illustrations :
Sylvain Tanguay, René Roy

Dactylographie et secrétariat :
Claudette Blanchard, Diane Bannon

Mise en page :
Bip, studio de photocomposition inc.

Éditeurs :
Société québécoise de protection des oiseaux et
Centre de conservation de la faune ailée de Montréal

Distributeur :
Centre de conservation de la faune ailée de Montréal

Remerciements :
En plus des personnes déjà citées, les personnes suivantes ont aussi contribué de différentes façons à la réalisation de cet ouvrage: Ken Thorpe, Steve Charlton, Peter Smith, Eric Tull, Sharon David, Michel Gosselin, Danielle Gagnon, Johanne Bérard (Service de planification du territoire de la Communauté urbaine de Montréal). Leur appui a été très précieux.

ISBN 2-9801098-1-9

7950, rue De Marseille, Montréal, Qc. H1L 1N7, Tél.: (514) 351-5496

Dépôt légal : premier trimestre 1991
Bibliothèque nationale du Québec
Bibliothèque nationale du Canada

Imprimé au Canada

La Société québécoise de protection des oiseaux

La Société québécoise de protection des oiseaux (SQPO) est un organisme sans but lucratif regroupant des amateurs d'ornithologie pour la plupart établis dans la région de Montréal. Fondée le 4 janvier 1917, la société est de loin le plus ancien club d'observateurs d'oiseaux de la province de Québec.

La SQPO poursuit deux objectifs complémentaires: d'abord, initier ses membres ainsi que la collectivité au monde des oiseaux et deuxièmement, protéger la faune ailée et son milieu naturel. Les activités éducatives et de loisir, telles que les excursions sur le terrain, les conférences et les expositions publiques sont utilisées comme moyens pour atteindre le premier de ces objectifs.

Pour mener à bonne fin sa deuxième mission, la SQPO doit souvent intervenir auprès du législateur et plaider la défense des oiseaux et de leur milieu. Grâce à des dons privés, la SQPO peut aussi apporter sa propre contribution, en participant à l'acquisition et à la gestion de sites d'importance cruciale pour la faune ailée.

La publication d'un guide des sites d'observation d'oiseaux pour la région de Montréal est un projet très cher à la SQPO car cet ouvrage satisfait à la fois aux deux objectifs qu'elle s'est fixée. En effet, ce guide constituera un élément de plus pour soutenir les activités éducatives de la société et il permettra au public de découvrir l'importance de ces sites pour assurer la pérennité de nos populations locales d'oiseaux.

Le Centre de conservation de la faune ailée de Montréal

Fondée en 1981 lors de l'aménagement d'un pavillon ornithologique à Terre des Hommes, le Centre de conservation de la faune ailée de Montréal s'est transformé au point de devenir aujourd'hui le principal distributeur canadien de matériel de sciences naturelles; en plus de servir le public, le Centre fournit ses produits aux commerces spécialisés, aux centres de jardins, aux organismes scolaires et scientifiques. Il s'est spécialisé entre autres dans la distribution de livres, d'enregistrements, de mangeoires, de grains, de jumelles...

En plus d'éditer plusieurs ouvrages reliés à son domaine, il conçoit et met sur le marché des nichoirs et des mangeoires d'oiseaux.

Daniel Coulombe
Directeur

Du même éditeur

- L'observation des oiseaux dans la région de Montréal.
  Carte/tableau, inventaire de 37 sites, de Daniel Coulombe.

- Nourriture préférée des oiseaux aux mangeoires.
  Tableau/affiche des nourritures en fonction des espèces.

- Les petits animaux sauvages autour de la maison, comment s'en accommoder.
  Livre de David Bird.

- Oiseaux près de chez soi et Oiseaux de mangeoires.
  Paire d'affiches en couleur de Ghislain Caron.

- Oiseaux des forêts de feuillus et Oiseaux des forêts de conifères.
  Paire d'affiches en couleur, de Ghislain Caron.

- Plantes toxiques (sauvages).
  Paire d'affiches en photos couleur, avec la collaboration du Jardin botanique de Montréal.

- Oiseaux dans leur habitat et Oiseaux des champs.
  Paire d'affiches en couleur, de Ghislain Caron.

- Ordres d'insectes et Nos papillons.
  Paire d'affiches en photos couleur, avec la collaboration de l'Insectarium de Montréal.

- Les sons de nos forêts.
  Cassette et livret sur 111 espèces d'oiseaux, de batraciens et de mammifères du Québec, du Canada et des états du nord des États-Unis, de Lang Elliot et Ted Mack.

TABLE DES MATIÈRES

Introduction 1

Chapitre 1 : À la découverte de la région de Montréal 3

- Le milieu et ses communautés aviaires 4

• Les milieux boisés 4
• Les milieux ouverts 6
• Le milieu fluvial 7

- Le loisir ornithologique dans la région de Montréal 9

• Les clubs d'ornithologie 9
• Les activités saisonnières 10

- Au printemps 10
- En été 11
- À l'automne 12
- En hiver 13

Chapitre 2 : Les sites ornithologiques 16

Secteur A : Montréal et la banlieue 20

1- L'arboretum Morgan 22
2- Le parc régional de l'Anse-à-l'Orme 29
3- Le parc régional du Cap-Saint-Jacques 33
4- Le parc régional du Bois-de-Liesse 38
5- Le parc régional du Bois-de-Saraguay 43
6- La rive nord du lac Saint-Louis 48
7- L'île Jésus 52

8- Les îles des rapides de Lachine ... 58
9- L'île des Soeurs ... 64
10- Le centre-ville de Montréal et l'île Sainte-Hélène ... 70
11- Le parc Summit ... 74
12- Le cimetière du Mont-Royal ... 80
13- Le parc du Mont-Royal ... 85
14- Le Jardin botanique de Montréal ... 93
15- Le parc régional de l'Île-de-la-Visitation ... 96
16- Le parc régional du Bois-de-la-Réparation ... 99
17- La région de Châteauguay ... 104
18- Le bassin de LaPrairie et la région environnante ... 112
19- Les municipalités de Brossard et de LaPrairie ... 119
20- Les berges de Longueuil ... 123
21- Le parc régional de Longueuil ... 128
22- Le parc des Îles-de-Boucherville ... 134

Secteur B : À l'ouest de Montréal ... 142

1- L'île Perrot ... 144
2- La région de Vaudreuil ... 149
3- Le village d'Hudson ... 152
4- La région de Saint-Lazare ... 160
5- La région de Rigaud ... 164
6- Les régions de Sainte-Marthe et de Saint-Clet ... 173
7- Les "gazonnières" de Coteau-Station ... 179

Secteur C : Au sud-ouest de Montréal ... 182

1- Le barrage de Beauharnois ... 185
2- La région de Saint-Étienne-de-Beauharnois ... 189
3- Les régions de Valleyfield et de Sainte-Barbe ... 194
4- La région de Dundee ... 198

5- La région de Huntingdon 206
6- La réserve écologique du Pin rigide
et la tourbière de Saint-Pierre 214
7- La région d'Hemmingford 218

Secteur D : La vallée du Richelieu 222

1- Le mont Saint-Bruno 224
2- Le mont Saint-Hilaire 231
3- Le mont Rougemont 236
4- Le mont Saint-Grégoire 242
5- Saint-Jean-sur-Richelieu 245
6- Saint-Paul-de-l'Île-aux-Noix et la rivière du Sud 248
7- Le refuge d'oiseaux migrateurs de Philipsburg 253

Secteur E : Le fleuve, de Montréal au lac Saint-Pierre 258

1- L'île aux Fermiers 260
2- Contrecoeur et ses îles 265
3- La tourbière de Lanoraie, Lavaltrie et Saint-Thomas 270
4- Berthierville et ses îles 273
5- L'île du Moine 281
6- Saint-Barthélemy 288
7- Baie-du-Febvre 291

Secteur F : Au nord de Montréal 298

1- La région d'Oka et le parc Paul-Sauvé 300
2- Le Centre éducatif forestier Le Bois de Belle-Rivière 306
3- La région de Saint-Colomban 312

4- La région de Lachute 316
5- Le parc du Mont-Tremblant et la
réserve faunique Rouge-Matawin 320

Chapitre 3 : Des sites pour chaque saison 327

Chapitre 4 : À la recherche de l'oiseau rare 332

Chapitre 5 : Liste des oiseaux de la région
de Montréal et des Laurentides 340

Références bibliographiques 356

Appendice : Liste des clubs d'ornithologie
de la région de Montréal 360

INTRODUCTION

Les oiseaux sont partout autour de nous; même le citadin le plus indifférent à leur présence a probablement déjà aperçu, au-dessus de la ville, une volée d'"outardes" par une belle journée d'avril ou remarqué quelques "mouettes" se disputant bruyamment les restes d'un casse-croûte.

Un citadin curieux et observateur, qui ouvre les yeux et tend l'oreille, constatera très tôt qu'à certaines périodes de l'année, particulièrement au printemps et à l'automne, des oiseaux de passage envahissent discrètement le moindre îlot de verdure, parfois jusqu'au coeur même des grandes villes. Toutefois, les sons mélodieux émanant d'un bosquet d'arbres, par un chaud matin de mai, seront souvent étouffés par le bruit d'un véhicule lourd qui approche, bien avant que notre observateur ait pu apercevoir l'oiseau.

Plus favorisé par son environnement, le banlieusard observateur sait depuis longtemps qu'il peut attirer jusqu'à un vingtaine d'espèces d'oiseaux à sa fenêtre durant l'hiver; il suffit simplement de leur offrir la nourriture qu'ils aiment. Au cours d'une année, ce banlieusard attentif pourra peut-être noter jusqu'à une cinquantaine d'espèces fréquentant le voisinage.

Ce citadin et ce banlieusard, tous les deux enthousiasmés par les oiseaux, seront peu à peu piqués par la curiosité et envahis par le désir de découvrir tous ces oiseaux aux plumages éclatants qui sont illustrés dans leur exemplaire du Guide des oiseaux d'Amérique du Nord, au total plus de 800 espèces dont environ 465 se retrouvent dans l'est du continent.

Au cours des dernières années, la région de Montréal a accueilli sur son territoire 359 espèces d'oiseaux dont plus de 275 sont signalées à chaque année et 189 se reproduisent ici. La région de

Montréal offre donc aux amateurs d'ornithologie la possibilité d'observer une fraction appréciable des espèces fréquentant l'est du continent nord-américain.

Mais où peut-on observer autant d'oiseaux puisque tous ne fréquentent pas obligatoirement les postes d'alimentation ou les jardins de banlieue? C'est à cette question que veut répondre ce guide.

Au fil des années, plusieurs sites régulièrement visités par les observateurs d'oiseaux de la région de Montréal ont acquis une excellente notoriété; une revue de ces sites a permis d'en sélectionner cinquante-cinq (55) qui font l'objet de cet ouvrage. Vingt-deux (22) de ces sites se retrouvent dans les limites de la région métropolitaine et sont, par conséquent, rapidement accessibles en voiture ou, dans la plupart des cas, par le réseau de transport en commun. Les trente-trois (33) autres sites, bien que situés à des distances plus considérables, sont quand même accessibles en moins de 90 minutes à partir du centre-ville de Montréal. Tous les sites sélectionnés peuvent donc faire l'objet de courtes excursions avec départ et retour la même journée.

Ce guide présente en détail les particularités de chaque site, tout en précisant la nature des habitats qu'on y trouve et les principales communautés d'oiseaux qui y sont associées. Un itinéraire détaillé est proposé au visiteur avec l'objectif précis de lui faciliter la découverte des éléments ornithologiques d'intérêt particulier.

Citadin(e)s, banlieusard(e)s, visiteurs et visiteuses, passionné(e)s de la faune ailée, ce guide est pour vous. Jumelles autour du cou et guide d'identification en main, il est temps de filer à la découverte de nos sites ornithologiques.

Chapitre 1

À la découverte de la région de Montréal

Le territoire englobé par ce guide, d'une superficie d'environ 13 000 km carrés, est délimité au sud par la frontière avec les États-Unis, à l'ouest par la frontière avec l'Ontario, au nord par les contreforts des Laurentides et à l'est par la rivière Yamaska. Le lac Saint-Pierre, situé à l'extrémité nord-est de cette région, y a également été rattaché. Montréal, la ville la plus importante du Québec, occupe le centre de ce territoire.

Cette région est située dans une vallée large de 100 à 150 km où s'écoule le fleuve Saint-Laurent. Constituant le versant nord de la vallée, les monts des Laurentides atteignent une altitude de 300 mètres, à 50 km à peine de Montréal. Au sud, la vallée est bordée par les Adirondacks qui dominent le nord de l'état de New-York. Ce versant sud est entaillé par une vallée au nord du lac Champlain, par laquelle la rivière Richelieu s'écoule en direction du nord, vers le Saint-Laurent. Ce versant dépasse aussi 300 mètres d'altitude à 60 km de Montréal.

La topographie peu accidentée de cette vallée est rompue par quelques collines appartenant au groupe des Montérégiennes; ce sont, d'ouest en est, les collines d'Oka, le mont Royal, le mont Saint-Bruno, le mont Saint-Grégoire, le mont Saint-Hilaire et le mont Rougemont. À l'ouest de Montréal se dresse en outre la montagne de Rigaud.

Située dans la partie la plus méridionale du Québec, la grande plaine de Montréal bénéficie d'un climat sub-humide de type continental tempéré, beaucoup moins rigoureux que le reste de la province. Les températures moyennes sont de 4,4°C annuellement; -10,8°C pour le mois de janvier et 21,1°C pour juillet. Les températures extrêmes dépassent rarement -25°C en hiver et 32°C en été. La période sans gel varie de 125 à 150 jours par année, soit une durée de 4,5 mois. C'est dans la région de Montréal que la durée moyenne de la période foliaire totale des arbres feuillus est la plus longue au Québec, soit près de 200 jours. Généralement, le bourgeonnement débute à la fin d'avril et la défoliation est totale au début de novembre. Les précipitations annuelles dans la région de Montréal oscillent entre 85 et 105 cm avec une distribution normale voisine ou supérieure à 7,5 cm par mois. Les chutes de neige totalisent de 2,0 à 2,5 mètres entre novembre et mars mais l'épaisseur au sol dépasse rarement 50 cm. Les précipitations de pluie ou de neige peuvent se prolonger pendant plusieurs heures, voire quelques jours à l'occasion, sauf durant les mois d'été alors qu'elles tombent habituellement sous forme de brefs orages.

Bien que cette région ne représente qu'environ 1% de la superficie totale du Québec, on y trouve plus de la moitié de la population de la province, soit plus de 3 millions d'habitants. Cette énorme pression démographique ainsi que la présence sur ce territoire des meilleures terres arables du Québec ne sont pas sans créer des préjudices au milieu naturel. Plusieurs sites, que nous décrirons un peu plus loin dans cet ouvrage, pourraient être défavorablement modifiés dans un avenir rapproché.

Le milieu et ses communautés aviaires

Les milieux boisés

La région de Montréal, telle que définie pour le cadre de cet ouvrage, fait partie de la région forestière du Haut Saint-Laurent, région comprenant les terres basses de la vallée supérieure du

Saint-Laurent et de la vallée inférieure de la rivière des Outaouais. Cette région correspond approximativement au domaine de l'érablière à caryer. Le couvert forestier dominant se compose de l'Érable à sucre, du Hêtre à grandes feuilles et de plusieurs autres espèces atteignant leur limite nord de répartition. Les essences résineuses y sont peu répandues. La forêt primitive qui recouvrait ce territoire sur presque toute sa totalité a presque complètement disparu pour faire place à des champs en culture et des territoires urbains. De nos jours, les parties boisées sont représentées par des peuplements en regain parvenus à différents stades de développement et qui ne recouvrent maintenant qu'environ 15% du territoire. À vol d'oiseau, la région de Montréal offre l'aspect d'une mosaïque de parcelles boisées très isolées les unes des autres et de superficie très réduite.

Il est certain que les oiseaux forestiers nichant dans la région de Montréal ont souffert de la déforestation. Selon certains chercheurs, la destruction des forêts aurait même provoqué la disparition de quelques espèces à l'échelle régionale.

Seuls les oiseaux forestiers ne requérant pas de grandes superficies boisées nichent dans les petits fragments de forêts de la région de Montréal; on y trouve typiquement le Pic flamboyant, le Pioui de l'Est, le Tyran huppé, la Mésange à tête noire, la Sittelle à poitrine blanche, la Grive des bois, le Viréo aux yeux rouges et la Paruline flamboyante. L'intrusion des espèces de lisières dans ces milieux boisés est également très apparente et on y remarque souvent le Merle d'Amérique, le Cardinal à poitrine rose, le Vacher à tête brune et l'Oriole du Nord. Par contre, les espèces nichant dans la partie centrale des forêts ne sont pas très répandues dans ces parcelles. Ainsi, des espèces caractéristiques de la forêt décidue du nord-est du continent américain telles que la Grive fauve, la Paruline noir et blanc, la Paruline couronnée et le Tangara écarlate y sont souvent absentes.

Par ailleurs, des secteurs boisés plus importants recouvrent encore la plupart des Montérégiennes, à l'exception du mont Royal. On trouve également, à d'autres endroits, des territoires peu propices à l'agriculture, où la trame forestière se resserre quelque peu. Il subsiste notamment de beaux ensembles forestiers près de la frontière canado-américaine, entre Huntingdon et Hemmingford, dans la région de Lachute (au nord de Montréal), ainsi que dans certains secteurs situés au nord-est de Montréal, de part et d'autre du fleuve Saint-Laurent (Bois de Verchères, Contrecoeur, secteurs de Mascouche, l'Épiphanie, Lanoraie, etc.). Ces secteurs restent probablement parmi les plus diversifiés au Québec du point de vue ornithologique. En effet, plusieurs espèces forestières, nichant au Québec, atteignent là leur plus haut niveau de densité tandis que certaines d'entre elles, se reproduisant exclusivement dans l'extrême sud de la province, représentent un intérêt tout à fait spécial dans la région de Montréal. Le Petit-duc maculé, le Pic à tête rouge, le Gobe-moucherons gris-bleu, le Viréo à gorge jaune, la Paruline à ailes dorées et la Paruline azurée appartiennent à ce groupe.

Les milieux ouverts

Au cours des deux derniers siècles, plus de 80% du territoire a été déboisé pour faire place à des champs en culture, des pâturages et des parcs résidentiels. Certains de ces milieux, plus particulièrement ceux qui sont destinés au développement industriel et résidentiel en périphérie de la région métropolitaine, sont souvent laissés en friche pendant quelques années avant leur utilisation, créant ainsi des habitats très propices à la reproduction des espèces associées à un recouvrement arbustif plus dense. Des chercheurs ont noté que la plupart des espèces qui affectionnent les milieux très ouverts et les friches ont bénéficié de la déforestation; de nouvelles espèces nicheuses se sont même établies dans la région de Montréal suite à ces modifications du milieu.

Les espèces typiques des milieux très ouverts telles que l'Hirondelle des granges, l'Hirondelle bicolore, le Goglu, la Sturnelle des prés et le Bruant des prés, sont très répandues dans la région de Montréal. Il en est de même pour les espèces caractéristiques des friches et des lisières comme le Moqueur chat, le Moqueur roux, le Jaseur des cèdres et la Paruline masquée. Le Tyran tritri, la Paruline jaune, le Bruant chanteur, le Carouge à épaulettes, le Quiscale bronzé et le Chardonneret jaune abondent également dans ces deux milieux.

Même si on les retrouve hors du Québec, plusieurs autres espèces appartenant à ces deux communautés sont exclusives au sud de la province et constituent pour les amateurs d'ornithologie du Québec un élément d'intérêt majeur dans la région de Montréal. Tel est le cas pour la Maubèche des champs, la Perdrix grise, le Moucherolle des saules, l'Hirondelle à ailes hérissées, le Cardinal rouge, le Tohi à flancs roux, le Bruant des champs, le Bruant sauterelle et le Roselin familier.

Durant les périodes de migration et en hiver, les champs en friche ou en culture sont en outre très fréquentés par certains rapaces diurnes tels que la Buse à queue rousse, la Buse pattue et le Harfang des neiges, qui peuvent y trouver une abondante nourriture.

Le milieu fluvial

La région de Montréal est parcourue, du sud-ouest au nord-est, par l'un des plus importants cours d'eau en Amérique du Nord, le fleuve Saint-Laurent. La topographie peu prononcée des basses terres avoisinantes a provoqué par endroits l'expansion de ce fleuve en de vastes étendues d'eau calme; ce sont les lacs Saint-François, Saint-Louis et Saint-Pierre. Une autre nappe d'eau importante, le lac des Deux-Montagnes, situé près du cours inférieur de la rivière des Outaouais au confluent du Saint-Laurent, porte la superficie totale de ces quatre lacs réunis à 700 km carrés.

La végétation associée aux rives et hauts-fonds de ces lacs comprend 33 000 hectares d'herbiers submergés ou émergents, soit 60% de tous les herbiers du corridor du Saint-Laurent. Ces endroits sont essentiels à l'alimentation et à la reproduction de la sauvagine et des autres espèces aquatiques.

Au printemps, plus de 120 000 Bernaches du Canada, soit 75% des effectifs notés dans le système du Saint-Laurent, et 60 000 Oies des neiges séjournent pendant quelques semaines dans la plaine de débordement du lac Saint-Pierre, tandis que 55 000 morillons fréquentent les herbiers du lac Saint-François. À l'automne, ce sont surtout les morillons qui apprécient le Haut Saint-Laurent alors que les Bernaches du Canada sont presque complètement absentes du secteur. Près de 165 000 morillons, soit 90% des morillons signalés sur l'ensemble du Saint-Laurent, s'arrêtent alors pour s'alimenter dans les herbiers submergés des lacs de la région de Montréal, en particulier ceux des lacs Saint-François et Saint-Pierre.

Plusieurs groupes d'îles caractérisent aussi le Haut Saint-Laurent. Notons les îles de la Paix, les archipels de Boucherville, de Varennes, de Contrecoeur et de Sorel-Berthier ainsi que plusieurs îles localisées dans la partie occidentale du lac Saint-François. Ces îles et la végétation émergente qui les entoure servent de sites de nidification pour plusieurs anatidés (oies et canards) et autres espèces de marais. Dix-sept espèces d'anatidés nichent dans la région de Montréal; la Bernache du Canada, le Morillon à tête rouge, le Petit Morillon et le Canard roux sont les plus inusités de ce groupe. Parmi les autres espèces nicheuses associées aux milieux humides, le Petit Butor, le Héron vert, la Poule-d'eau, le Phalarope de Wilson, la Mouette pygmée, la Guifette noire et le Troglodyte à bec court concentrent leurs effectifs dans la région de Montréal et constituent un autre élément d'intérêt particulier pour les amateurs d'ornithologie de la province.

La région compte aussi plusieurs héronnières; on trouve dans les îles de Berthier une colonie de Grands Hérons comprenant 850 nids, soit la plus importante connue dans le monde, tandis qu'on dénombre 300 nids de Bihoreaux à couronne noire à l'île aux Hérons dans les rapides de Lachine, ce qui en fait l'une des colonies les plus importantes dans l'est de l'Amérique du Nord. Par ailleurs, on trouve depuis 1985, quelques nids de Grandes Aigrettes à l'île Dickerson dans la partie occidentale du lac Saint-François; c'est le seul endroit au Québec où cette espèce se reproduit et c'est la colonie la plus septentrionale dans l'est du continent.

Ce bref survol du milieu fluvial et de ses communautés aviaires serait incomplet sans mentionner le Goéland à bec cerclé. Cette espèce, qui niche ici en immenses colonies, est certes la plus omniprésente le long du corridor fluvial. Plusieurs milliers d'individus nichent dans les îles du Saint-Laurent dont 20 000 couples sur l'île de la Couvée à Brossard, la plus importante colonie au Québec. Près de 15 000 autres couples sont aussi répartis dans les îles entre Boucherville et Contrecoeur.

Le loisir ornithologique dans la région de Montréal

Les pages qui suivent permettront au lecteur, nous l'espérons, de découvrir les multiples facettes du loisir ornithologique et de mieux comprendre l'enthousiasme que soulèvent l'observation des oiseaux et leur étude.

Les clubs d'ornithologie

Le premier club d'observateurs d'oiseaux, dont les membres étaient en majorité des résidants de la région de Montréal, fut la Société québécoise de protection des oiseaux; ce groupe vit le jour il y a plus de 70 ans, en 1917. Il fallut attendre les années 80 avant de voir apparaître d'autres clubs dans la région. Dès lors, le développement du loisir ornithologique fut très rapide puisqu'on compte actuellement plus d'une douzaine de clubs sur le territoire (Appendice).

Les ornithologues amateurs de ces clubs offrent une foule d'activités auxquelles tous les membres sont invités à participer. Les excursions sur le terrain restent l'une des activités fondamentales de chaque club. La participation au programme d'excursions permet à plusieurs débutants de se familiariser rapidement avec la faune ailée locale ainsi qu'avec les sites les plus intéressants. Chaque club publie, d'autre part, un bulletin de liaison qui est expédié à tous ses membres et dans lequel on retrouve le calendrier des activités du club ainsi qu'un compte-rendu des observations régionales. Par ailleurs, un programme de conférences mensuelles, traitant des différents aspects de l'ornithologie, permet à chacun d'acquérir des connaissances fascinantes concernant notre avifaune. Les observateurs d'oiseaux sont aussi invités à participer à différents projets spéciaux tels que le recensement des oiseaux de Noël, l'Atlas des oiseaux nicheurs, le dénombrement des oiseaux aux mangeoires, l'installation de nichoirs, la préparation d'expositions, ainsi qu'à différents dossiers concernant la protection d'habitats essentiels. Il y en a donc pour tous les goûts.

Les activités saisonnières

Les nombreuses occupations de l'amateur d'ornithologie prennent un visage différent selon la saison.

Au printemps

Les périodes de migration, en particulier celle du printemps, soulèvent beaucoup d'enthousiasme chez les observateurs d'oiseaux;

c'est alors l'occasion de se familiariser avec plusieurs oiseaux de passage qu'on ne peut observer à d'autres périodes de l'année. La migration vers les sites de reproduction débute très tôt pour certaines espèces, aussi tôt que la mi-février pour l'Alouette cornue, et se termine aussi tard que le début de juin pour d'autres espèces. Mars et avril sont les mois généralement associés au passage des oiseaux de proie et de la sauvagine tandis que la plupart des passereaux n'envahissent la région qu'en mai. Alors qu'il peut être très difficile pour un observateur tenace de découvrir plus de 70 à 80 espèces durant les trois mois d'hiver, il est possible d'en dénombrer le double en une seule journée au mois de mai. Une équipe de quatre observateurs a pu repérer 142 espèces le 23 mai 1981. Un tel projet doit toutefois être minutieusement préparé afin de rendre possible la visite de tous les types d'habitats en un minimum de temps. Seules les deux dernières semaines de mai permettent d'observer autant d'espèces en si peu de temps.

Le morcellement des forêts, qui atteint son point culminant dans la région de Montréal et qui est responsable de la diminution de certaines espèces sylvicoles nichant localement, s'avère par ailleurs un avantage pour l'observateur lors du passage de ces oiseaux au printemps. En effet, les petites parcelles boisées isolées, particulièrement celles situées en milieux urbain et péri-urbain, permettent alors de concentrer les oiseaux forestiers et de faciliter ainsi leur observation.

En été

La période de nidification des oiseaux est surtout associée aux mois de juin et juillet mais pour quelques espèces, cette période débute beaucoup plus tôt. C'est le cas notamment des becs-croisés, qui nichent souvent durant les mois les plus froids de l'année, et du Grand-duc d'Amérique qui commence à incuber ses oeufs dès la fin de février. Dès le début d'avril, tous les strigidés (hiboux et chouettes) nichant ici ont déjà entrepris leur saison de reproduction; leurs hululements, surtout perceptibles par les nuits calmes de pleine lune, permettent de les reconnaître. C'est alors l'occasion de participer à des sorties nocturnes souvent pleines d'imprévus pour localiser les hiboux nicheurs de la région.

En juin et juillet, la saison de nidification bat son plein; c'est la période par excellence pour étudier les comportements des oiseaux nicheurs, en particulier les parades nuptiales, les chants, la défense du territoire, l'élevage des jeunes, etc. La région de Montréal connaît le plus grand nombre d'espèces nicheuses au Québec, soit 189; certains secteurs privilégiés de la région en dénombrent près de 100 et même jusqu'à 120 sur des territoires très restreints. À cette époque de l'année, plusieurs amateurs participent à différentes formes de recensements des oiseaux nicheurs parrainés par des organismes nationaux tels que le Service canadien de la faune. Ces projets permettent d'établir la répartition des oiseaux nicheurs ou de surveiller les populations de chaque espèce d'année en année. L'été est aussi une période de choix pour s'adonner à la photographie d'oiseaux.

À l'automne

La migration automnale s'allonge sur une très longue période et chevauche la saison de nidification. Déjà à la mi-juillet, certaines espèces ont complété leur cycle de reproduction et ont déjà entrepris leur long périple vers leurs quartiers d'hiver. D'autres espèces, par ailleurs, ne nous quitteront qu'en novembre et parfois seulement au début de l'hiver, quand les conditions climatiques plus rigoureuses réussiront à vaincre leur intrépidité.

Même si la région de Montréal n'offre pas un environnement très favorable à l'observation des limicoles, c'est habituellement de la mi-juillet à la mi-octobre que ces oiseaux sont le plus visibles ici; les rives du fleuve et les nombreuses îles entre Montréal et le lac Saint-Pierre sont les principaux endroits où ces oiseaux sont signalés. Plus d'une trentaine de limicoles peuvent être observés dans la région.

Alors que leur arrivée au printemps est très remarquée, le départ des passereaux à l'automne se fait sans tambour ni trompette. Les oiseaux se font graduellement plus discrets et après la chute des feuilles en octobre, les forêts deviennent alors presque complètement inhabitées. Par ailleurs, la migration des oiseaux de proie ainsi que celle des anatidés (oies et canards) et des laridés (goélands, mouettes et sternes) soulèvent beaucoup plus d'enthousiasme; plusieurs membres de ces différents groupes d'oiseaux flânent ici souvent jusqu'au début de l'hiver, à la satisfaction des observateurs.

En hiver

En dépit des conditions climatiques plus rigoureuses qui y sont associées, l'hiver dans la région de Montréal est une saison extrêmement intéressante sur le plan ornithologique. Cette période est la seule qui permet d'observer certaines espèces dont l'aire de répartition est plus nordique telles que le Goéland arctique, le Goéland bourgmestre, le Harfang des neiges, la Pie-grièche grise, le Bruant hudsonien, le Bruant lapon, le Bruant des neiges, le Bec-croisé à ailes blanches et le Sizerin flammé. D'autres visiteurs sont aussi notés avec plus ou moins de régularité durant cette période; tel est le cas pour le Faucon gerfaut, la Chouette épervière, la Chouette lapone, la Nyctale boréale, le Pic tridactyle, le Pic à dos noir, le Geai du Canada, la Mésange à tête brune, le Jaseur boréal, le Dur-bec des pins et le Sizerin blanchâtre. Il est maintenant bien établi qu'un observateur méthodique peut voir au-delà de 80 espèces dans la région de Montréal, entre le 1er décembre et le 28 février. En 1987-88, à l'occasion d'un hiver plutôt clément, un observateur a noté 104 espèces du 1er décembre au 29 février; certaines espèces observées étaient toutefois des migrateurs attardés présents au début de décembre seulement.

Au début de l'hiver, le recensement des oiseaux de Noël est une activité importante à laquelle plusieurs ornithologues se font un devoir de participer. Cette activité, qui se déroule habituellement un samedi ou un dimanche entre le 14 décembre et le 3 janvier, consiste à dénombrer tous les oiseaux présents à l'intérieur d'un cercle de 25 km de diamètre. En 1987, près de 1500 sites de la sorte ont été inventoriés à l'échelle de l'Amérique du Nord par plus de 40 000 bénévoles. Depuis 1900, les résultats obtenus sont régulièrement compilés et publiés, ce qui permet aux scientifiques de surveiller les changements qui se produisent dans la répartition et l'abondance des espèces résidantes de l'Amérique du Nord. À Montréal, ce recensement permet habituellement de dénombrer près de 60 espèces.

L'amateur d'ornithologie peut également participer à de nombreuses autres activités durant la saison froide, par exemple le dénombrement du Harfang des neiges et celui des canards hivernants. La région de Montréal, et tout particulièrement les rapides de Lachine dans le Saint-Laurent, accueillent les plus grands rassemblements de canards hivernant en eau douce au Québec. Le recensement des canards est réalisé durant les deux premières semaines de février depuis maintenant huit années consécutives; il a permis de dénombrer 19 espèces d'anatidés qui ont hiverné ici au moins à une occasion. Les espèces qui hivernent régulièrement sont le Grand Bec-scie (près de 1500 individus), le Garrot à oeil d'or (près de 1000), le Canard colvert (près de 500), le Canard noir (près de 400) et le Canard pilet (environ une vingtaine d'individus) tandis que la Bernache du Canada, le Canard branchu, la Sarcelle à ailes vertes, le Canard chipeau, le Canard siffleur d'Amérique, le Morillon à dos blanc, le Morillon à collier, le Grand Morillon, le Petit Morillon, le Canard arlequin, le Garrot de Barrow, le Petit Garrot, le Bec-scie couronné et le Bec-scie à poitrine rousse n'hivernent qu'occasionnellement et en très petit nombre.

En terminant ce chapitre, il ne faudrait pas oublier de mentionner ici une activité à laquelle tous, débutants comme experts, jeunes comme moins jeunes, peuvent participer. Cette activité qui procure beaucoup d'agrément et qui peut se pratiquer sans effort tout en demeurant à la maison, consiste à nourrir les oiseaux autour de chez soi. Plusieurs bouquins ont traité de ce sujet et il serait superflu de répéter ici tout ce qui s'est écrit sur les oiseaux de mangeoires. Signalons seulement qu'une cinquantaine d'espèces sont susceptibles de visiter les postes d'alimentation dans la région de Montréal. Toutefois, même les postes d'alimentation bénéficiant d'un environnement des plus favorables, ne seront pas visités par plus d'une vingtaine ou une trentaine d'espèces durant l'hiver. Ce faible nombre d'espèces permet d'acquérir une connaissance plus approfondie de chacune d'elles et de consacrer plus de temps à l'étude de leur comportement. L'observation des oiseaux aux mangeoires a été pour plusieurs amateurs la porte d'entrée du monde de l'ornithologie.

Chapitre 2

Les sites ornithologiques

Ce chapitre constitue la raison d'être du présent ouvrage. On y trace en détail le portrait des cinquante-cinq meilleurs sites ornithologiques de la région de Montréal. Afin de simplifier leur présentation, les sites ont été regroupés en six secteurs selon leur localisation géographique. Les six secteurs ainsi formés ont été désignés par les lettres A à F :

Secteur A : Montréal et la banlieue (22 sites)
Secteur B : À l'ouest de Montréal (7 sites)
Secteur C : Au sud-ouest de Montréal (7 sites)
Secteur D : La vallée du Richelieu (7 sites)
Secteur E : Le fleuve, de Montréal au lac Saint-Pierre (7 sites)
Secteur F : Au nord de Montréal (5 sites)

La carte qui représente la région de Montréal ainsi qu'une partie des Laurentides permet de visualiser l'emplacement de chaque secteur.

La description des sites appartenant à ces différents secteurs est précédée plus loin d'une carte de localisation indiquant l'emplacement de chaque site relativement à l'île de Montréal. Dans cet ouvrage, chaque site est identifié d'abord par la lettre désignant le secteur dont il fait partie suivie d'un chiffre; par exemple : D2 réfère au mont Saint-Hilaire qui est situé dans la vallée du Richelieu.

La présentation de chaque site utilise une formule identique qui comprend sept sections ainsi qu'une carte permettant au visiteur de se reconnaître sur les lieux. Les cinq premières sections sont courtes et donnent un aperçu rapide du site. Elles abordent les points suivants :

La région de Montréal

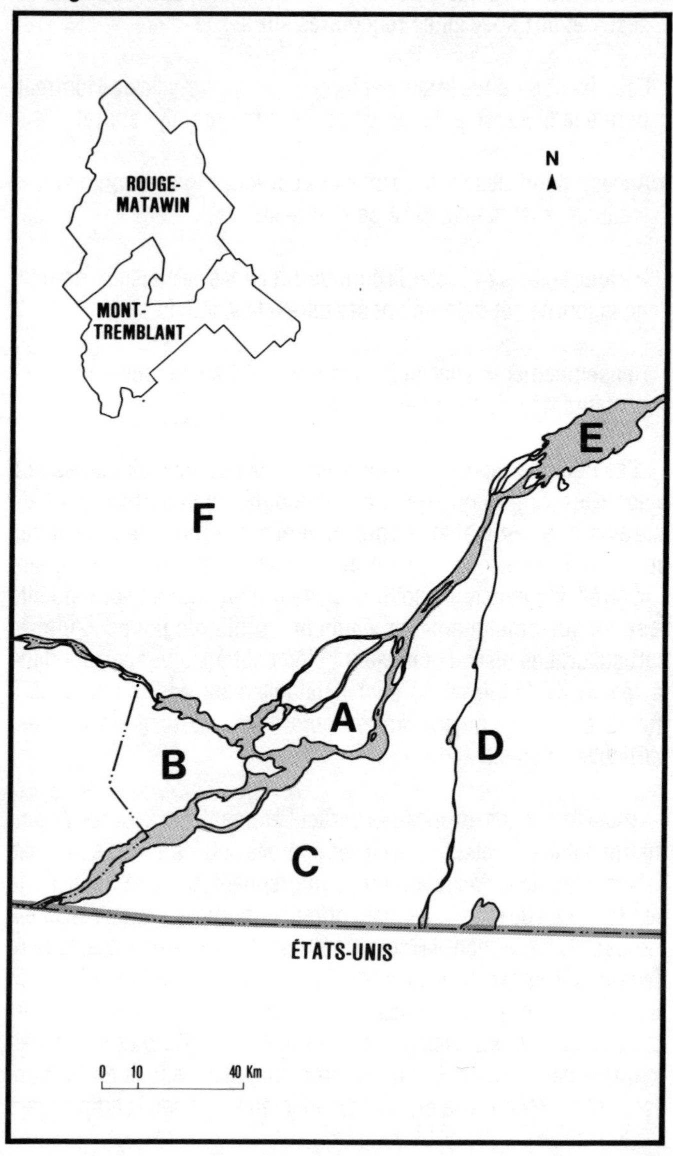

- Profil ornithologique : donne la liste des principaux groupes d'oiseaux et des spécialités rencontrés sur le site.

- Localisation : situe le site par rapport au centre-ville de Montréal; donne la distance et le temps nécessaire pour s'y rendre.

- Accès : donne les routes à utiliser à partir de Montréal ou d'autres localités, s'il y a lieu, pour se rendre au site.

- Périodes cibles : précise la période de l'année, le meilleur moment de la journée et le temps nécessaire à la visite du site.

- Renseignements spéciaux : indique, s'il y a lieu, des points importants très particuliers au site.

Les deux dernières sections sont beaucoup plus élaborées. Le point "Description du site" traite des différentes particularités du site ainsi que des habitats en présence et des communautés aviaires qui y sont associées. Quant au dernier point intitulé "Itinéraire suggéré", il consiste à piloter le visiteur d'un bout à l'autre du site tout en lui soulignant les éléments ornithologiques d'intérêt particulier. Les oiseaux familiers qu'on peut observer partout dans la région de Montréal ne sont habituellement pas mentionnés à moins qu'ils soient considérés comme constituant un élément particulier d'un site.

Plusieurs sites proposés, particulièrement ceux de la région métropolitaine (secteur A), sont des endroits publics dont la superficie est relativement faible et qui comprennent un bon réseau de sentiers. Peu de sites cependant offrent une infrastructure d'accueil, moins de la moitié dans la région métropolitaine et le quart seulement dans les autres secteurs. D'autres sites, par ailleurs, particulièrement ceux qui sont les plus éloignés, couvrent parfois de grands territoires; la visite des lieux consiste alors à rouler en voiture et à s'arrêter fréquemment dans le but d'explorer les milieux situés en bordure des routes. Même si la plupart des itinéraires proposés empruntent des routes peu fréquentées, ce type d'exploration exige beaucoup de prudence; il est notamment recommandé d'effectuer ces itinéraires très tôt en matinée alors que la circulation est moins dense. Si le visiteur quitte sa voiture en bordure d'une route, même très peu fréquentée, il doit veiller à ce que celle-ci soit complètement rangée sur l'accotement, afin d'être en règle avec le code de la route. Il est aussi important de se rappeler que plusieurs territoires bordant ces routes sont constitués de terrains privés. Le visiteur devra donc s'assurer au préalable de l'accord des propriétaires avant de s'aventurer sur leurs terrains.

Il ne reste donc plus qu'à choisir le ou les sites qui vous conviennent. Plusieurs considérations peuvent motiver le choix d'un site : par exemple, sa proximité de votre domicile, une excursion organisée par un club, le type d'oiseaux recherché, la saison, etc. La consultation des quatre premières sections qui amorcent la présentation de chaque site, pourra faciliter votre choix. Il est aussi recommandé de consulter les chapitres 3 et 4. La lecture de ces chapitres aidera le lecteur à faire un choix selon la saison et selon les groupes d'oiseaux recherchés.

Secteur A

Montréal et la banlieue

1- L'arboretum Morgan
2- Le parc régional de l'Anse-à-l'Orme
3- Le parc régional du Cap-Saint-Jacques
4- Le parc régional du Bois-de-Liesse
5- Le parc régional du Bois-de-Saraguay
6- La rive nord du lac Saint-Louis
7- L'île Jésus
8- Les îles des rapides de Lachine
9- L'île des Soeurs
10- Le centre-ville de Montréal et l'île Sainte-Hélène
11- Le parc Summit
12- Le cimetière du Mont-Royal
13- Le parc du Mont-Royal
14- Le Jardin botanique de Montréal
15- Le parc régional de l'Île-de-la-Visitation
16- Le parc régional du Bois-de-la-Réparation
17- La région de Châteauguay
18- Le bassin de LaPrairie et la région environnante
19- Les municipalités de Brossard et de LaPrairie
20- Les berges de Longueuil
21- Le parc régional de Longueuil
22- Le parc des Îles-de-Boucherville

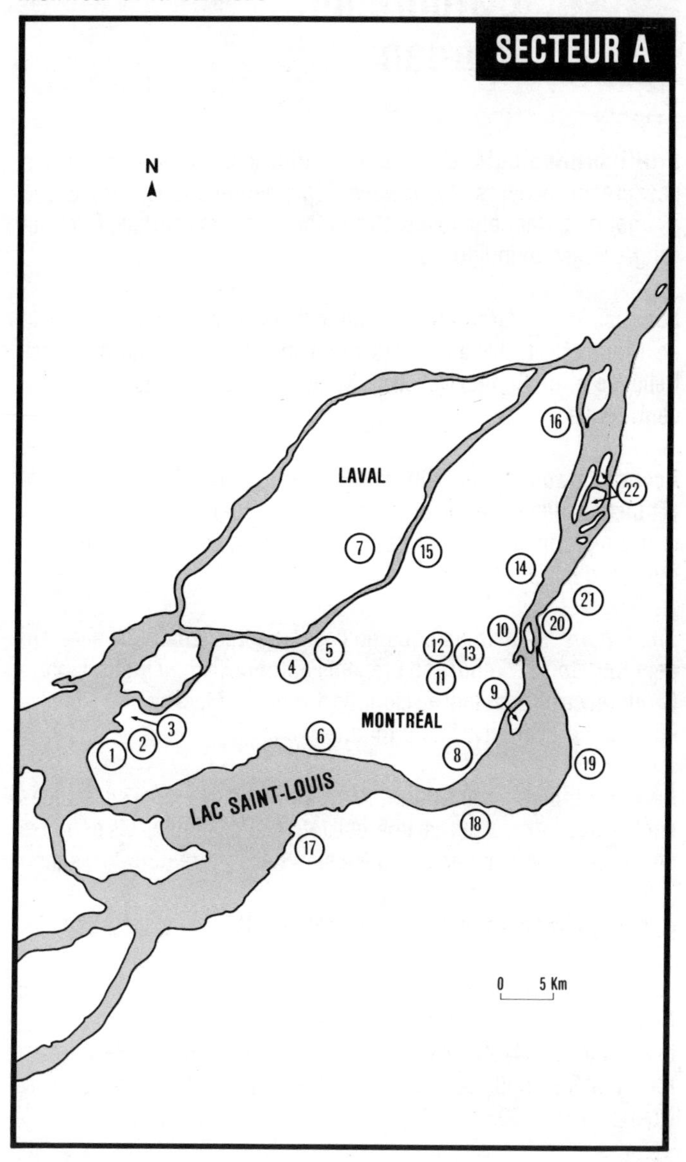
SECTEUR A
N
LAVAL
MONTRÉAL
LAC SAINT-LOUIS
1
2
3
4
5
6
7
8
9
10
11
12
13
14
15
16
17
18
19
20
21
22
0
5 Km

Site A-1

L'arboretum Morgan

Profil ornithologique : rapaces diurnes, hiboux, plusieurs passereaux nicheurs. *Spécialités :* Épervier de Cooper, Grand-duc d'Amérique, Chouette rayée, Grand Pic, Tangara écarlate, Cardinal rouge, Passerin indigo.

Localisation : L'arboretum est situé dans la banlieue ouest de l'île de Montréal et chevauche les municipalités de Sainte-Anne-de-Bellevue et de Senneville. On s'y rend en 30 minutes à partir du centre-ville.

Accès : *En automobile :* On accède à ce site via l'autoroute 40 ouest (Transcanadienne) et la sortie 41, direction chemin Sainte-Marie. À la première intersection, il faut tourner à gauche en direction du guichet d'entrée.

En autobus : Aucun autobus ne dessert actuellement ce site. On peut toutefois s'y rendre en prenant l'autobus 211 au métro Lionel-Groulx et en descendant au campus du collège MacDonald. Il faudra ensuite marcher environ 20 minutes.

Périodes cibles : L'arboretum Morgan est un des rares sites situés sur l'île de Montréal qui est intéressant à visiter à toutes les périodes de l'année; une matinée complète sera nécessaire pour le visiter.

Renseignements spéciaux : Un tarif de 2,00$ est exigé à l'entrée. En période d'affluence, particulièrement en hiver, seuls les membres sont admis. Il en coûte 41,00$ par année pour devenir membre de l'Association pour l'arboretum Morgan. Pour informations, téléphoner à (514) 398-7811 ou écrire à Association pour l'arboretum Morgan, C.P. 500, Collège MacDonald, Sainte-Anne-de-Bellevue, Québec H9X 1C0.

Description du site : Affilié au collège MacDonald de l'Université McGill, l'arboretum fut créé en 1945, avec comme principaux objectifs la recherche et l'enseignement en sylviculture et en arboriculture. D'une superficie de 218 hectares dont 80% sont boisés, l'arboretum comprend un bois naturel et diverses plantations d'essences indigènes et exotiques. La présence de petites parcelles boisées contiguës augmente le couvert forestier total à 230 hectares, créant ainsi le plus grand ensemble forestier sur l'île de Montréal. Les principaux groupements végétaux représentés dans la forêt sont l'érablière à caryer et la hêtraie. On y trouve aussi d'importants groupements de Pruches du Canada. L'arboretum est un endroit de choix pour pratiquer des activités de randonnée pédestre, de ski de fond, de raquette, d'équitation et d'observation de la faune.

Quelque 185 espèces d'oiseaux ont été signalées sur ce territoire et environ 80 y nichent. En juin, au plus fort de la saison de nidification, un observateur expérimenté peut y découvrir 70 espèces en une seule journée. Fait plutôt inusité sur l'île de Montréal, on retrouve en été dans ce bois plusieurs espèces caractéristiques de la partie centrale des forêts; des espèces telles que la Paruline couronnée et le Tangara écarlate y sont très répandues. Il s'agit d'autre part d'une des rares stations sur l'île de Montréal où l'on retrouve, en période de nidification, des espèces telles que la Sittelle à poitrine rousse, le Roitelet à couronne dorée, le Viréo de Philadelphie, la Paruline bleue à gorge noire, la Paruline verte à gorge noire, la Paruline à gorge orangée et la Paruline des ruisseaux. La présence d'une douzaine de parulines nicheuses sur ce territoire constitue une autre particularité unique sur l'île de Montréal. Enfin, cinq espèces de pics nicheurs, incluant le Pic maculé et le Grand Pic, se partagent la forêt tandis qu'en hiver, le Pic tridactyle et le Pic à dos noir viennent occasionnellement se joindre aux pics résidants. À l'arrivée de l'hiver, les plantations de conifères servent d'abris à plusieurs espèces fréquentant les postes d'alimentation. Quelques arbres fruitiers attirent des espèces frugivores telles que le Jaseur boréal et le Dur-bec des pins.

Les lisières et les champs abandonnés au nord et à l'est de l'arboretum contribuent également à accroître la diversité aviaire de cet emplacement. Dans ces milieux, on pourra découvrir entre autres le Merle-bleu de l'Est, le Moqueur roux, le Viréo mélodieux, le Cardinal rouge et le Passerin indigo.

Les rapaces constituent un autre groupe d'oiseaux fréquemment rencontré à l'arboretum. Parmi les rapaces nocturnes, le Grand-duc d'Amérique, la Chouette rayée et la Petite Nyctale y ont niché et on y a déjà fait la découverte de la Nyctale boréale et de la Chouette lapone en hiver. Parmi les rapaces diurnes, la Buse à épaulettes, l'Épervier brun ainsi que l'Épervier de Cooper, une espèce menacée au Québec, nichent probablement à l'arboretum.

À l'automne, l'arboretum se révèle un excellent site pour observer les déplacements des rapaces vers le sud. On y remarque à toutes les années l'Urubu à tête rouge, le Pygargue à tête blanche et l'Aigle royal. La Petite Buse est le rapace le plus abondant. En moyenne, 500 à 600 individus sont dénombrés à chaque année au début de septembre mais, en 1981, on en a compté 8388, dont 2753 durant la journée du 12 septembre. La présence du lac des Deux-Montagnes à l'ouest et du lac Saint-Louis à l'est canalise probablement les rapaces au-dessus de l'arboretum, ces derniers évitant toujours de survoler les plans d'eau importants.

Itinéraire suggéré : Les nombreux sentiers de randonnée sillonnant l'arboretum donnent accès à divers habitats, principalement forestiers. On peut facilement y passer une journée complète au printemps ou en été sans pour autant avoir tout exploré. Le choix d'un itinéraire dépendra avant tout du temps dont dispose le visiteur.

Le sentier "écologique" et le sentier "des oiseaux", deux parcours situés à proximité du terrain de stationnement peuvent chacun faire l'objet de courtes randonnées d'une durée de moins d'une heure. Le sentier "écologique", situé à seulement 0,3 km du terrain de

L'arboretum Morgan

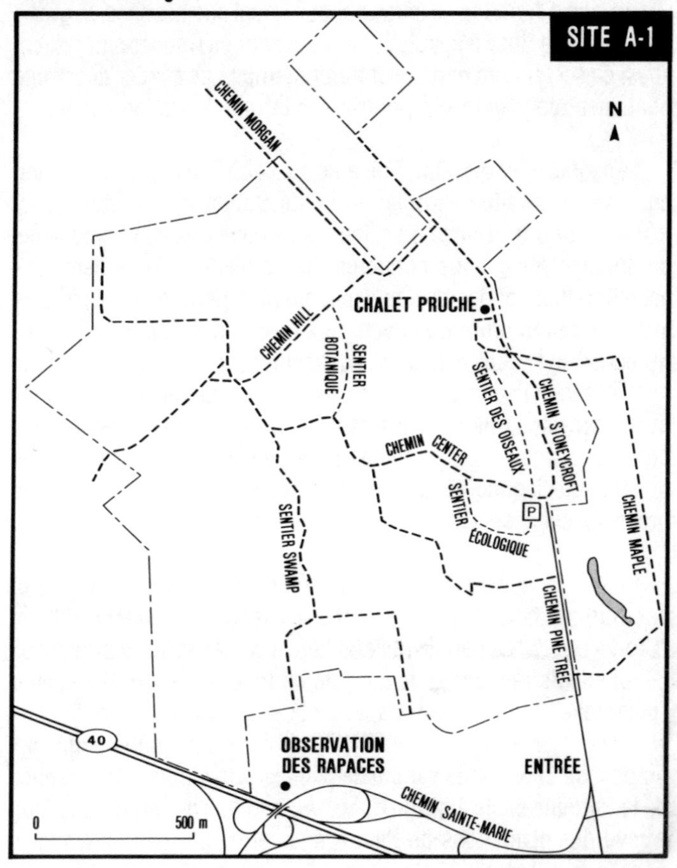

stationnement, est accessible via le chemin "Center". Ce sentier, dont les attraits se révèlent principalement au printemps et en été, traverse successivement une érablière à hêtre, une plantation de Pins rouges et de Mélèzes laricins, une petite clairière puis finalement une forêt mixte où l'on peut contempler de très vieux spécimens de Pins blancs et de Pruches du Canada. Plusieurs passereaux, notamment le Tangara écarlate, nichent le long de ce parcours; le Grand-duc d'Amérique cache habituellement son nid dans un grand Pin blanc. La Buse à épaulettes et l'Épervier de Cooper patrouillent aussi ce secteur, en particulier au printemps. Le sentier débouche finalement dans un champ derrière le terrain de stationnement.

Le sentier "des oiseaux" présente quant à lui un intérêt plus grand en hiver. Il se situe entre le terrain de stationnement et le chalet Pruche au nord. Dans ce secteur, on trouve une zone aménagée comprenant de grands conifères, des arbustes d'ornement, des arbres fruitiers et des postes d'alimentation pour les oiseaux. Les arbres fruitiers attirent souvent le Dur-bec des pins et le Jaseur boréal en hiver. Les plantations de conifères près du chalet Pruche sont occasionnellement visitées par des chouettes et des hiboux durant la saison froide; au fil des ans, on y a noté les espèces les plus communes mais aussi certaines espèces plus nordiques telles que la Chouette lapone et la Nyctale boréale, deux espèces dont la présence est associée à des phénomènes cycliques.

En été, le visiteur disposant de suffisamment de temps pourra parcourir la boucle que forment les chemins "Center", "Hill" et "Stoneycroft". La hêtraie et l'érablière à caryer sont les principaux peuplements rencontrés le long de ce trajet de 3 km. Le sentier "botanique", un court sentier autoguidé, se greffe au chemin "Center" et relie ce dernier au chemin "Hill" en traversant différents milieux où pousse une grande variété de plantes. On y notera la présence de la Paruline bleue à gorge noire. Au sud du chemin "Center", on trouve des plantations de Pins rouges et d'Épinettes de Norvège dont l'âge varie entre 30 et 40 ans. C'est dans ce secteur que nichent la Sittelle à poitrine rousse et le Roitelet à couronne dorée. À partir du chemin "Center", on pourra aussi rejoindre le sentier "Swamp" qui se dirige vers le sud dans un milieu plutôt marécageux où prédominent le Hêtre à grandes feuilles et la Pruche du Canada. La Chouette rayée niche probablement dans ce secteur et on y trouve plusieurs espèces de passereaux.

D'autre part, au nord et à l'est de l'arboretum, les chemins "Morgan" et "Maple" permettent de visiter des milieux ouverts où les espèces les plus fréquentes sont le Moqueur chat, la Paruline jaune, la Paruline masquée, le Goglu et le Carouge à épaulettes. À l'est du chemin "Pine Tree", on trouve l'étang Stoneycroft fréquenté par quelques espèces aquatiques et entouré de plusieurs nichoirs qu'occupent l'Hirondelle bicolore, et plus rarement le Troglodyte familier ou le Merle-bleu de l'Est.

À l'automne, la surveillance des déplacements d'oiseaux de proie au-dessus de l'arboretum procure souvent de vives émotions aux adeptes de cette activité. Le site d'observation privilégié est situé à la limite sud de l'arboretum près de l'autoroute 40. Il n'est pas nécessaire de pénétrer sur le territoire de l'arboretum pour s'y rendre. Après s'être engagé dans la sortie 41, il faut éviter de se diriger vers le chemin Sainte-Marie ou vers Sainte-Anne-de-Bellevue; il faut plutôt utiliser la voie qui redonne accès à l'autoroute 40. Juste avant de revenir sur la 40, le visiteur pourra stationner à droite. Il faudra alors gravir une légère pente conduisant vers le site d'observation.

Enfin, il est intéressant de souligner que l'arboretum est situé à proximité de deux établissements associés au monde des oiseaux. Il s'agit de l'Écomusée et du Centre de recherches sur les rapaces MacDonald. Les visiteurs sont invités à s'y arrêter.

L'Écomusée fut mis sur pied grâce à l'initiative de la Société d'histoire naturelle de la vallée du Saint-Laurent. Il se définit comme un musée vivant dont le principal objectif est de développer la compréhension et l'appréciation du caractère physique et du milieu vivant de la vallée du Saint-Laurent. On devrait y trouver, une fois le projet complété, des volières renfermant des passereaux, des échassiers et des canards. L'Écomusée est situé au 21 125 chemin Sainte-Marie, juste à l'est de l'arboretum. Tél: (514) 457-9449.

Le Centre de recherches sur les rapaces MacDonald est un organisme voué à la protection des oiseaux de proie. Le Centre offre des conférences et des visites sur rendez-vous seulement. Il est toutefois possible de voir sur les terrains, à l'extérieur du Centre, des rapaces tels que le Pygargue à tête blanche, l'Aigle royal et le Grand-duc d'Amérique. En quittant l'arboretum, on rejoint le Centre en empruntant la voie d'accès du campus MacDonald. Le Centre est à gauche après avoir franchi le viaduc au-dessus de la voie ferroviaire. Tél.: (514) 398-7929.

Gélinotte huppée

Site A-2

Le parc régional de l'Anse-à-l'Orme

Profil ornithologique : limicoles, passereaux migrateurs. *Spécialités :* Grand-duc d'Amérique, Jaseur boréal, Cardinal rouge.

Localisation : Ce parc est situé dans la partie nord-ouest de l'île de Montréal. On s'y rend en moins de 30 minutes à partir du centre-ville.

Accès : *En automobile :* À partir du centre-ville, il faut rejoindre l'autoroute 40 ouest (Transcanadienne) et rouler jusqu'à la sortie 49, où il faudra emprunter le chemin Sainte-Marie ouest. Un peu plus loin, un virage à droite sur le chemin de l'Anse-à-l'Orme conduira le visiteur à travers le parc.

En autobus : À partir du métro Côte-Vertu, il faut prendre l'autobus 215 jusqu'à Fairview, puis le 206 ouest jusqu'à l'Anse-à-l'Orme.

Périodes cibles : Chaque saison imprime un cachet particulier à cet emplacement mais, comme pour la plupart des sites de la région de Montréal, le printemps et l'été sont les saisons les plus captivantes sur le plan ornithologique. Une à trois heures suffisent pour visiter ce site.

Description du site : Ce parc chevauche quatre municipalités (Sainte-Anne-de-Bellevue, Pierrefonds, Kirkland et Senneville) et fait partie du réseau de parcs régionaux institué par la Communauté urbaine de Montréal. Il s'agit d'un parc de forme linéaire d'une superficie de 61 hectares, incluant les abords immédiats du ruisseau de l'Anse-à-l'Orme ainsi qu'une petite partie des rives de l'anse elle-même dans la partie est du lac des Deux-Montagnes.

La configuration actuelle du parc ne favorise pas son utilisation par les amateurs d'ornithologie à la recherche de coins paisibles pour s'adonner à leur passe-temps. En effet, il n'est possible d'y pratiquer cette activité qu'en bordure du chemin de l'Anse-à-l'Orme, une route de plus en plus fréquentée par les automobilistes. Par contre, les territoires adjacents à ce parc offrent des sites très attrayants pour les amateurs d'ornithologie et il est possible que leur acquisition éventuelle par la Communauté urbaine de Montréal vienne élargir le territoire de ce parc. Deux de ces endroits sont situés dans la municipalité de Sainte-Anne-de-Bellevue à l'extrémité sud du chemin de l'Anse-à-l'Orme, d'où partent des sentiers facilitant leur exploration. Ces milieux de grande valeur servent à la fois de halte migratoire et d'aire de nidification pour plusieurs passereaux forestiers.

La Communauté urbaine de Montréal n'a complété que peu d'aménagement sur le territoire du parc jusqu'à maintenant, si ce n'est l'établissement d'une aire de stationnement (en bordure du boulevard Gouin) donnant accès au lac des Deux-Montagnes. Cet emplacement permet aux amateurs de voile de mettre leur embarcation à l'eau. À cet endroit, les rivages limoneux près de l'embouchure du ruisseau de l'Anse-à-l'Orme accueillent de nombreux limicoles à la fin de l'été.

Itinéraire suggéré : Les deux premiers sites mentionnés ci-dessous ne sont pas situés dans les limites actuelles du parc régional.

Le premier site est un territoire de forme allongée situé du côté ouest du chemin de l'Anse-à-l'Orme. De nombreux champs et friches segmentent ce bois dominé par le Frêne rouge. À partir du chemin Sainte-Marie, le visiteur devra rouler 0,7 km sur le chemin de l'Anse-à-l'Orme et s'arrêter du côté gauche de la route. À cet endroit précis, un petit pont permet de franchir le ruisseau de l'Anse-à-l'Orme. Un sentier longe ensuite le ruisseau vers la droite puis tourne vers l'ouest sous les câbles à haute tension d'Hydro-Québec.

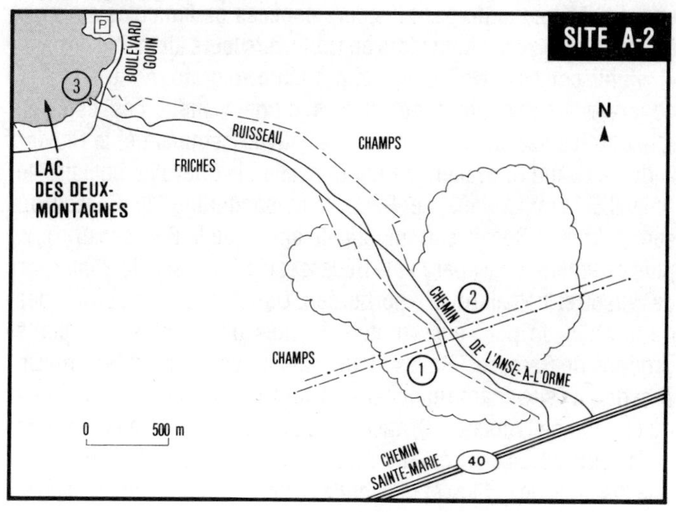

Ce sentier, qui devient considérablement envahi par la végétation durant l'été, passe successivement en bordure d'une cédrière, dans une arbustaie très dense sous la ligne à haute tension et finalement au milieu de champs bordés par de superbes haies d'aubépines. Les arbres fruitiers sont abondants partout dans ce secteur et il n'est pas rare de retrouver le Jaseur boréal accompagnant le Merle d'Amérique près du ruisseau durant l'hiver.

Le deuxième site est un bois d'environ 50 hectares situé du côté est du chemin de l'Anse-à-l'Orme. Le visiteur devra rouler 1,0 km à partir du chemin Sainte-Marie avant de s'arrêter à droite de la route exactement sous la ligne à haute tension. Un sentier s'avance vers l'est sous la ligne électrique. Après environ 200 mètres, un second sentier se dirige à gauche dans le bois. En plus des espèces régulièrement associées aux forêts décidues du sud-ouest du Québec, on pourra trouver dans cette érablière à hêtre la Buse à épaulettes, le Grand-duc d'Amérique ainsi que le Grand Pic.

Les rives de l'Anse-à-l'Orme constituent le troisième site. Cet endroit est fréquenté par plusieurs espèces de limicoles au mois d'août. Ces oiseaux sont alors en route vers leurs aires d'hivernage et n'utilisent ces rives que comme halte migratoire. On peut y observer jusqu'à dix espèces lors d'une visite. Les espèces rencontrées le plus souvent sont le Pluvier semipalmé, le Pluvier kildir, le Grand Chevalier, le Petit Chevalier, le Chevalier solitaire, le Chevalier branlequeue, le Bécasseau sanderling, le Bécasseau semipalmé, le Bécasseau minuscule ainsi que le Bécasseau roux; plus rarement, on y aperçoit le Bécasseau à échasses, le Phalarope de Wilson et le Phalarope hyperboréen. Dans les eaux peu profondes de la baie, on peut aussi noter au mois d'août plusieurs petits groupes de Sarcelles à ailes bleues, ainsi que le Grand Héron. On accède à ce site en tournant à droite sur le boulevard Gouin au bout du chemin de l'Anse-à-l'Orme et en s'arrêtant à gauche en bordure de la route après environ 100 mètres. On peut aussi continuer sur une distance de 0,4 km et utiliser l'aire de stationnement aménagée par la Communauté urbaine de Montréal à gauche.

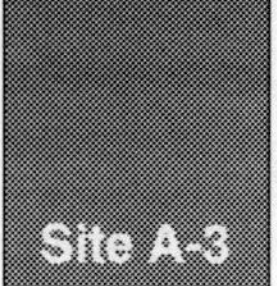

Le parc régional du Cap-Saint-Jacques

Profil ornithologique : canards, passereaux nicheurs et migrateurs. *Spécialités :* Petit-duc maculé, Grand-duc d'Amérique, Cardinal rouge.

Localisation : Le cap Saint-Jacques est situé dans la partie nord-ouest de l'île de Montréal, au confluent du lac des Deux-Montagnes et de la rivière des Prairies. On s'y rend en moins de 30 minutes à partir du centre-ville.

Accès : *En automobile :* Ce parc est accessible par le boulevard Gouin. À partir du centre-ville, il faut emprunter l'autoroute 40 ouest (Transcanadienne), la sortie 49, le chemin Sainte-Marie ouest, le chemin de l'Anse-à-l'Orme puis le boulevard Gouin vers la droite jusqu'au chemin du Cap-Saint-Jacques.

En autobus : Au métro Côte-Vertu, on prend l'autobus 64 jusqu'au boulevard Gouin et ensuite l'autobus 68 jusqu'au dernier arrêt qui est situé à l'entrée du parc.

Périodes cibles : Le printemps est de loin la saison qui apportera le plus de satisfaction à l'amateur d'ornithologie, bien que l'été ne soit pas sans intérêt puisqu'on y trouve une cinquantaine d'espèces nicheuses. Une à trois heures suffisent pour visiter ce site.

Renseignements spéciaux : Au début de l'été, il est recommandé de se munir d'un bon chasse-moustiques avant de pénétrer dans les sous-bois. Au printemps, des bottes sont indispensables pour circuler dans les sentiers boueux.

Description du site : Avec ses 345 hectares, le cap Saint-Jacques est le plus grand des parcs régionaux de la Communauté urbaine de

Montréal et probablement celui qui offre les plus beaux panoramas. Les rives sinueuses de ce parc ont notamment créé de magnifiques petites baies ombragées où la découverte du lac des Deux-Montagnes, avec en perspective les collines d'Oka, procure un spectacle empreint d'une tranquillité pleine de charme et d'abandon. Créé en 1980 et ouvert au public en 1985, ce parc comprend deux secteurs distincts. Le plus vaste occupe 283 hectares sur l'île de Montréal dans la municipalité de Pierrefonds, en bordure du lac des Deux-Montagnes. Le deuxième secteur, d'une superficie de 62 hectares, se trouve dans la partie sud-ouest de l'île Bizard, à la source de la rivière des Prairies et en bordure des rapides du Cap-Saint-Jacques.

On retrouve dans le parc un réseau de ski de fond totalisant 28 km de sentiers balisés, un réseau de sentiers pédestres ainsi que plusieurs aires de pique-nique. Un vaste stationnement à l'entrée du parc s'ajoute aux services offerts aux visiteurs.

Le territoire du parc se compose d'environ 30% de champs encore cultivés ou abandonnés depuis peu et d'environ 30% de friches; l'autre 30% correspond à des secteurs boisés très morcelés où les principales associations retrouvées sont l'érablière à caryer et l'érablière argentée. La végétation du parc compte plus de 400 espèces.

Plus de 100 espèces d'oiseaux ont été signalées dans ce parc qui s'avère intéressant tant comme aire de nidification que comme halte migratoire au printemps et à l'automne. Les espèces les plus communes en été sont le Pioui de l'Est, le Tyran huppé, la Sittelle à poitrine blanche, le Merle d'Amérique, la Paruline jaune, la Paruline flamboyante, le Bruant chanteur, le Carouge à épaulettes, le Vacher à tête brune et l'Oriole du Nord.

Des études réalisées en 1987 ont permis de constater que l'avifaune nicheuse est constituée d'un nombre important d'espèces associées aux milieux ouverts et de lisière et que ces deux communautés d'oiseaux s'infiltrent souvent dans les massifs

Chouette lapone

forestiers. Par ailleurs, les chercheurs se sont rendus compte que les espèces caractéristiques de la partie centrale des forêts décidues du nord-est du continent américain sont peu communes dans le parc. Ces deux éléments, soit l'intrusion en milieu forestier d'espèces de lisière et de milieux ouverts ainsi que la rareté d'espèces de milieux forestiers, témoignent des effets du morcellement du couvert forestier dans ce parc, un sort affectant d'ailleurs toute la grande région de Montréal.

Itinéraire suggéré : Le cap Saint-Jacques est sillonné par plusieurs kilomètres de sentiers traversant une grande variété d'habitats et favorisant ainsi la découverte des diverses communautés aviaires. Un sentier pédestre d'une longueur de 2,2 km a été spécialement aménagé pour les amateurs de faune et d'ornithologie. Ce sentier franchit d'abord des champs, une érablière à sucre, des friches et débouche sur les rives du lac des Deux-Montagnes. Le visiteur découvrira aux abords de ce sentier une station-faune ainsi qu'une station ornithologique où sont exposées des photographies d'oiseaux fréquentant le parc. Au retour de la plage, celui-ci est invité à emprunter le sentier contournant la partie ouest du cap, ce qui lui permettra de parcourir une érablière où séjournent le Pioui de l'Est, la Grive des bois, le Viréo aux yeux rouges, la Paruline bleue à gorge noire, la Paruline flamboyante ainsi que d'autres espèces habituellement associées aux forêts décidues du sud-ouest du Québec. Ce bois abrite également un couple de Petits-ducs maculés que l'on pourra repérer avec plus de facilité au crépuscule en diffusant un enregistrement de leur chant avec un magnétophone.

À l'autre extrémité du parc, c'est-à-dire dans la partie est, la rue Charlebois donne accès à des territoires dominés surtout par des friches et fréquentés par des espèces telles que le Moqueur chat, le Moqueur roux, la Paruline jaune et le Cardinal rouge. Le visiteur trouvera de petites aires de stationnement aux abords de la rue Charlebois, ce qui lui permettra d'accéder rapidement aux rives de la rivière des Prairies.

Le parc régional du Cap-Saint-Jacques

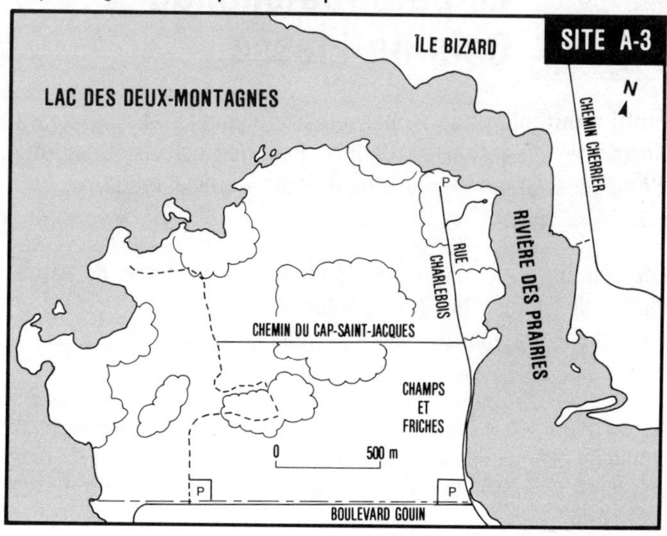

En hiver, les rapides du Cap-Saint-Jacques sont occasionnellement fréquentés par le Garrot à oeil d'or et le Grand Bec-scie tandis qu'au mois de mai, on y trouve parfois des centaines d'hirondelles regroupant toutes les espèces du sud-ouest du Québec. Au mois d'avril, les herbiers aquatiques au pied des rapides du Cap-Saint-Jacques sont fréquentés par plusieurs espèces de canards plongeurs, entre autres le Bec-scie couronné et le Petit Garrot. La lunette d'approche sera très utile ici car ces canards fréquentent surtout la rive opposée, à proximité de l'île Bizard. On pourra d'autre part s'en approcher en se rendant à la pointe Théoret, accessible via la rue Cherrier sur l'île Bizard (non indiquée sur la carte). Il faudra alors se diriger vers l'est sur le boulevard Gouin, tourner à gauche sur le boulevard Jacques- Bizard, à nouveau à gauche sur la rue Cherrier et rouler 3,3 km jusqu'au chemin de la Pointe-Théoret.

Le parc régional du Bois-de-Liesse

Profil ornithologique : passereaux nicheurs et migrateurs. *Spécialités :* Épervier de Cooper, Petit-duc maculé, Grand-duc d'Amérique, Grand Pic, Tangara écarlate, Cardinal rouge.

Localisation : Ce parc est situé sur l'île de Montréal, de part et d'autre de l'autoroute 13, en bordure de la rivière des Prairies. À partir du centre-ville, on peut s'y rendre en 15 ou 20 minutes.

Accès : *En automobile* : Ce parc est accessible via le boulevard Gouin de même que par le boulevard Henri-Bourassa. On s'y rend en utilisant l'autoroute 40 ouest (Transcanadienne), l'autoroute 13 nord (autoroute Chomedey) et le boulevard Gouin vers l'ouest (sortie 8 de l'autoroute 13) jusqu'au terrain de stationnement (secteur Pitfield). Pour rejoindre le secteur sud, on tourne à gauche sur le boulevard Henri-Bourassa (sortie 8 de l'autoroute 13) puis à droite sur la rue Etingin. À partir de l'autoroute 40, on peut utiliser la sortie 62 et rejoindre le boulevard Henri-Bourassa par la voie de service; il faudra ensuite tourner à gauche sur la rue Etingin. On laisse la voiture au bout de cette rue.

En autobus : Au métro Côte-Vertu, on prend l'autobus 64 jusqu'au boulevard Gouin, suivi de l'autobus 68 qui arrête près de l'entrée du parc. Le secteur sud est desservi par l'autobus 215.

Périodes cibles : Même s'il peut être agréable de fréquenter ce parc en tout temps, le printemps est la meilleure saison pour l'observation des oiseaux. Quelques heures seulement sont nécessaires pour compléter une visite de ce site.

Bruant à couronne blanche

Renseignements spéciaux : En juin, un bon chasse-moustiques doit absolument faire partie de l'attirail de l'amateur d'ornithologie.

Description du site : Le parc régional du Bois-de-Liesse, d'une superficie de 142 hectares, s'inscrit au tableau des sept parcs régionaux récemment créés par la Communauté urbaine de Montréal. Découpé par le boulevard Gouin, l'autoroute 13 ainsi que par une voie ferrée du Canadien National, ce parc est donc composé d'un territoire très morcelé. Il chevauche par ailleurs quatre municipalités différentes, soit Dollard-des-Ormeaux, Saint-Laurent, Pierrefonds et Montréal. Le parc est séparé en deux parties par une voie ferrée.

La partie nord (secteur Pitfield), comprise entre la rivière des Prairies et la voie ferrée, est accessible par le boulevard Gouin. Ce secteur comprend une propriété aménagée de style anglais et une zone riveraine entre le boulevard Gouin et la rivière des Prairies. La partie sud est constituée, d'une part, d'une zone agricole abandonnée, caractérisée par une mosaïque de champs, de lignes d'arbres, de petits espaces boisés, de massifs arbustifs et de terrains vacants et, d'autre part, d'une forêt couvrant plus du tiers de la superficie du parc. Cette forêt,connue sous le nom de "bois Franc", se compose de peuplements matures dominés par des essences feuillues telles que l'Érable à sucre et le Hêtre à grandes feuilles. Jusqu'à récemment, moins de la moitié du bois Franc était comprise dans le parc. Cependant, en 1990, la Communauté urbaine de Montréal a fait l'acquisition d'une autre partie de ce bois, assurant ainsi la protection de plus de 80% de sa superficie. Toutefois, un vieux projet menace encore l'intégrité de cette forêt. En effet, la construction d'une voie intermunicipale pourrait scinder le bois en deux parties, ce qui entraînerait des modifications profondes dans la composition des communautés aviaires en présence.

Une autre facette intéressante de ce parc tient à la présence d'un long ruisseau, le ruisseau Bertrand, qui traverse le parc du sud au nord et se jette dans la rivière des Prairies. Ce ruisseau, qui reçoit la décharge de quelques égouts pluviaux desservant la route Transcanadienne, l'autoroute 13 et les secteurs industriels de Dorval et Saint-Laurent, est cependant très pollué.

Le concept d'aménagement du parc devra être précisé davantage; jusqu'à maintenant, les principales activités pratiquées dans le parc ont été la randonnée pédestre et le ski de randonnée. Plus de 130 espèces d'oiseaux ont été observées dans le parc tandis qu'une cinquantaine y nichent. Les espèces présentes en été sont principalement celles associées aux écosystèmes terrestres. Par une belle matinée de juin, un observateur expérimenté peut repérer une quarantaine d'espèces en quelques heures.

Le parc régional du Bois-de-Liesse

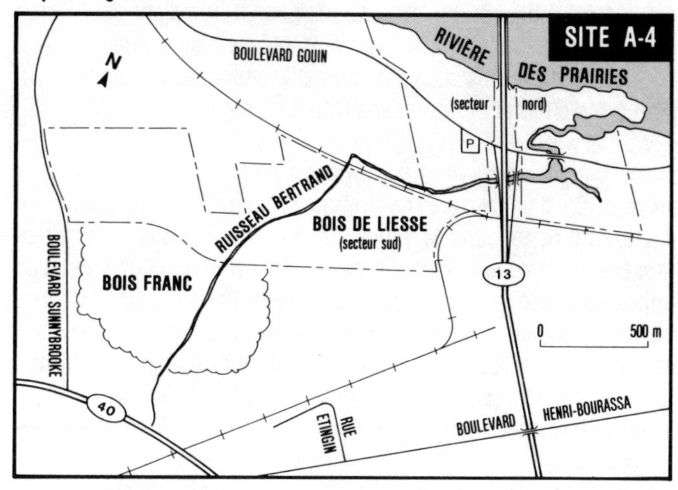

Itinéraire suggéré :

Partie nord : De part et d'autre de l'autoroute 13, un court sentier sillonne des champs en friche dominés par le Nerprun commun. Les fruits noirs de cet arbuste demeurent en place tout l'hiver et constituent durant la saison froide une abondante source de nourriture pour les oiseaux frugivores tels que le Jaseur boréal et le Merle d'Amérique.

Par ailleurs, la zone riveraine accueille quelques oiseaux aquatiques, y compris le spectaculaire Canard branchu au printemps.

La pollution sonore importante générée par l'autoroute 13 constitue un inconvénient majeur à une pleine appréciation de la faune ailée de ce secteur.

Partie sud : La partie sud est un peu plus paisible et offre plus d'intérêt pour l'amateur d'ornithologie. En hiver, on y trouve plusieurs sentiers pour le ski de randonnée et les mêmes sentiers peuvent être utilisés pour la randonnée pédestre en d'autres saisons; cependant, on ne doit s'y aventurer qu'avec de bonnes bottes, surtout au printemps. La strate arbustive étant peu développée, on peut donc circuler en forêt sans trop de difficulté.

Un couple d'Éperviers de Cooper a récemment niché dans ce secteur. C'est un des rares endroits où la nidification de cette espèce a été confirmée dans la région de Montréal. Plusieurs autres rapaces diurnes ont été aperçus dans ce parc et il n'est pas impossible que la Buse à épaulettes et le Busard Saint-Martin y nichent. Plusieurs espèces de hiboux ont aussi été observées sur ce territoire, mais seuls le Grand-duc d'Amérique et le Petit-duc maculé y nichent. Le Martin-pêcheur d'Amérique niche par ailleurs le long du ruisseau Bertrand tandis que le Grand Pic fréquente les vieux arbres malades; on peut facilement déceler sur le tronc de ces arbres les traces de son passage, soit d'énormes cavités de forme rectangulaire que creuse l'oiseau à la recherche d'insectes. En période de migration, le bois constitue une excellente halte migratoire pour les passereaux et plusieurs de ceux-ci restent pour y nicher; en plus des espèces familières, on trouvera durant l'été la Grive fauve, la Grive des bois, la Paruline bleue à gorge noire, la Paruline flamboyante, la Paruline couronnée, le Tangara écarlate ainsi que le Cardinal rouge.

Par ailleurs, les champs en friche à l'est du bois accueillent principalement le Moucherolle des aulnes, le Moqueur chat, le Jaseur des cèdres, la Paruline jaune, la Paruline masquée, le Bruant chanteur et le Carouge à épaulettes. On y trouve aussi le Pluvier kildir, et par une belle soirée d'avril, l'observateur persévérant aura peut-être la chance d'assister aux déploiements aériens de la Bécassine des marais ou de la Bécasse d'Amérique en pariade.

Site A-5

Le parc régional du Bois-de-Saraguay

Profil ornithologique : hiboux, pics, parulines. *Spécialités :* Canard branchu, Petit-duc maculé, Petite Nyctale, Buse à épaulettes, Grand Pic.

Localisation : Le bois de Saraguay est situé à l'extrémité nord-ouest de la ville de Montréal sur le bord de la rivière des Prairies.

Accès : *En automobile :* Le site est accessible via le boulevard Gouin. À partir du centre-ville, on peut facilement s'y rendre en moins de 20 minutes en empruntant l'autoroute 20 ouest ou 40 ouest, l'autoroute 13 nord, le boulevard Gouin vers l'est, puis l'avenue Joseph- Saucier jusqu'à l'avenue Jean-Bourdon.

En autobus : Au métro Côte-Vertu, on prend l'autobus 64 jusqu'au boulevard Gouin, suivi de l'autobus 68 jusqu'à l'avenue Joseph-Saucier.

Périodes cibles : Toutes les saisons peuvent donner lieu à des observations intéressantes mais c'est au printemps, particulièrement au mois de mai, qu'on y rencontre le plus grand nombre d'espèces. Une à deux heures peuvent suffire pour visiter ce site.

Description du site : D'une superficie de 97 hectares, le bois de Saraguay évoque la forêt de feuillus parvenue à maturité telle que nos ancêtres l'ont probablement connue il y a trois cents ans. Il s'agit en fait de la seule forêt primitive intacte dans les limites de la ville de Montréal. C'est sans doute pour cette raison que le ministère des Affaires Culturelles du gouvernement du Québec l'a déclarée arrondissement naturel en 1981.

Un examen de la flore de Saraguay révèle une végétation riche et diversifiée représentée par 35 espèces d'arbres, 45 espèces d'arbustes et 275 espèces d'herbacées. On y rencontre sept communautés forestières dont les deux principales sont l'érablière à caryer et l'érablière argentée. Jusqu'à maintenant, on a répertorié 137 espèces d'oiseaux sur ce territoire dont 65 sont nicheuses. Les espèces nicheuses les plus caractéristiques sont celles qui affectionnent les forêts fragmentées, les lisières et les clairières : la Paruline jaune, le Chardonneret jaune, le Passerin indigo, le Moqueur chat, l'Oriole du Nord, etc. Il est intéressant de constater toutefois que certaines espèces bien typiques de l'intérieur des grandes forêts de feuillus parvenues à maturité, telles que le Tangara écarlate et la Paruline couronnée, nichent encore en petit nombre dans le bois de Saraguay. Ce dernier, malgré sa superficie relativement faible et son isolement complet de toute grande région forestière, revêt donc un intérêt particulier pour l'étude de l'avifaune forestière locale.

La Buse à épaulettes niche également dans ce bois. En 1976 ainsi qu'en 1979, un nid de Buses à épaulettes contenant des jeunes fut localisé. Il s'agit probablement du seul endroit dans les limites de la ville de Montréal où un couple de cette espèce a niché avec succès au cours des dernières années.

Cette forêt parvenue à maturité comprend plusieurs arbres morts, ce qui favorise l'établissement de plusieurs pics. On y trouve, toute l'année, le spectaculaire Grand Pic et parfois le Pic à dos noir et le Pic tridactyle durant la saison froide. Plusieurs autres espèces telles que le Canard branchu et le Petit-duc maculé utilisent les trous de pics abandonnés ou les cavités naturelles pour nicher.

Le parc régional du Bois-de-Saraguay

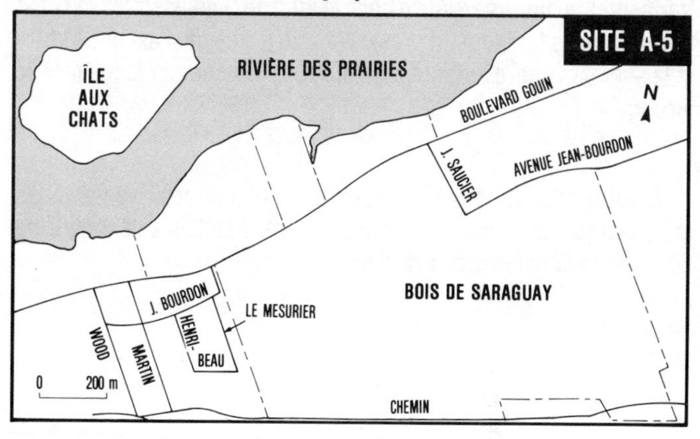

Durant les périodes de migration, on rencontre le plus grand nombre d'espèces à Saraguay. C'est ce qui explique la présence de 23 espèces de parulines sur la liste des espèces observées à cet endroit. Plusieurs autres espèces très recherchées par les amateurs d'ornithologie se rencontrent en migration. L'une de celles-là est la Petite Nyctale; lorsqu'elle est présente, on la trouve alors dans la partie sud-ouest du bois, là où la forêt est parsemée de cèdres et de pruches. Elle se perche le plus souvent dans un cèdre durant la journée et seul un observateur patient et minutieux pourra la découvrir. On la rencontre au printemps, de la fin de mars à la fin d'avril et à l'automne, de la fin de septembre jusqu'en novembre. On l'a aussi observée en hiver à l'occasion.

Itinéraire suggéré : On ne retrouve pour l'instant que peu de sentiers aménagés dans la forêt. Le visiteur est invité à stationner sa voiture sur l'avenue Jean-Bourdon et à parcourir le bois comme bon lui semble, à la découverte des espèces sylvicoles qui s'y trouvent.

Les espèces affectionnant les lisières et les clairières sont plus fréquentes en bordure sud du bois, le long de la voie ferrée. On peut se rendre plus rapidement près de la voie ferrée par l'avenue Martin et laisser sa voiture au bout de cette rue. Un chemin longe la voie ferrée.

D'autre part, certaines espèces affectionnant les rivages et les milieux aquatiques seront évidemment plus faciles à découvrir en bordure de la rivière des Prairies.

Petite Nyctale

Site A-6

La rive nord du lac Saint-Louis

Profil ornithologique : canards plongeurs. *Spécialités :* Morillon à dos blanc, Garrot de Barrow, Cardinal rouge, Roselin familier.

Localisation : Trois municipalités bordent le lac Saint-Louis dans ce secteur, soit Lachine, Dorval et Pointe-Claire. Au moins 15 à 30 minutes sont requises pour se rendre à cet endroit à partir du centre-ville.

Accès : *En automobile :* Les sites proposés dans ces municipalités sont accessibles via la route 20. À partir de cette route, plusieurs sorties conduisent en bordure du lac Saint-Louis. Ce sont les sorties de la 32e avenue et de la 55e avenue à Lachine ainsi que la sortie Côte-de- Liesse-Aéroport de Dorval et la sortie Boulevard des Sources à Dorval.

En autobus : À partir du métro Lionel-Groulx, l'autobus 191 permet de se rendre en bordure du lac Saint-Louis à Lachine et Dorval.

Périodes cibles : Il est sûrement agréable de visiter les parcs situés en bordure du lac Saint-Louis durant les saisons les plus clémentes, mais les périodes qui présentent le plus d'intérêt pour la faune ailée sont celles associées aux températures froides de l'automne et de l'hiver. Quelques heures suffisent habituellement pour compléter une visite de cet endroit.

Description du site : Le lac Saint-Louis résulte d'un élargissement du fleuve Saint-Laurent en amont des rapides de Lachine. D'importantes populations de canards plongeurs s'y arrêtent lors des migrations et un bon nombre d'entre eux y séjournent tout l'hiver, particulièrement dans le secteur le plus oriental du lac où les eaux ne gèlent jamais à cause de la présence de forts courants. Selon des

La rive nord du lac Saint-Louis

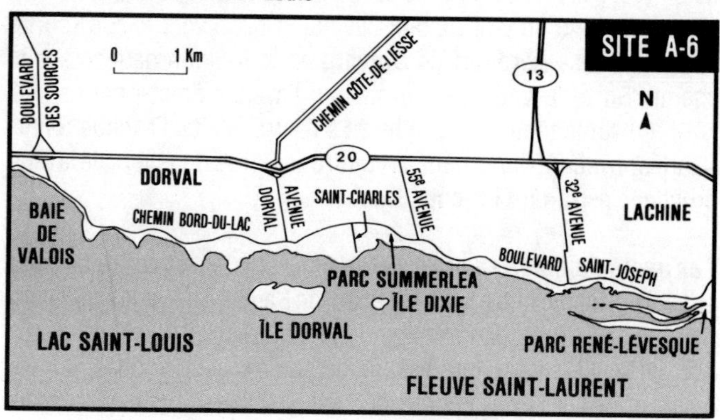

inventaires réalisés par le Service canadien de la faune, près de 30 000 morillons font halte sur le lac à l'automne, principalement en novembre. Évidemment, tous ne sont pas visibles du rivage mais il est possible d'en observer plusieurs centaines voire même quelques milliers.

Itinéraire suggéré :

La baie de Valois : D'importants regroupements de morillons sont notés à l'automne dans cette baie. Le Morillon à dos blanc, plutôt rare au Québec à l'est de la région de Montréal, s'y retrouve annuellement en nombre considérable. On s'y rend via le boulevard des Sources à Dorval et le chemin Bord-du-Lac. Les parcs Baie-de-Valois et Pine-Beach, à l'est du boulevard des Sources, offrent d'excellents points d'observation pour inspecter le lac.

L'avenue Saint-Charles : Cette rue se termine en cul-de-sac au bord du lac Saint-Louis à Dorval. Le visiteur se trouve alors face à l'île Dixie. On note d'importants rassemblements de canards plongeurs tout autour de cette île, particulièrement en hiver. C'est un excellent site pour observer le Morillon à dos blanc et le Garrot de Barrow à la fin de l'hiver ou tôt au printemps. À partir de la route 20, on s'y rend en empruntant l'avenue Dorval vers le sud (sortie Côte-de-Liesse-Aéroport de Dorval), en tournant à gauche sur le chemin Bord-du-Lac puis à droite sur l'avenue Saint-Charles (0,9 km). Le stationnement est interdit à l'extrémité de l'avenue Saint-Charles. Il faudra donc garer sa voiture sur la rue transversale la plus proche, c'est-à-dire l'avenue Ducharme.

Les parcs Summerlea et Fort-Rolland : Ces parcs riverains sont situés à Lachine entre les berges du lac Saint-Louis et le boulevard Saint-Joseph, route panoramique longeant le lac. Le parc Summerlea est particulièrement intéressant puisqu'on peut y observer les environs de l'île Dixie. Encore ici, il est possible d'y voir le Garrot de Barrow, particulièrement vers la fin de l'hiver. On accède à ce parc à partir de l'avenue Saint-Charles en continuant vers l'est sur le chemin Bord-du-Lac ou via la 55e avenue à Lachine. On peut aussi arriver à ces parcs via la 32e avenue, qui conduit également vers le boulevard Saint-Joseph.

Le parc René-Lévesque : Ce parc situé sur la Grande Jetée à Lachine attire quelques laridés et quelques limicoles au début et à la fin de l'été. Il offre aussi une vue panoramique du fleuve à l'embouchure du lac Saint-Louis. On y accède par le boulevard Saint-Joseph (à partir de la 32e avenue), le chemin du Musée et la rue Saint-Patrick.

Le parc Terra-Cotta (non indiqué sur la carte) : Ce bois naturel, situé dans la municipalité de Pointe-Claire, comprend un peuplement ayant atteint un stade de maturité avancé et un secteur beaucoup plus jeune n'ayant pas encore dépassé le stade arbustif. Un ruisseau parcourt également la forêt. On y trouve le Petit-duc maculé en toutes saisons ainsi que quelques passereaux aux couleurs vives tels que le Cardinal rouge et le Roselin familier. Au mois de mai, plusieurs migrateurs néotropicaux s'y attardent. On y a déjà noté des espèces aussi inusitées que la Paruline polyglotte et le Troglodyte de Caroline. On atteint ce parc via l'autoroute 20 ouest et la sortie

53 (Boulevard des Sources). Cette sortie se divise en deux voies; il faut se diriger vers l'avenue Cardinal et tourner à droite sur l'avenue Donegani aux feux de circulation. Après avoir roulé 1,7 km, il faudra tourner à droite sur la rue Coolbreeze et se rendre jusqu'au croissant Windward. L'entrée du parc se situe à gauche, face à Windward; on peut laisser sa voiture près de l'entrée.

L'aéroport de Dorval (non indiqué sur la carte) : On trouve au nord de l'aéroport de Dorval des champs en friche fréquentés par plusieurs espèces d'oiseaux, notamment la Perdrix grise, en toutes saisons. Ces champs envahis par de grandes plantes herbacées attirent particulièrement des oiseaux granivores durant les périodes de migration ainsi qu'en hiver. Durant l'hiver 1988-89, plusieurs bruants y ont séjourné; on pouvait alors voir le Bruant hudsonien, le Bruant chanteur, le Bruant à gorge blanche, le Junco ardoisé et même le Bruant à couronne blanche. L'Épervier de Cooper y trouvait par conséquent un terrain idéal pour la chasse. Ce territoire de la zone industrielle de Saint-Laurent n'attend que la venue de nouveaux investisseurs et devrait disparaître sous peu. On parvient à cet emplacement via le chemin Saint-François. À partir de l'autoroute 40 (Transcanadienne), on emprunte le boulevard Henri-Bourassa (sortie 62), la rue Halpern à droite, puis on roule vers l'ouest (à droite) sur le chemin Saint-François (0,6 km) jusqu'à un accès vers le champ.

Site A-7

L'île Jésus

Profil ornithologique : sauvagine, rapaces, passereaux.

Localisation : L'île Jésus est située juste au nord de Montréal. On peut s'y rendre en quelques minutes à partir du centre-ville.

Accès : *En automobile :* À partir de l'île de Montréal, il suffit de traverser la rivière des Prairies par l'un des nombreux ponts reliant les deux îles. Les autoroutes 13, 15 et 19, ainsi que trois autres routes donnent accès à l'île Jésus.

En autobus : La Société de transport de la ville de Laval (STL) dessert ce territoire. Pour informations : (514) 688-6520.

Périodes cibles : Toutes les saisons peuvent donner lieu à des découvertes ornithologiques intéressantes sur ce territoire. Toutefois, comme c'est le cas pour plusieurs autres endroits, le printemps et l'été sont des saisons qui devront être privilégiées par les observateurs d'oiseaux. Plusieurs visites seront requises pour découvrir tous les coins de cette île.

Description du site : Entourée des rivières des Mille-Îles et des Prairies et du lac des Deux-Montagnes, l'île Jésus est un immense territoire de 242 km carrés sur lequel s'est implantée la ville de Laval, la plus importante ville de la province après Montréal. Cette ville, qui compte maintenant environ 300 000 habitants, fut créée en 1965 par la fusion de 14 municipalités situées sur l'île Jésus.

Pendant deux siècles, la vocation de l'île Jésus a été exclusivement agricole; au début du vingtième siècle, elle a exerçé un attrait touristique et s'est révélée un endroit de villégiature idéal. Depuis le début des années 60 toutefois, l'île a connu un développement effréné qui a entraîné la disparition de plusieurs habitats propices à la faune ailée. Seuls certains secteurs de la partie est de l'île ont jusqu'à maintenant échappé à ce développement. En effet, on y retrouve encore plusieurs champs cultivés ou en friche et des bois en regain parvenus à différents stades de développement. Dans la partie centrale de l'île, on retrouve également quelques fragments de forêts décidues tels que le bois de l'Équerre et le bois Papineau.

Environ 200 espèces d'oiseaux ont été observées sur l'île et le projet d'Atlas des oiseaux nicheurs du Québec (1984-88) a permis de découvrir que 120 d'entre elles nichaient probablement encore dans la partie est de l'île.

Itinéraire suggéré :

La partie est de l'île Jésus : À partir de l'autoroute Métropolitaine (autoroute 40), on y accède par l'avenue Papineau (route 19) et le boulevard Lévesque en direction est, immédiatement après avoir franchi le pont Papineau-Leblanc. À l'est de Duvernay, la rivière des Prairies s'élargit et accueille un bon nombre d'oiseaux aquatiques en période de migration. En bordure du boulevard Lévesque, il est facile d'examiner la rivière, particulièrement dans le secteur de Saint-François. Du quartier Saint-François jusqu'à l'extrémité est de l'île, la rivière ne gèle que partiellement durant l'hiver; par conséquent, on peut y observer quelques canards tels que le Grand Bec-scie ainsi que quelques goélands, entre autres le Goéland arctique et le Goéland bourgmestre. Les parcs "Berge du Vieux-Moulin" *(Site 1)* à Saint-François et "Berge Olivier-Charbonneau" *(Site 2)* à l'extrémité est de l'île, offrent une excellente vue sur la rivière. En approchant de l'extrémité de l'île, on aperçoit au centre de la rivière un groupe d'îles connu sous le nom d'archipel du Moulin *(Site 3)*. Plusieurs canards barboteurs fréquentent cet archipel au printemps. À l'aide d'une lunette d'approche, on pourra apercevoir le Canard noir, le Canard colvert, le Canard pilet, le Canard souchet et le Canard siffleur d'Amérique dans les eaux environnantes. En été, la présence de couvées de jeunes canards dissimulés dans la végétation émergente des berges témoigne de la valeur faunique de cet archipel. Placé entre les mains de promoteurs immobiliers, son avenir s'annonce plutôt précaire.

Les secteurs agricoles et les bois de l'est de l'île sont sillonnés par plusieurs kilomètres de routes qu'il sera intéressant de patrouiller en voiture ou à bicyclette, en particulier au printemps et en été. Les parcours les plus invitants incluent la montée Masson, le boulevard Sainte-Marie, l'avenue des Perron, ainsi que le rang et la montée Saint-François.

Le boulevard Sainte-Marie traverse un territoire paisible, ponctué de nombreux petits étangs marécageux et de bois en regain; on y trouve notamment un important peuplement de cèdres. Ce territoire, connu sous le nom de "bois Saint-François" *(Site 4,)* possède une valeur écologique incontestable. Plusieurs communautés aviaires se partagent le secteur, entre autres divers oiseaux de proie.

Le bois Papineau et le Centre de la nature : Le bois Papineau *(Site 5)* est situé sur le boulevard Saint-Martin à l'intersection de l'autoroute Papineau. En provenance de Montréal, on utilise la sortie 7 de l'autoroute Papineau. Ce bois naturel, récemment amputé d'une de ses parties par un développement résidentiel, compte 103 espèces d'oiseaux observées au fil des années. Par ailleurs, le Centre de la nature de Laval *(Site 6)* est un centre d'activités de plein air; on y retrouve des plantations de conifères et d'arbustes qui attirent plusieurs espèces lors des migrations. Le Moqueur polyglotte y a niché. À partir du boulevard Saint-Martin, on tourne à droite sur le boulevard Lesage puis à gauche sur l'avenue du Parc. Des terrains de stationnement accueillent les visiteurs sur l'avenue du Parc.

Le bois de l'Équerre : Le bois de l'Équerre *(Site 7)* est un site où 106 espèces d'oiseaux ont été recensées jusqu'à maintenant. Ce

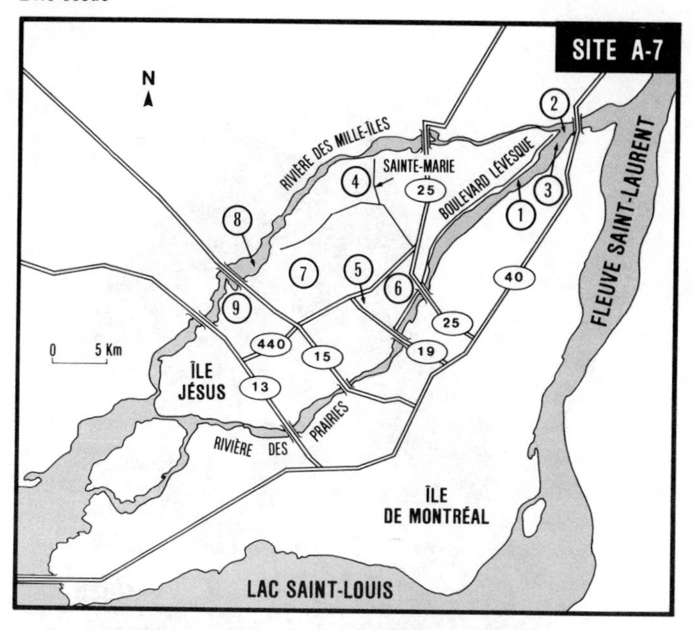

secteur est particulièrement reconnu pour les hiboux et chouettes qu'il abrite. Le Grand-duc d'Amérique peut y être observé en toutes saisons tandis que la Petite Nyctale et le Hibou moyen-duc sont signalés au printemps, à l'automne et parfois en hiver. Les deux dernières espèces passent souvent la journée cachées dans les cèdres parsemés un peu partout dans le bois. Pour accéder rapidement au bois de l'Équerre à partir de Montréal, on utilise l'autoroute 15 nord (autoroute des Laurentides), on tourne à droite sur l'autoroute 440 (autoroute Laval), à gauche sur le boulevard Industriel nord, à gauche sur le chemin de la Petite-Côte puis à droite sur le rang de l'Équerre. Il faut stationner sur l'accotement du rang de l'Équerre, ce qui est malheureusement impossible en hiver à cause de l'accumulation de neige.

Hibou moyen-duc

La rivière des Mille-Îles : La rivière des Mille-Îles compte encore plusieurs îles ayant conservé leur caractère sauvage. Grâce à l'initiative de l'organisme Éco-Nature, qui met à la disposition du public intéressé divers services tels que randonnées guidées et location de canot, ce secteur est maintenant accessible à tous. Le parc de la Rivière des Mille-Îles *(Site 8)* est situé au 345 boulevard Sainte-Rose (tél.: (514) 662-4941).

Par ailleurs, à l'ouest de l'autoroute 15 *(Site 9)*, les berges boisées de la rivière des Mille-Îles laissent découvrir une avifaune intéressante malgré l'occupation humaine. Les nombreux postes d'alimentation maintenus par les résidants contribuent définitivement à la diversité aviaire, en particulier en hiver. Pour explorer ce secteur, on doit parcourir les rues sans issue au nord du boulevard Sainte-Rose. On se rend sur place par l'autoroute 15, en utilisant la sortie 16 suivie du boulevard Sainte-Rose en direction ouest (à gauche). Les trois premières rues rencontrées à l'ouest de l'autoroute sont, dans l'ordre, le boulevard de Lisbonne, la rue Vauquelin et le boulevard Mattawa. Le boulevard de Lisbonne est relié à l'île Locas par un petit pont; un bois parvenu à maturité et fréquenté par plusieurs passereaux forestiers recouvre cette île. D'autre part, au bout de la rue Vauquelin, un sentier longe la rivière vers l'est et passe successivement dans un milieu ouvert ponctué de quelques arbustaies puis dans une érablière argentée mature. Le Cardinal rouge fréquente ce secteur ainsi que plusieurs bruants, notamment le Bruant fauve, au printemps. La Chouette rayée visite occasionnellement l'érablière en hiver. Finalement, le boulevard Mattawa dessert un quartier résidentiel plutôt agréable après avoir franchi une forêt humide parsemée de petits étangs marécageux. Aux abords d'un petit pont, l'exploration de la forêt environnante pourrait révéler la présence d'un Canard branchu ou d'une Buse à épaulettes. Un peu plus loin, face à la rue Yamaska, un sentier sinueux permet de découvrir de beaux sites marécageux en bordure de la rivière.

Site A-8

Les îles des rapides de Lachine

Profil ornithologique : hérons, canards, laridés, limicoles, plusieurs espèces inusitées. *Spécialités :* Canard siffleur d'Europe, Mouette pygmée, Mouette de Franklin, Mouette à tête noire, Sterne pierregarin, Sterne arctique, Sterne caspienne.

Localisation : Les rapides de Lachine sont situés face à la municipalité de LaSalle dans la partie ouest de l'île de Montréal, à moins de 20 minutes du centre-ville en voiture.

Accès : *En automobile :* Ce site est accessible via le boulevard LaSalle situé en bordure du fleuve. Un parc de stationnement à l'angle de la 6e avenue et du boulevard LaSalle permet d'y laisser sa voiture en toute sécurité. En provenance de la rive sud par le pont Champlain, on doit emprunter la sortie Wellington, tourner à gauche sur cette rue puis à gauche sur le boulevard LaSalle (aux prochains feux de circulation). Le parc de stationnement est situé à 5 km de cette intersection. En provenance du boulevard Décarie (autoroute 15), on prend la sortie La Vérendrye puis le boulevard La Vérendrye vers le sud. Après une distance de 4,5 km, on tourne à gauche sur le boulevard Bishop-Power et enfin à gauche sur le boulevard LaSalle. On se rend jusqu'à la 6e avenue où est situé le parc de stationnement municipal. Il est par ailleurs possible de garer sa voiture du côté ouest du boulevard LaSalle ainsi que sur les rues perpendiculaires à ce dernier.

En autobus : Au métro Angrignon, on prend l'autobus 110 jusqu'à l'intersection des rues Centrale et Bishop-Power. On marche ensuite jusqu'au boulevard LaSalle.

Périodes cibles : Cet excellent site peut réserver des surprises à toutes les périodes de l'année. De quelques minutes à plusieurs heures peuvent être requises pour compléter la visite de cet emplacement.

Description du site : La municipalité de LaSalle est sans contredit la plus favorisée des municipalités membres de la Communauté urbaine de Montréal. En effet, cette ville est magnifiquement située en bordure des rapides de Lachine, l'un des plus beaux sites naturels du couloir fluvial du Saint-Laurent. Les rapides, où le débit d'eau atteint parfois jusqu'à 12 000 mètres cubes d'eau par seconde, sont un véritable lieu d'épuration et d'oxygénation des eaux du fleuve et, à ce titre, sont souvent considérés comme les poumons du fleuve. Ces rapides constituent également un site d'importance historique puisque cette barrière naturelle, se dressant sur la principale voie navigable vers les Grands Lacs, obligea les premiers explorateurs du pays à s'y arrêter et à y établir un poste qui devint plus tard Montréal. Fait invraisemblable, aucun gouvernement n'a encore légiféré afin d'assurer la protection de ce site. Par conséquent, l'avenir à long terme des rapides reste plutôt incertain, d'autant plus que la construction d'un barrage hydroélectrique entre les deux rives a récemment fait l'objet d'une étude de faisabilité très coûteuse. Même si la menace qui guette les rapides semble momentanément jugulée, il n'est pas impossible que le projet hydroélectrique refasse surface, conséquence de la demande toujours croissante en électricité.

Les rapides de Lachine résultent d'un dénivellement du fleuve d'une hauteur de 12 mètres entre l'extrémité est du lac Saint-Louis et la municipalité de Verdun, soit une distance d'environ 10 km. Plusieurs îles et îlots, abritant une végétation exceptionnelle, baignent dans les rapides. L'île aux Hérons et l'île aux Chèvres sont les deux plus importantes et sont reconnues comme les plus riches en espèces végétales rares dans la région de Montréal. En plusieurs endroits, le Micocoulier occidental domine la strate arborescente, ce qui est unique dans le sud-ouest du Québec. Ces îles, ainsi qu'une partie des rapides, sont incluses dans un refuge d'oiseaux migrateurs où la chasse est interdite.

Les rapides de Lachine constituent un site remarquable pour l'ornithologue en raison de la variété des espèces aquatiques qu'on peut y voir en toutes saisons. Une centaine d'espèces, la plupart aquatiques, ont été observées depuis quelques années à partir des rives de la municipalité de LaSalle.

Parmi ces dernières, le Grand Héron est probablement l'oiseau le plus spectaculaire à cause de ses dimensions imposantes et de ses habitudes de pêche qui se prêtent bien à l'observation. L'île aux Hérons abrite une trentaine de nids de cette espèce que l'on peut aisément apercevoir à partir de la rive du fleuve à l'aide d'une lunette d'approche. Par contre, le Bihoreau à couronne noire n'est jamais aussi en évidence que le Grand Héron à cause de ses moeurs nocturnes. Il est pourtant beaucoup plus abondant puisqu'environ 300 nids ont récemment été dénombrés sur l'île aux Hérons, ce qui en fait une des colonies les plus importantes dans l'est de l'Amérique du Nord. La fidélité de ces hérons à ce site est remarquable puisque Samuel de Champlain, le fondateur de Québec, avait déjà noté la présence de cette héronnière en 1611.

Une trentaine d'anatidés fréquentent ce site, y compris le Canard siffleur d'Europe dont la présence est signalée régulièrement au printemps et en été. On peut aussi observer des canards dans les rapides de Lachine durant tout l'hiver. C'est le seul endroit au Québec où l'on rencontre, durant la saison hivernale, une telle concentration de canards en eau douce.

Les rapides sont de plus un site privilégié pour l'observation des laridés. On y trouve le seul site connu de nidification de la Mouette pygmée au Québec, tandis que la Mouette de Franklin et la Mouette à tête noire y sont aperçues occasionnellement. Une colonie de Sternes pierregarins est établie depuis plusieurs années sur les quelques îlots rocheux au pied des rapides alors que la Sterne arctique et la Sterne caspienne y sont observées annuellement lors des migrations.

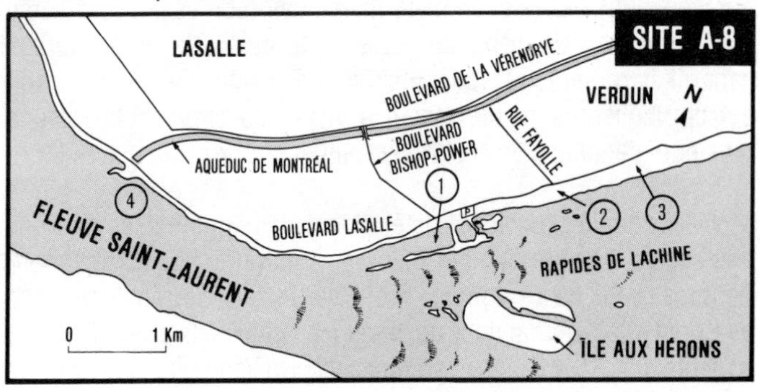

Même si l'habitat ne favorise pas la présence des limicoles, il est surprenant de constater que 18 espèces de ce groupe ont été observées à cet endroit, principalement sur les îlots rocheux et sur le tapis de végétation aquatique qui se forme durant l'été sur les eaux plus calmes en aval des rapides.

Parmi les autres espèces communes fréquentant les rapides, notons le Cormoran à aigrettes et le Balbuzard. La liste des espèces inusitées observées à cet endroit est impressionnante et comprend des espèces telles que le Labbe à longue queue, la Mouette rieuse, la Mouette tridactyle, la Sterne de Forster, la Barge marbrée, le Bécasseau combattant et le Pygargue à tête blanche.

Itinéraire suggéré :

Le parc Terrasse Serre (Site 1) : Face au terrain de stationnement, juste un peu en aval d'un vieux barrage désaffecté, se trouve un peuplement de saules. Plusieurs canards fréquentent ce secteur en toutes saisons (sauf en janvier et février). Durant l'été, plusieurs couvées de jeunes canards, particulièrement des colverts et des siffleurs d'Amérique, sont notées dans ce secteur. Un peu en amont de ce site, un chemin permet de rejoindre une jetée située parallèlement à la rive, en plein milieu des rapides. À l'extrémité droite de cette dernière, un îlot sert de dortoir à de nombreux canards barboteurs et plongeurs durant les mois d'hiver. L'endroit est particulièrement intéressant à visiter au crépuscule lorsque plusieurs centaines de canards y viennent pour passer la nuit.

À l'extrémité gauche de la jetée, il faut bien examiner les environs des saules, un endroit où les canards sont particulièrement abondants à la fin de l'automne. Tout ce secteur est également un excellent site hivernal pour observer les laridés tels que le Goéland à manteau noir, le Goéland arctique et le Goéland bourgmestre. Le Canard arlequin y est également aperçu à l'occasion.

Le pied des rapides (Site 2) : Il s'agit probablement du site présentant le plus d'intérêt durant l'été. À partir du terrain de stationnement, on peut s'y rendre en marchant sur la rive vers l'aval du fleuve. Il est aussi possible de garer sa voiture du côté ouest du boulevard LaSalle près de la rue Fayolle pour parvenir plus rapidement à ce site.

À plusieurs endroits, des bancs installés en bordure du fleuve permettent de s'asseoir tout en examinant tranquillement les rapides à l'aide d'une lunette d'approche. Quelques îlots rocheux situés à environ 300 mètres de la rive attirent plusieurs espèces. L'un de ces îlots fut le site de nidification de la Mouette pygmée. La Sterne pierregarin et plusieurs espèces de canards nichent également sur ces îlots. Ces derniers constituent par ailleurs une aire de repos pour plusieurs laridés inusités : Mouette de Franklin, Sterne caspienne, Sterne arctique, Sterne de Forster, ainsi que pour plusieurs limicoles. La période la plus intéressante à cet endroit semble être le mois de juin (fin de mai et début de juin pour la Sterne arctique). Toutefois, en hiver, on peut y remarquer plusieurs rassemblements de canards barboteurs et de canards plongeurs.

Verdun (Site 3) : En poursuivant vers l'aval du fleuve en direction de la municipalité de Verdun, on atteint un secteur où les eaux du fleuve sont plus calmes. Ce site est particulièrement intéressant tôt au printemps alors que plusieurs canards s'y arrêtent. Le Canard siffleur d'Europe y revient à chaque année. Durant l'été, un tapis de végétation flottante se forme dans ce secteur créant une aire propice à l'élevage des nombreux canetons et une zone invitante pour les limicoles de passage.

En amont du parc Terrasse Serre (Site 4) : Plusieurs parcs riverains, situés entre le vieux barrage et la municipalité de Lachine, permettent également de bien observer les rapides. Les laridés, en particulier le Goéland à bec cerclé, se rassemblent par milliers dans ce secteur pour se délecter des trichoptères qui abondent au printemps et durant l'été.

Site A-9

L'île des Soeurs

Profil ornithologique : sauvagine, strigidés, passereaux migrateurs, plusieurs espèces inusitées. *Spécialités :* Huart à gorge rousse, Perdrix grise, Chevalier solitaire, Hibou moyen-duc, Petite Nyctale, Quiscale rouilleux.

Localisation : L'île des Soeurs, d'une superficie de 300 hectares, est située en face de Verdun à cinq ou dix minutes du centre-ville de Montréal en voiture.

Accès : *En automobile :* On peut accéder facilement à l'île des Soeurs via le boulevard Décarie (autoroute 15) ou l'autoroute Bonaventure. Il faut prendre la sortie juste avant le pont Champlain puis emprunter le boulevard Île-des-Soeurs. En provenance de la rive sud du fleuve Saint-Laurent, on y accède par le pont Champlain.

En autobus : Au métro McGill, on prend l'autobus 168 jusqu'à l'île des Soeurs; on peut aussi utiliser l'autobus 12 à partir du métro Lasalle.

Périodes cibles : On peut y trouver des espèces intéressantes en toutes saisons; quelques heures suffisent habituellement pour accomplir la visite des lieux.

Description du site : À l'instar de plusieurs autres territoires à vocation faunique dans la région de Montréal, l'île des Soeurs a inexorablement évolué vers une toute autre destinée suite à la construction, en 1962, du pont Champlain qui en a facilité l'accès.

Dès 1966, la construction résidentielle débutait et elle n'a pas cessé de gagner du terrain depuis. En plus de la construction domiciliaire, le remblayage a considérablement modifié la physionomie de l'île; plusieurs petits îlots entourés d'une épaisse végétation émergente à l'extrémité sud-ouest de l'île sont maintenant choses du passé.

Probablement à cause de sa proximité de la ville, l'île des Soeurs a toujours été un site très fréquenté par les ornithologues de la région de Montréal. Il s'écoule rarement une semaine dans l'année sans qu'un observateur d'oiseaux y mette les pieds. Par ailleurs, on y trouve encore une bonne variété d'habitats : une végétation en regénérescence sur les remblais, un bois de 28 hectares, un étang garni d'une petite zone de végétation émergente, le milieu fluvial tout autour, etc. Ces différentes caractéristiques expliquent pourquoi 260 espèces d'oiseaux ont été signalées sur un si petit territoire au cours des deux ou trois dernières décennies.

Le bois dominé surtout par l'Érable argenté et le Frêne rouge, est incontestablement le centre d'intérêt sur l'île. Les passereaux s'y arrêtent en nombre considérable lors des migrations; on y rencontre alors certaines espèces affectionnant les bois humides et mal drainés, entre autres le Chevalier solitaire, la Paruline des ruisseaux et le Quiscale rouilleux. Plusieurs strigidés s'arrêtent aussi dans le bois lors des migrations ainsi qu'en hiver. C'est l'endroit par excellence de la région de Montréal pour découvrir une Petite Nyctale, un Hibou moyen-duc, un Grand-duc d'Amérique ou une Nyctale boréale. Durant l'hiver, les pics sont nombreux; le Pic tridactyle ainsi que le Pic à dos noir y font une halte occasionnelle. Sur le petit étang au sud-ouest du bois, le Grèbe à bec bigarré élève sa nichée à chaque été. Sur les remblais peuplés de colonies de Phragmites communs (roseaux) et de Peupliers deltoïdes, à l'extrémité sud-ouest de l'île, on retrouve parfois le Hibou des marais et la Paruline à couronne rousse en migration, ainsi que la Perdrix grise en permanence. Plusieurs espèces de canards barboteurs nichent encore dans ce secteur.

Chouette lapone

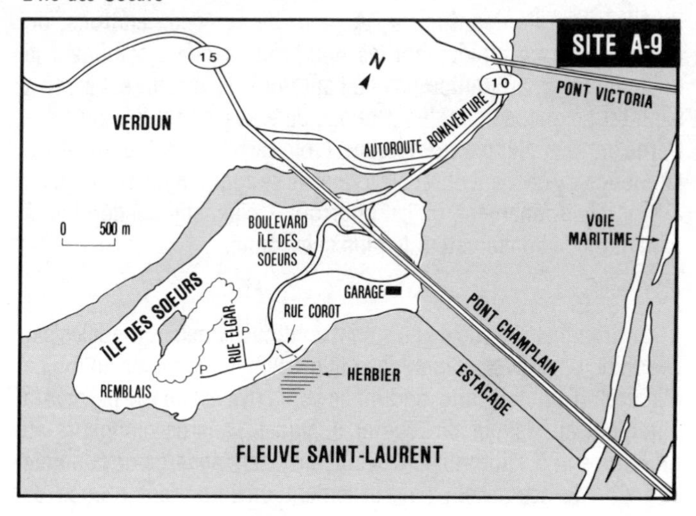

L'île est bien connue pour ses colonies d'Hirondelles noires et d'Hirondelles à front blanc. Ces dernières font des centaines de nids sous le pont Champlain tandis que les premières nichent dans des maisonnettes érigées le long du boulevard Île-des-Soeurs.

Le fleuve étant un axe de migration important pour la sauvagine, on peut apercevoir à chaque année, au large de l'île des Soeurs, plusieurs variétés de canards plongeurs ainsi que d'autres espèces aquatiques incluant le Huart à gorge rousse, le Grèbe cornu, le Grèbe jougris et la Bernache cravant. Au fil des années, plusieurs espèces inusitées se sont jointes au rang des espèces observées à l'île des Soeurs.

Itinéraire suggéré : On trouve deux aires de stationnement adjacentes au bois et à l'étang. La première est située devant le centre d'achat Elgar; on y accède à partir du boulevard Île-des-Soeurs en tournant à droite sur la rue Elgar. La seconde est à l'extrémité sud du boulevard Île-des-Soeurs. À partir de ces deux endroits, on pourra rejoindre rapidement les nombreux sentiers sillonnant le bois. En hiver, au printemps et à l'automne, le visiteur est invité à explorer soigneusement les groupes de buissons touffus où s'entremêlent des plantes grimpantes (voir carte). Les hiboux et les chouettes s'y cachent durant le jour et ils se confondent alors si bien à leur environnement qu'ils pourront facilement se dérober à l'attention de l'observateur le plus chevronné.

Les remblais au sud du bois sont continuellement remodelés par l'addition de nouveaux matériaux et présentent de moins en moins d'intérêt. Toutefois, une randonnée sur la rive est de l'île permettra sûrement au visiteur de repérer quelques canards plongeurs au printemps et à l'automne. Quelques rochers au large de la pointe sud de l'île accueillent habituellement un important groupe de Cormorans à aigrettes.

Le parc "District de Vancouver Ouest" ainsi que le rivage à l'arrière du garage Champlain Pontiac Buick Cadillac Inc. sont également deux excellents postes d'observation pour explorer le fleuve. Un vaste herbier submergé au large du parc "District de Vancouver Ouest" accueille plusieurs centaines de canards barboteurs à la fin de l'été et à l'automne. Des groupes de limicoles se posent également sur les îlots de végétation flottante à la fin de l'été afin de s'alimenter. Le visiteur stationnera en bordure de la rue Corot juste après une courbe vers la gauche. À l'arrière du garage Champlain Pontiac Buick Cadillac Inc., on pourra peut-être observer un Grèbe jougris ou un Grèbe cornu au printemps et à l'automne. Il est aussi possible d'y voir le Huart à gorge rousse et les trois espèces de macreuses à l'automne. On stationne sur le boulevard Île-des-Soeurs (face au garage) et on se rend sur la rive à pied. Plusieurs espèces inusitées ont été notées au large de l'île à cet endroit.

Bois de l'île des Soeurs

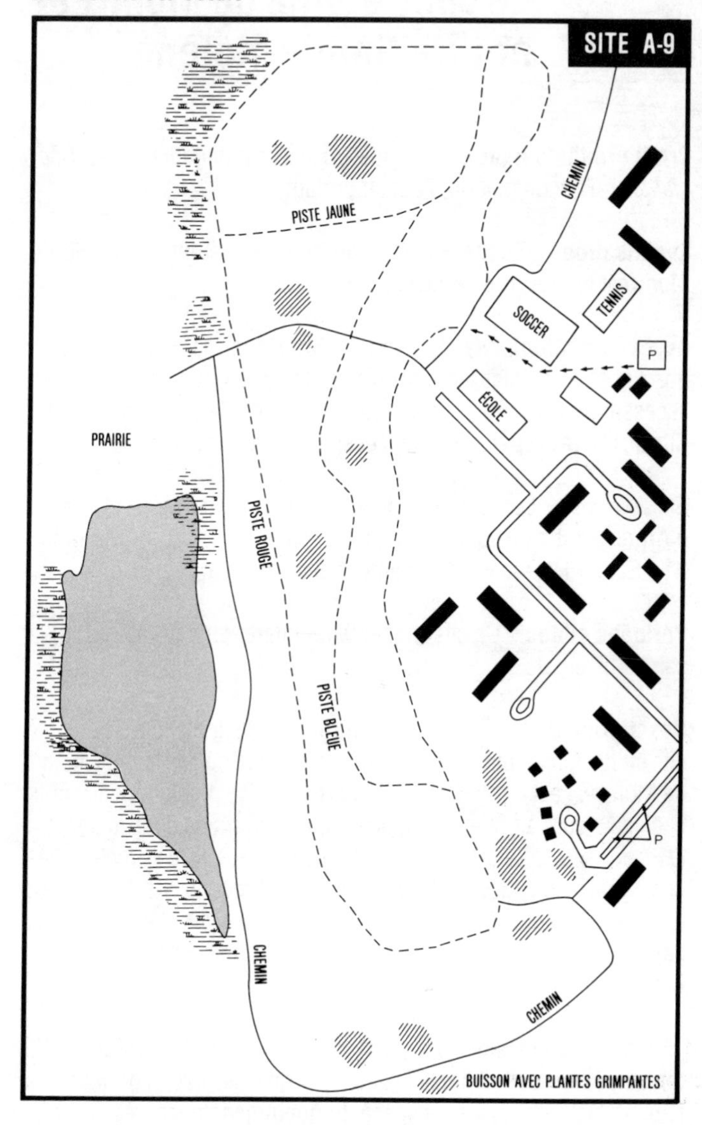

Site A-10

Le centre-ville de Montréal et l'île Sainte-Hélène

Profil ornithologique : falconidés, canards plongeurs, pics. *Spécialités :* Faucon pèlerin, Faucon gerfaut.

Localisation : Ce site, bien connu de tous, est situé sur l'île de Montréal en bordure du fleuve Saint-Laurent.

Accès : *En automobile :* Le centre-ville de Montréal et les abords du port sont accessibles via la rue Notre-Dame. L'île Sainte-Hélène est accessible via le pont Jacques-Cartier ou le pont de la Concorde. La Cité du Havre est par ailleurs accessible via l'autoroute Bonaventure.

En autobus : Les stations de métro Champ-de-Mars et Place-d'Armes sont à quelques minutes de marche du port de Montréal. L'île Sainte-Hélène est directement desservie par le métro.

Périodes cibles : Ce site présente un intérêt plus grand durant la saison hivernale.

Description du site : Outre le centre-ville et l'île Sainte-Hélène, ce site inclut également le port de Montréal et la Cité du Havre. Le port de Montréal est caractérisé par la présence de plusieurs entrepôts et d'élévateurs à grain. L'espèce la plus commune dans le port est le Pigeon biset. Selon une étude réalisée par le Centre de recherches écologiques de Montréal, le nombre de Pigeons bisets pourrait excéder 2000 individus dans la section Vieux-Port. Le centre-ville adjacent, quant à lui, est caractérisé par la présence de plusieurs gratte-ciel.

L'attrait de ce site pour l'ornithologue est lié à la présence de falconidés, en particulier le Faucon pèlerin et le Faucon gerfaut. Le Faucon pèlerin est une espèce fréquemment observée dans le centre-ville de Montréal. Un couple qui avait niché annuellement pendant 17 ans sur l'édifice Sunlife disparut subitement en 1953. Sa disparition coïncidait d'ailleurs avec une réduction importante des effectifs de la sous-espèce *anatum* dans l'est de l'Amérique du Nord. Par la suite, des études permirent de mettre en relation l'utilisation de l'insecticide DDT et les difficultés du Faucon pèlerin. Depuis l'interdiction du DDT en Amérique du Nord au début des années 70 et suite aux efforts déployés pour réintroduire l'espèce grâce à des techniques d'élevage en captivité, plusieurs signes encourageants commencent maintenant à se manifester. Un couple a niché en 1984 sur un édifice du centre-ville pour la première fois depuis trente ans et on note avec de plus en plus de régularité un ou deux individus dans le centre-ville à toute époque de l'année.

Le deuxième falconidé occasionnellement observé dans ce secteur est le Faucon gerfaut. Même si ce dernier est rarement noté à Montréal, le port est probablement l'endroit où les chances de l'apercevoir sont les plus fortes. En effet, l'importante population locale de Pigeons bisets s'avère une source intarissable de nourriture pour cet oiseau lorsqu'il nous visite durant la saison hivernale.

Enfin, un troisième falconidé observé fréquemment dans ce secteur est la Crécerelle d'Amérique, un oiseau généralement associé à des milieux ouverts mais qui semble se plaire parmi les édifices du centre-ville et du port de Montréal.

Itinéraire suggéré :

La Cité du Havre et l'île Sainte-Hélène : À partir de l'autoroute Décarie (autoroute 15), le visiteur peut se rendre à la Cité du Havre via l'autoroute Bonaventure. Il faut utiliser la sortie "Autoroute Bonaventure-Centre-ville" puis la sortie "Port de Montréal-Cité du Havre". Après cette sortie, le visiteur devra tourner à droite sur l'avenue Pierre-Dupuy en direction du pont de la Concorde. On peut par ailleurs rejoindre l'autoroute Bonaventure par la rue Université à l'intersection de la rue Notre-Dame. Un peu avant le pont de la Concorde, le visiteur pourra arrêter sa voiture à gauche en bordure de l'avenue Pierre-Dupuy. À l'aide d'une lunette d'approche, il faudra alors bien examiner les tours du centre-ville, en particulier l'édifice de la Banque Nationale du Canada (situé à la place d'Armes) et la tour de la Bourse (située au carré Victoria) qui sont les deux gratte-ciel les plus en évidence. Le Faucon pèlerin se perche souvent très haut sur le sommet de ces deux structures tandis que le Faucon gerfaut a le plus souvent été repéré en chasse le long des quais (en hiver seulement).

Pour rejoindre l'île Sainte-Hélène, on traverse le pont de la Concorde et on tourne immédiatement à droite en direction du parc de stationnement de l'île. Le chenal séparant l'île Sainte-Hélène du port de Montréal est souvent fréquenté par des oiseaux aquatiques, plus particulièrement des canards plongeurs, surtout à la fin de l'automne et au début de l'hiver. Un parc boisé au centre de l'île, le parc Hélène-de-Champlain, accueille par ailleurs plusieurs passereaux lors de la migration printanière. En hiver, plusieurs espèces de pics s'y observent; on y voit régulièrement le Pic mineur, le Pic chevelu, le Pic flamboyant, et moins souvent le Pic tridactyle et le Pic à dos noir. L'île Sainte-Hélène est également accessible à partir de Montréal ou de la rive sud du fleuve via le pont Jacques-Cartier.

Le centre-ville et le port de Montréal : À partir de l'autoroute Bonaventure, le visiteur doit prendre la sortie "Wellington", tourner à droite sur la rue Wellington, à droite sur la rue McGill, puis à gauche sur la rue de la Commune. À partir de la rue Notre-Dame, la rue de la Commune est aussi accessible via plusieurs rues, entre autres la rue Bonsecours. À nouveau, le long de la rue de la Commune, on est invité à examiner les édifices du centre-ville. Le meilleur site d'observation est probablement la place d'Youville d'où on peut facilement examiner l'édifice de la Banque Nationale, le gros édifice noir vers la gauche. On peut y noter les excréments laissés par le Faucon pèlerin sur la face est de l'édifice.

Le centre-ville de Montréal et l'île Sainte-Hélène

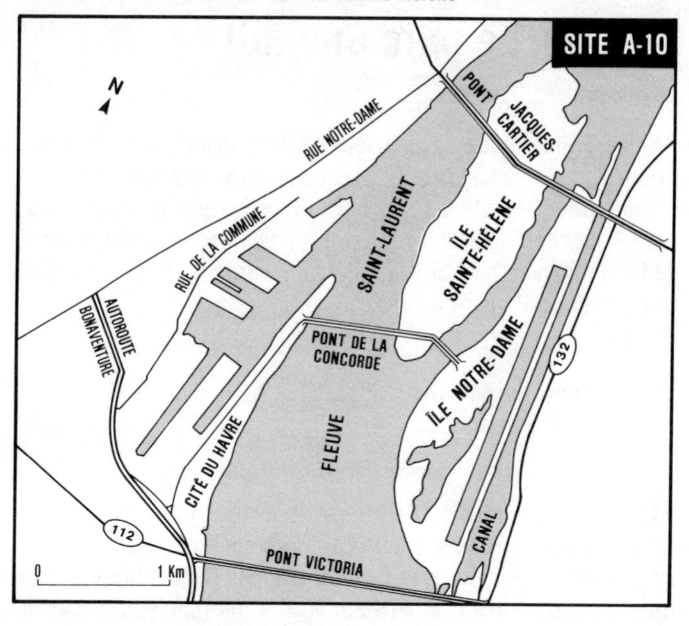

Via la rue Bonsecours, il est possible d'entrer dans le port seulement les fins de semaine. De la rue Bonsecours jusqu'à la rue de Boucherville, une route longue de 9 km traverse les installations portuaires (non indiquée sur la carte). On peut entrer ou sortir du port via l'avenue Viau, la rue Bossuet ou la rue de Boucherville. Toutes ces rues sont accessibles à partir de la rue Notre-Dame. À plusieurs endroits dans le port, il est possible d'examiner le fleuve à la recherche de canards plongeurs et de laridés à l'automne et durant l'hiver.

Site A-11

Le parc Summit

Profil ornithologique : passereaux migrateurs incluant 33 espèces de parulines et plusieurs espèces inusitées. *Spécialités :* Petit-duc maculé, Moucherolle à côtés olive, Moucherolle à ventre jaune, Gobe-moucherons gris-bleu, Grive à joues grises, Viréo à gorge jaune, Paruline à ailes dorées, Paruline verdâtre, Paruline à couronne rousse, Paruline azurée.

Localisation : Le parc Summit est situé sur le mont Royal dans le quartier Westmount.

Accès : *En automobile :* Ce site est accessible via le chemin de la Côte-des-Neiges. Le visiteur devra emprunter le chemin Belvédère, situé à flanc de montagne face au chemin Remembrance, puis tourner à droite sur le chemin Summit pour enfin parvenir au chemin Summit Circle, lequel encercle complètement le parc Summit.

En autobus : À partir du métro Guy-Concordia, les autobus 66, 165 et 166 permettent de se rendre au coin du chemin Côte-des-Neiges et du chemin Belvédère. Il faudra ensuite marcher une quinzaine de minutes pour rejoindre le parc Summit. L'autobus 165 s'arrête aussi au métro Côte-des-Neiges et l'autobus 166 au métro Snowdon.

Périodes cibles : Le mois de mai est la période par excellence pour effectuer une visite au parc Summit. Il faut s'y rendre tôt le matin, préférablement vers 6h00. Au mois de juin, on n'y retrouvera que quelques nicheurs locaux tandis que la migration automnale, qui s'étire d'août jusqu'à octobre, est beaucoup moins spectaculaire que celle du printemps, mais non sans intérêt. Au printemps, il sera sûrement profitable d'effectuer plusieurs visites et de consacrer plusieurs heures d'observation dans ce parc.

Description du site : Le parc Summit, l'un des sites les plus réputés chez les amateurs d'ornithologie de la province, est un petit bois naturel situé sur la colline de Westmount du mont Royal. S'élevant à plus de 200 mètres au coeur de la grande agglomération urbaine de Montréal, cet îlot de verdure exerce un véritable magnétisme sur les oiseaux sylvicoles de passage au printemps et à l'automne. Au printemps, la diversité et la concentration d'oiseaux peuvent être parfois très spectaculaires, ce qui a même fait dire à certains que le parc Summit était au Québec ce que la Pointe Pelée est à l'Ontario.

Les meilleurs moments surviennent toujours tôt en matinée vers la mi-mai et succèdent souvent au passage d'un front d'air chaud se déplaçant vers le nord. Plusieurs centaines d'oiseaux, principalement des moucherolles, des grives, des viréos, des parulines et des bruants s'unissent alors pour produire un concert d'une sonorité incomparable. Ces sons, que l'écho répercute sur la voûte foliacée, ne sont toutefois pas sans créer des ennuis, provoquant par exemple le torticolis chez les observateurs qui recherchent désespérément l'origine d'un chant inconnu.

Le groupe des parulines est le mieux représenté au parc Summit, avec un total de 33 espèces observées au fil des années et 24 espèces notées annuellement. Même si les parulines sont généralement très colorées, leur identification constitue souvent un cauchemar pour les débutants; c'est principalement leur petite taille et leur comportement nerveux qui les rendent difficiles à observer. Cependant, le débutant n'aura sûrement pas de difficulté à identifier des espèces aussi spectaculaires que le Tangara écarlate, le Cardinal à poitrine rose ou l'Oriole du Nord. D'autres espèces, peut-être moins remarquables mais beaucoup plus inusitées, ne manqueront pas d'intéresser par ailleurs l'observateur plus averti ; à chaque année, ce dernier pourra compter sur la présence du Moucherolle à côtés olive, du Moucherolle à ventre jaune, du Gobe-moucherons gris-bleu, de la Grive à joues grises, du Viréo à gorge jaune, de la Paruline verdâtre, de la Paruline des pins, de la Paruline à couronne nousse, de la Paruline rayée et, avec un peu de chance, de la Paruline à ailes dorées ou de la Paruline azurée.

Enfin, certains ornithologues à la recherche de l'espèce rarissime préféreront le parc Summit parce que c'est un endroit où la fréquence de mentions à caractère exceptionnel est nettement plus élevée qu'ailleurs dans la région. Chaque printemps, on y voit passer quelques espèces très inusitées, le plus souvent des espèces plus méridionales qui, en raison de conditions météorologiques très favorables, dépassent leur aire de répartition, parfois de plusieurs centaines de kilomètres. Durant la dernière décennie, on a noté par exemple la présence de l'Engoulevent de Caroline, du Pic à ventre roux, du Viréo aux yeux blancs, de la Paruline des prés, de la Paruline orangée, de la Paruline vermivore, de la Paruline du Kentucky, de la Paruline à capuchon et du Tangara vermillon.

Le parc Summit est aussi un poste d'observation de choix pour étudier les déplacements saisonniers des rapaces diurnes; en plus des espèces les plus communes telles que le Balbuzard ou la Petite Buse, l'observateur pourra aussi noter à l'occasion l'Urubu à tête rouge et l'Aigle royal.

Une fois le mois de mai terminé, peu d'espèces restent au parc Summit pour nicher. Toutefois, parmi celles qui demeurent, on remarquera le Tyran huppé, la Grive des bois, le Cardinal rouge, le Passerin indigo et quelques autres. Le nicheur le plus illustre est probablement le Petit-duc maculé, qui est d'ailleurs présent en permanence. Par une journée ensoleillée d'hiver, il n'est pas rare de le voir profiter des chauds rayons du soleil à l'entrée d'une cavité d'arbre orientée vers le sud.

Le parc Summit

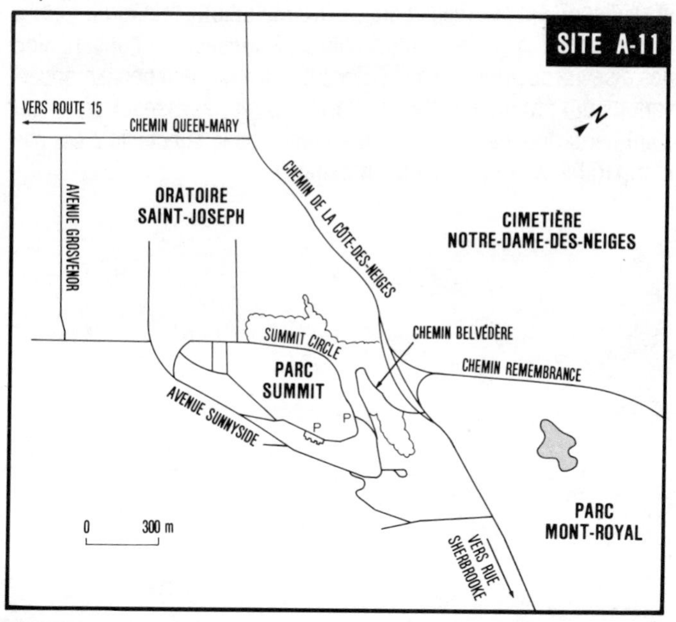

Itinéraire suggéré : De nombreux sentiers sillonnent le parc. Lors d'une bonne matinée, les premiers migrateurs se manifestent déjà avant 6h00 et fréquentent surtout le flanc sud du parc. Il sera donc préférable d'explorer d'abord cette partie, en particulier le territoire dépourvu d'arbres à l'arrière du belvédère. Il ne faudra pas négliger non plus la strate arbustive qui attire de nombreuses espèces affectionnant la proximité du parterre forestier. Un peu plus tard en matinée, le visiteur pourra parcourir le flanc nord à la recherche d'espèces qui lui auraient échappé. Un petit ruisseau boueux sur le flanc nord réserve souvent des surprises. Le bois du côté nord du chemin Summit Circle mérite aussi d'être exploré.

À partir de 10h00, les oiseaux deviennent beaucoup plus discrets et se dispersent graduellement ; si les conditions météorologiques le permettent, le visiteur pourra alors se consacrer à l'observation des oiseaux de proie. Le belvédère offre un excellent poste d'observation pour pratiquer cette activité. En soirée, les oiseaux semblent s'animer à nouveau dans le sous-bois mais le spectacle n'est pas comparable à celui présenté en matinée.

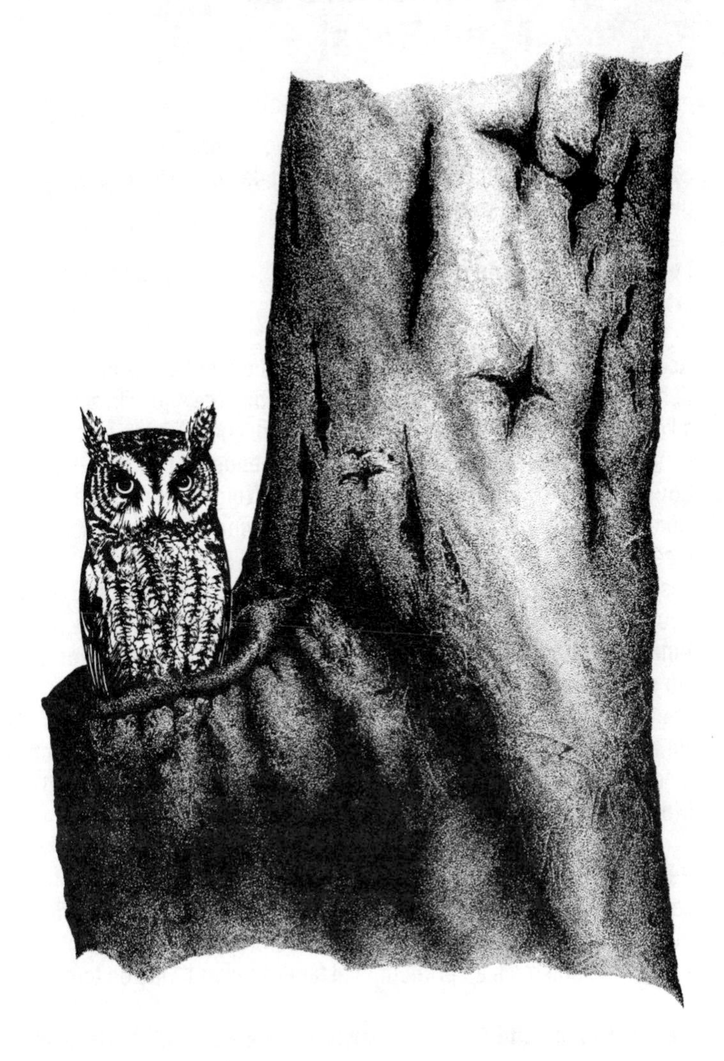

Petit-duc maculé

Site A-12

Le cimetière du Mont-Royal

Profil ornithologique : passereaux migrateurs et hivernants. *Spécialités :* Petit-duc maculé, Merle-bleu de l'Est, Moqueur polyglotte, Dur-bec des pins.

Localisation : Ce site est situé sur le mont Royal en plein coeur de la ville de Montréal.

Accès : *En automobile :* Deux entrées permettent l'accès au cimetière; l'une est située du côté nord et l'autre du côté sud. On accède à l'entrée sud, soit par l'est, via la voie Camillien-Houde (à partir de l'angle de l'avenue du Mont-Royal et de l'avenue du Parc), soit par l'ouest, via le chemin de la Côte-des-Neiges et le chemin Remembrance. On trouvera un stationnement avec parcomètres face à l'entrée sud. D'autre part, on accède à l'entrée nord, soit par l'est, via le boulevard Mont-Royal et le chemin de la Forêt, soit par l'ouest, via le chemin de la Côte-Sainte-Catherine suivi de la rue Vincent-d'Indy, le boulevard Mont-Royal et le chemin de la Forêt. On stationne en bordure du chemin de la Forêt.

En autobus : À partir du métro Mont-Royal, l'autobus 11 permet d'accéder à l'entrée sud. Par ailleurs, à partir du métro Edouard-Montpetit, l'autobus 119 donne accès à l'entrée nord.

Périodes cibles : Toutes les saisons incitent l'ornithologue à visiter cet endroit mais le printemps et l'hiver constituent les saisons les plus attrayantes. En hiver, une heure suffira probablement pour explorer le site mais au printemps, il faudra prévoir plus de temps.

Description du site : Le mont Royal est relativement accidenté et le secteur dans lequel se trouve le cimetière comprend un plateau incliné vers le sud-est, encastré entre des collines au nord, à l'est et à l'ouest. La végétation primitive a presqu'entièrement disparu du cimetière sauf sur la colline de l'Est. On trouve à cet endroit un petit secteur boisé où les espèces dominantes sont le Chêne rouge, l'Érable à sucre, le Hêtre à grandes feuilles, le Pin blanc et le Pin rouge.

Le reste du cimetière comprend plusieurs allées pavées formant un réseau entre les tombes et les pelouses. On rencontre sur les pelouses des buissons, des arbres et des arbustes, pour la plupart exotiques, distribués en bordure des allées et des tombes, ainsi que des touffes de fleurs et de plantes décoratives, pour la plupart dispersées au hasard. Le nombre impressionnant de pommetiers décoratifs qu'on y trouve est la principale caractéristique du cimetière. Les fruits qui persistent tout l'hiver constituent une abondante source de nourriture pour les espèces frugivores. Lors de la floraison printanière, ces pommetiers attirent alors de nombreuses espèces insectivores en plus de contribuer largement au décor enchanteur du site.

Plus de 145 espèces d'oiseaux ont été observées dans le cimetière. C'est au printemps, plus particulièrement au mois de mai, que les oiseaux sont les plus abondants. On y trouve plusieurs passereaux insectivores et granivores, entre autres la Paruline à couronne rousse et la Paruline verdâtre, deux espèces parfois difficiles à trouver. Au mois d'avril, on peut y voir des oiseaux de proie en vol; l'Urubu à tête rouge et l'Aigle royal y ont déjà été signalés. À l'occasion, un Autour des palombes viendra semer la terreur parmi les passereaux.

Parmi les espèces qui restent dans le cimetière pour nicher, on note les trois espèces de moqueurs, c'est-à-dire le Moqueur chat, le Moqueur roux et le Moqueur polyglotte. Le Troglodyte familier et le Passerin indigo nichent également dans le cimetière mais l'espèce qui enthousiasme le plus les observateurs d'oiseaux est sans doute

Moqueur roux

le Petit-duc maculé. Des nichoirs ont été installés à quelques endroits pour inciter cette espèce à nicher.

En hiver, on retrouve souvent des espèces frugivores dans les pommetiers décoratifs. Jusqu'à une centaine de Durs-becs des pins ont déjà été observés dans le cimetière. Les autres espèces frugivores susceptibles d'être présentes sont le Jaseur boréal, le Jaseur des cèdres, le Merle d'Amérique, le Moqueur polyglotte et quelques autres. Des rencontres inattendues peuvent se produire, en particulier au début de l'hiver, alors que les conditions climatiques rigoureuses n'ont pas encore chassé tous les oiseaux; par exemple, ce Solitaire de Townsend découvert en décembre 1967.

Itinéraire suggéré : Il est très important de prendre le temps nécessaire pour explorer convenablement cet emplacement. Les endroits où l'on trouve quantité de pommetiers décoratifs sont les

Le cimetière du Mont-Royal

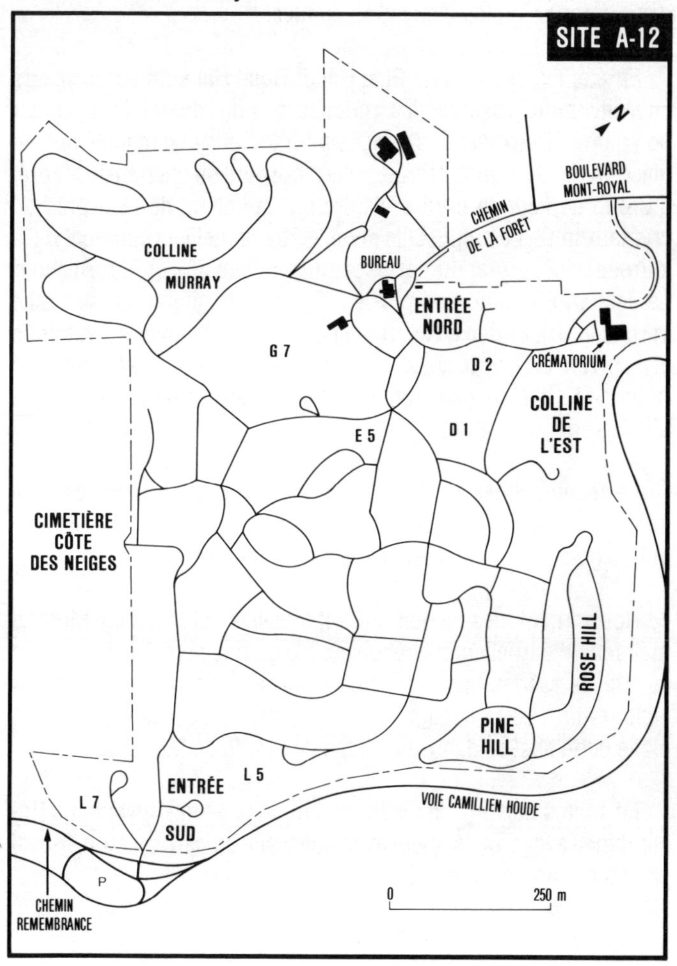

secteurs D1, D2, G7 et L5. Ce sont les coins auxquels l'observateur devrait porter le plus d'attention en hiver.

En été, les sections de Pine Hill et Rose Hill sont les meilleurs endroits pour observer les moqueurs, notamment le Moqueur polyglotte. Deux nichoirs conçus pour le Petit-duc maculé ont été placés dans de grands arbres, l'un en bordure du chemin de la Forêt à droite de l'entrée nord et l'autre sur la colline de l'Est près du crématorium. Le crépuscule semble être le meilleur moment de la journée pour surprendre cet oiseau au moment où il quitte le nichoir. La section E5 comprend plusieurs grands conifères où se cache parfois le Grand-duc d'Amérique ou la Chouette rayée à l'automne et en hiver. On trouve aussi plusieurs conifères près de l'entrée sud (Section L7); il n'est pas rare d'y voir des becs-croisés lorsque les cônes sont abondants.

La section située à gauche de l'entrée nord peut également être intéressante à explorer en hiver puisqu'on y trouve un petit ruisseau qui ne gèle pas, où les oiseaux viennent fréquemment s'abreuver.

Récemment, des nichoirs furent installés sur la colline Murray, maintenant partiellement déboisée; à la grande surprise de tous, un couple de Merles-bleus de l'Est a fait son nid dans l'un de ces nichoirs en 1989. Il s'agit vraisemblablement du seul endroit où niche cette espèce dans les limites de la ville de Montréal.

En toutes saisons, la visite du cimetière Mont-Royal peut être combinée avantageusement avec une visite au parc du Mont-Royal situé à proximité (Site A13).

Site A-13

Le parc du Mont-Royal

Profil ornithologique : grande variété d'espèces migratrices, particulièrement chez les parulines; diverses espèces hivernantes et plusieurs rapaces diurnes. *Spécialités :* Urubu à tête rouge, Autour des palombes, Cardinal rouge.

Localisation : Le parc du Mont-Royal est situé immédiatement au nord-ouest du centre-ville. Il est limité du côté nord-est par l'avenue du Parc, à l'est par l'avenue des Pins, du côté sud par le chemin de la Côte-des-Neiges et enfin, à l'ouest par la voie Camillien-Houde.

Accès : *En automobile :* On accède au parc du Mont-Royal par la voie Camillien-Houde, soit par l'est, à l'angle de l'avenue du Mont-Royal et de l'avenue du Parc; soit par l'ouest, via le chemin de la Côte-des-Neiges. Une piste cyclable et des sentiers pour ski de randonnée sont aussi des voies d'accès possibles. Enfin, plusieurs accès piétonniers sont répartis sur le pourtour du parc.

En autobus : On s'y rend par l'autobus 11 à partir du métro Mont-Royal.

Périodes cibles : Bien que l'observation d'oiseaux soit possible en toutes saisons au parc du Mont-Royal, le printemps demeure la saison la plus propice pour la découverte de nombreuses espèces en migration. Les trois premières semaines de mai sont particulièrement intéressantes. D'autre part, la présence de postes d'alimentation installés par le Centre de la Montagne, de décembre à avril, facilite l'observation de plusieurs espèces hivernantes. On y rencontre occasionnellement à cette période quelques rapaces nocturnes. Le printemps et l'automne sont des périodes plus favorables pour observer les rapaces diurnes. Le meilleur moment de la journée pour l'observation est sans contredit en matinée. Trois ou quatre heures d'investigation permettront de bien couvrir les points d'intérêt.

Renseignements spéciaux : Pour plus de renseignements sur le parc du Mont-Royal, il est possible de s'informer au Centre de la Montagne (tél.: (514) 844-4928). Le visiteur peut également se procurer une carte détaillée du site aux bureaux du Centre, situés au deuxième étage du Chalet.

Description du site : Créé en 1874, le parc du Mont-Royal est l'un des espaces verts les plus importants de l'île de Montréal. Surplombant les rues agitées du centre-ville du haut de ses 232 mètres, cet îlot de végétation représente un site d'observation facilement accessible à un grand nombre d'amateurs d'oiseaux. Bien que le parc soit aménagé (étendues gazonnées, zones récréatives, infrastructures), une bonne portion de ses 174 hectares est caractérisée par divers peuplements feuillus dont la chênaie rouge et l'érablière à caryer. À ces peuplements vestiges viennent s'ajouter de nombreuses plantations de pins et d'épinettes, complétant le paysage végétal du parc. Comme autres caractéristiques, signalons la présence de quelques étangs intermittents et dépressions humides ici et là sur le territoire ainsi qu'un relief particulièrement accidenté sur le flanc est.

Compte tenu de sa situation au coeur d'une zone fortement urbanisée, le parc du Mont-Royal se révèle un site plus ou moins propice à la nidification de la faune ailée. Ainsi, outre les espèces communes typiques des milieux urbains, environ une trentaine d'espèces nidifient sur ce territoire. Toutefois, le parc constitue un îlot suffisamment important pour permettre à une grande variété d'espèces de séjourner, spécialement lors des migrations printanières. C'est d'ailleurs à cette période de l'année que l'on peut observer bon nombre des 150 espèces recensées sur le mont Royal.

Au printemps, les insectivores forment le groupe d'oiseaux le plus diversifié, particulièrement sous couvert forestier. Dans ces milieux, on peut observer la plupart des parulines nichant au Québec. On y retrouve également la majorité des autres espèces nichant dans la région (viréos, moucherolles, roitelets, troglodytes, pics, sittelles, etc.). Une visite plus assidue des lieux saura certes procurer des découvertes inattendues, notamment des espèces de parulines normalement observées dans des régions plus méridionales.

Les passereaux granivores sont également bien représentés en milieu forestier lors des migrations printanières. Le Cardinal à poitrine rose, le Roselin pourpré, le Chardonneret jaune, le Junco ardoisé et le Bruant à gorge blanche sont les espèces les plus caractéristiques de ce groupe. Ajoutons à celles-ci la présence de trois autres espèces situées au nord de leur aire de répartition dans l'est du continent, soit le Passerin indigo, le Cardinal rouge et le Tohi à flancs roux. Les deux premières sont reconnues comme étant des espèces nichant sur le site alors que la troisième y a été observée à quelques reprises.

Enfin, toujours en milieu forestier, la période printanière permet l'observation de diverses espèces à alimentation variée, telles que le Jaseur des cèdres, le Geai bleu et le Tangara écarlate. Les grives sont bien représentées : la Grive des bois niche sur le site tandis que la Grive solitaire, la Grive à dos olive et la Grive fauve sont des espèces relativement abondantes en migration.

Une visite dans des milieux plus ouverts tels que les bordures de forêts, les buissons et les lieux aménagés permet notamment l'observation de l'Oriole du Nord, du Moqueur roux, du Moqueur chat ainsi que de diverses espèces d'hirondelles et de bruants. Le Moqueur polyglotte, une espèce plus rare dans la région, est régulièrement signalé.

Durant la période hivernale, la Mésange à tête noire, la Sittelle à poitrine blanche, le Pic mineur, le Pic chevelu, le Sizerin flammé, le Junco ardoisé et le Chardonneret des pins sont les espèces les plus fréquemment observées. Le Cardinal rouge, sans être abondant, est régulièrement aperçu. À ces espèces s'ajoute la présence plus ou moins régulière du Dur-bec des pins, du Gros-bec errant, du Bec-croisé à ailes blanches et du Jaseur boréal. C'est également au cours de cette période que les rapaces nocturnes font l'objet d'observations. Le Petit-duc maculé, le Grand-duc d'Amérique, la Chouette rayée et la Petite Nyctale sont les espèces les plus susceptibles d'y être rencontrées.

Enfin, mentionnons la présence de divers rapaces diurnes, particulièrement au printemps et à l'automne. La Crécerelle d'Amérique, la Petite Buse et l'Épervier brun sont les espèces les plus fréquemment observées. En fait, 15 des 16 espèces recensées dans la région ont été signalées sur le site. L'Urubu à tête rouge, l'Autour des palombes et le Balbuzard sont aperçus chaque année, alors que le Pygargue à tête blanche, l'Aigle royal et le Faucon pèlerin ont fait l'objet d'observations plus sporadiques.

Itinéraire suggéré :

Le flanc nord-est (Site 1) : Le visiteur à pied peut accéder à ce site à partir de l'avenue du Parc ou encore par le boulevard du Mont-Royal. Située au bas des falaises, cette zone est en partie composée d'une érablière à caryer bien stratifiée. Elle est sillonnée de nombreux petits sentiers qui en facilitent l'exploration. Ce site est particulièrement intéressant pour sa diversité en passereaux forestiers. Quelques espèces généralement plus rares ou occasionnelles dans la région y sont observables, par exemple: le Troglodyte des forêts, le Viréo de Philadelphie, le Viréo à tête bleue, le Tangara écarlate et le Cardinal rouge.

Quelques clairières, généralement de petites dépressions humides, sont présentes à l'intérieur de ce site. Ces micro-habitats plus dégagés facilitent l'observation de nouvelles espèces ayant une affinité pour les milieux humides et ouverts. Bien que ces milieux

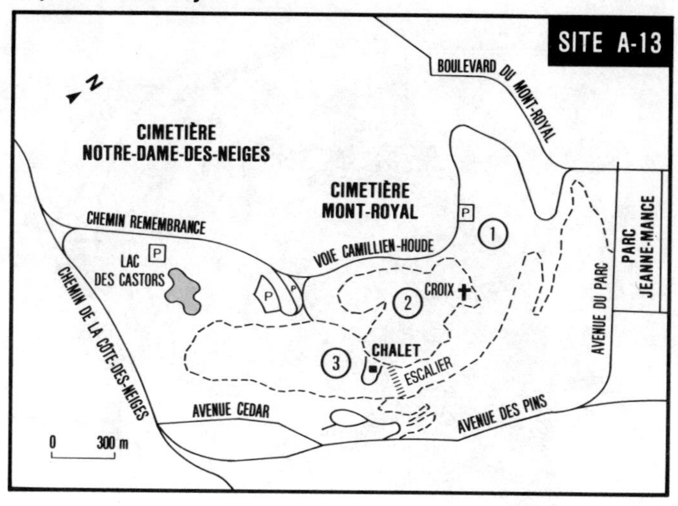

soient de superficie restreinte, ils offrent la possibilité de faire d'étonnantes rencontres, telles ce spécimen de Troglodyte des marais observé au printemps 1985.

Le sommet (Site 2) : Pour accéder à ce site, le meilleur moyen est d'emprunter le grand escalier menant au Chalet. Dominée par une chênaie rouge, cette zone est ponctuée de diverses plantations de conifères permettant à l'amateur de compléter ses observations au niveau des espèces forestières lors des migrations printanières. Le Cardinal rouge, le Tohi à flancs roux et le Passerin indigo sont des espèces observables dans ce secteur.

Le site offre également quelques milieux plus ouverts et propices à l'observation des rapaces diurnes. Ainsi, l'Urubu à tête rouge fut noté à diverses reprises au-dessus de l'aire de pique-nique, derrière le Chalet. Quant à l'Autour des palombes, il a été aperçu maintes fois

Cardinal rouge

ici et là sur ce site. Un coup d'oeil à l'observatoire faisant face au centre-ville augmentera les chances d'entrevoir d'autres rapaces diurnes.

En hiver, il est également possible de circuler à pied sur le chemin des Calèches. C'est un endroit favorable pour étudier le comportement de plusieurs espèces fréquentant les mangeoires. Le principal attrait demeure certes le Cardinal rouge, mais des visites régulières peuvent réserver des surprises. Il est aussi recommandé de porter une attention particulière aux arbres fruitiers bordant le chemin. Enfin, toujours durant cette période, c'est dans ce secteur que divers rapaces nocturnes sont le plus souvent repérés.

La zone de l'étang (Site 3) : Situé entre le Chalet et les stationnements, cet endroit constitue probablement le point d'intérêt ornithologique par excellence dans le parc. Plusieurs sentiers convergent vers ce site formant une cuvette humide entourée de diverses essences feuillues et de plantations de conifères. Ce milieu varié favorise une grande concentration de nombreuses espèces forestières lors des migrations printanières. Plusieurs espèces rares dans la région, voire exceptionnelles, y ont été signalées, spécialement chez les parulines. Il est conseillé de s'équiper de bottes imperméables pour mieux explorer la partie inondée du site. De plus, il faut surveiller de près l'herbe à puce qui abonde sur le pourtour de l'étang.

Durant l'hiver, l'observation d'oiseaux est encore ici facilitée grâce à une mangeoire aménagée non loin de l'étang, en bordure d'une piste de ski de fond. On y retrouve sensiblement les mêmes espèces qu'au site précédent, mais le Cardinal rouge est susceptible d'y être aperçu plus régulièrement. La Pie-grièche grise fut signalée à proximité de cette mangeoire durant l'automne 1985. Le visiteur devra cependant prendre soin de ne pas gêner les skieurs circulant sur la piste.

Roselin familier

Site A-14

Le Jardin botanique de Montréal

Profil ornithologique : espèces hivernantes et migratrices. *Spécialités :* Perdrix grise, Jaseur boréal, Roselin familier, Cardinal rouge.

Localisation : Le Jardin botanique de Montréal est situé au 4101, rue Sherbrooke est; il est limité au sud par la rue Sherbrooke, à l'ouest par le boulevard Pie-IX, au nord par le boulevard Rosemont et à l'est par le parc de Maisonneuve.

Accès : *En automobile :* À partir de l'ouest de l'île de Montréal, on rejoint le Jardin botanique via l'autoroute Métropolitaine est (autoroute 40) et le boulevard Pie-IX en direction sud. On peut s'y rendre également via l'autoroute Ville-Marie (autoroute 720), la rue Notre-Dame et le boulevard Pie-IX en direction nord. À partir de la rive sud, on emprunte le pont-tunnel L.-H. Lafontaine et la rue Sherbrooke vers l'ouest jusqu'au boulevard Pie-IX.

En autobus : Le Jardin botanique est directement accessible par le métro Pie-IX.

Périodes cibles : L'hiver et le printemps sont les deux saisons offrant le plus d'intérêt sur ce site; une à deux heures de marche permettront de faire une inspection minutieuse des postes d'alimentation.

Description du site : Le Jardin botanique de Montréal, d'une superficie de 73 hectares, fut fondé en 1931 par le frère Marie-Victorin, botaniste de réputation internationale. Ce territoire rassemble une trentaine de jardins spécialisés et neuf serres d'exposition. Il détient une renommée enviable à travers le monde et attire de nombreux visiteurs.

Très peu d'espèces d'oiseaux nichent dans le jardin mais au fil des années, pas moins de 130 espèces y ont été observées, principalement lors de la migration printanière. Depuis quelques années, on y érige des postes d'alimentation durant l'hiver et c'est ce qui soulève le plus d'intérêt chez les ornithologues.

Itinéraire suggéré : Un circuit d'une longueur d'environ 2 km où l'on trouve en hiver un total de 16 postes d'alimentation est le principal attrait de ce site. Durant l'hiver, on peut y retrouver plusieurs représentants des espèces suivantes : Junco ardoisé, Cardinal rouge, Sizerin flammé, Roselin familier, Roselin pourpré, Gros-bec errant, Chardonneret jaune, Chardonneret des pins, Bruant hudsonien ainsi que le Sizerin blanchâtre occasionnellement.

La mangeoire No 4 semble particulièrement appréciée par les oiseaux parce qu'ils peuvent s'abriter en toute sécurité dans les jeunes pins tout proches.

En outre, une plantation de pommetiers décoratifs près de la mangeoire No 8 attire plusieurs espèces frugivores durant tout l'hiver; c'est le coin idéal pour rechercher le Moqueur polyglotte, le Merle d'Amérique, le Jaseur boréal, le Jaseur des cèdres ainsi que le Dur-bec des pins. Le Roselin familier semble également très friand de fruits durant l'hiver.

Durant l'hiver également, une bande de Perdrix grises est aperçue occasionnellement près des mangeoires tôt le matin avant l'arrivée des visiteurs.

Le Jardin botanique de Montréal

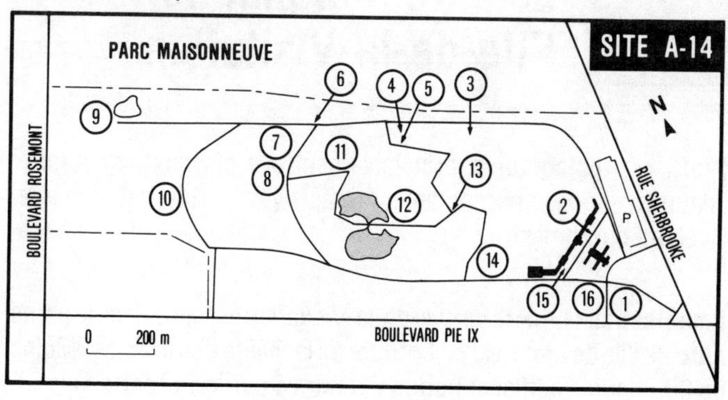

Au printemps et plus particulièrement vers la mi-mai, les arbustes et les bosquets fourmillent de passereaux insectivores; c'est la période par excellence pour étudier les moucherolles, les viréos, les parulines ainsi que les bruants. De plus, les étangs vont à l'occasion accueillir quelques canards. Certains y demeureront pour nicher.

Le parc régional de l'Île-de-la-Visitation

Profil ornithologique : principalement des oiseaux migrateurs : anatidés, laridés, passereaux. *Spécialités :* Goéland arctique, Goéland bourgmestre.

Localisation : Le parc de l'Île-de-la-Visitation est situé dans la partie nord de l'île de Montréal en bordure de la rivière des Prairies. Moins de 30 minutes suffisent pour s'y rendre à partir du centre-ville.

Accès : *En automobile :* À partir de l'autoroute Métropolitaine (autoroute 40), on utilise la sortie "rue Saint-Hubert-avenue Christophe-Colomb-avenue Papineau" et on emprunte l'avenue Papineau vers le nord. On tourne ensuite à droite sur le boulevard Henri-Bourassa, à gauche sur la rue Lille, à droite sur le boulevard Gouin puis enfin à gauche dans l'aire de stationnement du parc.

En autobus : Au métro Henri-Bourassa, on prend l'autobus 69, jusqu'à la rue Iberville et on marche une rue vers le nord.

Périodes cibles : Les saisons présentant le plus d'intérêt sont le printemps, l'automne et l'hiver. Moins d'une heure suffit habituellement pour parcourir les sentiers du parc.

Description du site : Ce site est localisé en milieu urbain en bordure de la rivière des Prairies entre le pont Papineau-Leblanc et la centrale hydroélectrique Rivière-des-Prairies. Le parc, d'une superficie de 30 hectares, a été le premier parc régional aménagé par la Communauté urbaine de Montréal (CUM). Il fut inauguré en septembre 1983. Outre l'île elle-même, une étroite bande de territoire située sur l'île de Montréal fait aussi partie du parc.

Le parc régional de l'Île-de-la-Visitation

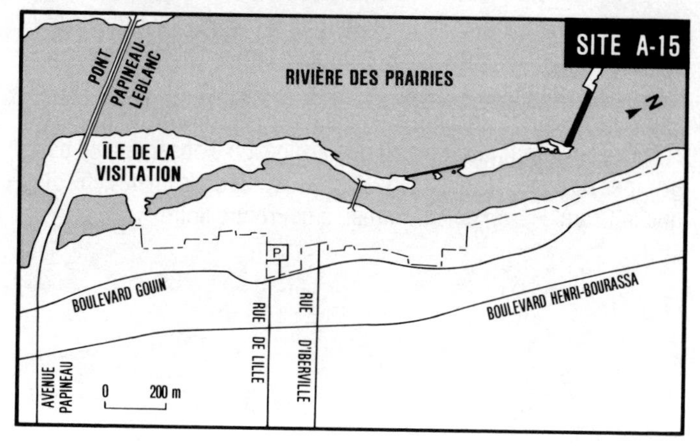

Le parc est principalement constitué de milieux ouverts parsemés de quelques bosquets d'arbres et d'arbustes. Les principales activités pratiquées sur ce site sont la randonnée de ski de fond en hiver, suivie par la pêche sportive et la randonnée pédestre en été.

On y trouve peu d'espèces nicheuses. Néanmoins, cet îlot de verdure en milieu fortement urbanisé favorise le rassemblement de plusieurs espèces de passereaux lors de la migration printanière, en particulier durant le mois de mai. Plusieurs espèces aquatiques peuvent aussi s'arrêter sur les plans d'eau. Un grand total de 122 espèces a été atteint jusqu'à maintenant dans le parc.

Itinéraire suggéré : Un court sentier donnant accès aux principaux habitats du parc permettra l'observation d'une bonne variété de passereaux, plus particulièrement au mois de mai. On y trouvera alors pics, moucherolles, hirondelles, grives, viréos, parulines et bruants.

L'examen des plans d'eau à l'aide d'une lunette d'approche sera particulièrement rentable à l'automne, en hiver ainsi qu'au printemps. On pourra retrouver en amont du barrage plusieurs espèces de canards plongeurs et autres espèces aquatiques. En hiver, cet endroit accueille le Goéland à manteau noir, le Goéland bourgmestre et le Goéland arctique. En aval du barrage, on y observera de petits groupes de limicoles sur les rives et les rochers à la fin de l'été, ainsi que le Grand Héron et le Bihoreau à couronne noire.

Site A-16

Le parc régional du Bois-de-la-Réparation

Profil ornithologique : canards, passereaux migrateurs, en particulier les parulines. *Spécialités :* Héron vert, Canard branchu, Chevalier solitaire, Grand-duc d'Amérique, Moucherolle des saules, Pie-grièche migratrice.

Localisation : Le parc régional du Bois-de-la-Réparation est situé à l'extrémité nord-est de l'île de Montréal, sur le territoire de la ville de Montréal, dans le quartier Pointe-aux-Trembles. Il faut compter de 30 à 45 minutes à partir du centre-ville de Montréal pour s'y rendre.

Accès : *En automobile :* Le parc est facilement accessible par la rue Sherbrooke. À partir de l'autoroute Métropolitaine (autoroute 40), on utilise la sortie 87 suivie du boulevard Henri-Bourassa et de la rue Sherbrooke jusqu'à l'entrée du parc.

En autobus : Durant la semaine, on prend la ligne 189 au métro Honoré-Beaugrand et on descend au boulevard de la Rousselière pour ensuite marcher vers l'est. Les fins de semaine, on emprunte l'autobus 187 et on descend à la 55e avenue.

Périodes cibles : Le printemps est nettement la saison la plus captivante au point de vue ornithologique au parc, mais le site demeure aussi très intéressant l'été et lors de la migration automnale. Le meilleur moment de la journée pour l'observation est sans aucun doute le matin. Deux ou trois heures sont nécessaires pour parcourir le parc mais on peut facilement passer plus de cinq heures sur le site au plus fort de la migration printanière.

Renseignements spéciaux : Bien que des sentiers aient été aménagés, il est souvent nécessaire d'en sortir pour s'approcher davan-

Bruant à gorge blanche

tage des points d'intérêt. Le milieu étant relativement humide (surtout tôt au printemps), les bottes ou bottillons seront grandement appréciés. Il serait aussi prudent de prendre note qu'en certains endroits (limités parfois), l'Herbe à la puce abonde dans la strate herbacée.

Description du site : Le parc régional du Bois-de-la-Réparation est l'un des rares espaces verts de la partie est de l'île de Montréal à avoir conservé son caractère naturel et sauvage. Ce parc, dit de conservation, fait partie du réseau de parcs régionaux institué par la Communauté urbaine de Montréal.

D'une superficie de 94 hectares, ce site remarquable par la diversité de ses habitats se divise en deux : (1) le bois de la Réparation, qui est constitué essentiellement d'une érablière à caryer et d'une frênaie; (2) le bois de l'Héritage, beaucoup plus vaste, qui renferme quelques champs en friche, des bras de végétation, une érablière rouge de dimension respectable et un bon nombre d'étangs de dimensions variables.

Ces différents habitats recèlent une avifaune extrêment variée. Les relevés les plus récents indiquent qu'environ 164 espèces d'oiseaux, regroupées en 34 familles, ont été aperçues au fil des ans à cet endroit. C'est un des rares sites dans l'île de Montréal où, sur une si petite superficie, on peut retrouver des hérons, canards, échassiers, oiseaux de proie, passereaux des champs et des forêts.

Tout d'abord, les représentants de la famille des ardéidés sont assez nombreux. On observe fréquemment sur le site le Butor d'Amérique, le Grand Héron, le Héron vert de même que le Bihoreau à couronne noire.

Par ailleurs, le parc accueille un nombre surprenant de canards barboteurs, compte tenu de la petitesse des étangs présents. C'est surtout lors de la migration printanière qu'on les aperçoit ; les étangs, gonflés d'eau de fonte, se montrent alors fort accueillants pour ces oiseaux. On observe surtout le Canard branchu, le Canard colvert, le Canard pilet en grande abondance, la Sarcelle à ailes bleues, le Canard souchet et le Canard siffleur d'Amérique.

Chez les rapaces diurnes, on retrouve le Busard Saint-Martin comme nicheur à l'intérieur du parc. La Buse à épaulettes, la Petite Buse et la Buse à queue rousse sont fréquemment observées. On peut aussi apercevoir à l'occasion le Faucon émerillon.

Les râles et oiseaux de rivage sont assez abondants. Notons la présence du Râle de Caroline de même que celle du Chevalier solitaire, commun en migration. Le Phalarope de Wilson, une espèce en expansion au Québec, y fut noté en 1989.

Chez les strigidés, on remarque le Grand-duc d'Amérique qui niche dans le parc depuis nombre d'années.

Par ailleurs, il est possible que le parc régional du Bois-de-la-Réparation soit l'un des derniers sites de nidification au Québec de la Pie-grièche migratrice dont les effectifs sont en déclin dans le nord-est de l'Amérique du Nord.

D'autre part, le parc est un site exceptionnel pour l'observation des parulines lors de la migration printanière. Il n'est pas rare d'en dénombrer près d'une vingtaine d'espèces au plus fort de la migration (18 espèces le 21 mai 1985). En 1989, on y a aperçu la Paruline à ailes dorées.

Itinéraire suggéré : Les oiseaux aquatiques (hérons, canards, limicoles, râles) se retrouvent tout particulièrement dans les étangs des champs en friche bordant la rue Sherbrooke *(site A).* Le Moucherolle des saules fréquente aussi ce site en été. Mentionnons en passant que ces champs et ces étangs ne sont pas à l'intérieur des limites du parc et conséquemment ne sont donc pas protégés.

De nombreuses voies d'eau *(site B)* pénètrent le bois de l'Héritage. Les canards (surtout le Canard branchu) y trouvent souvent refuge.

Les érablières à caryer du bois de la Réparation et du bois de l'Héritage *(site C)* accueillent les parulines, tangaras, grives et moucherolles que l'on retrouve habituellement dans la région. D'ailleurs, le bois de l'Héritage est sillonné de sentiers de gravier rendant la marche très facile. Finalement, c'est surtout à la lisière de ces peuplements forestiers, ainsi qu'autour des voies d'eau pénétrant le bois de l'Héritage, que l'avifaune est la plus diversifiée.

Le parc régional du Bois-de-la-Réparation

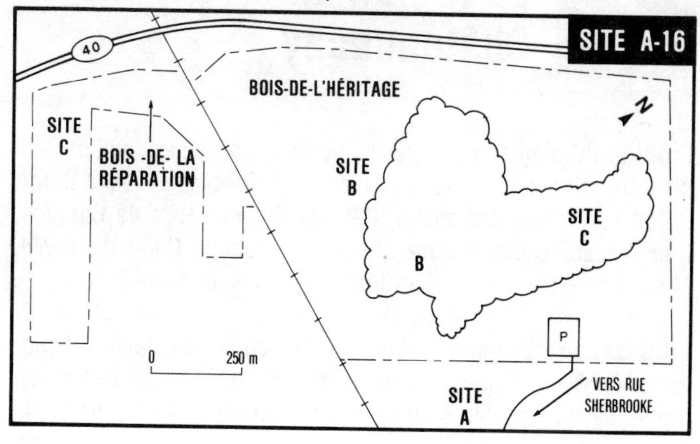

On trouve aussi un peu plus au nord, le parc régional de la Rivière-des-Prairies. Ce parc est caractérisé par des milieux ouverts ponctués de petits étangs où nichent quelques canards barboteurs. Pour s'y rendre, il faut continuer vers l'est sur la rue Sherbrooke et tourner à gauche sur le boulevard Gouin. L'entrée du parc est située à gauche après avoir passé sous le viaduc de l'autoroute 40.

Site A-17

La région de Châteauguay

Profil ornithologique : espèces nicheuses associées aux milieux humides, hiboux et passereaux nicheurs. *Spécialités :* Petit Butor, Héron vert, Canard branchu, Râle de Virginie, Râle de Caroline, Poule-d'eau, Guifette noire, Petit-duc maculé, Chouette rayée, Moucherolle des saules, Cardinal rouge, Roselin familier.

Localisation : La municipalité de Châteauguay est établie au sud-est du lac Saint-Louis, à l'embouchure de la rivière Châteauguay; moins de 30 minutes sont requises pour s'y rendre à partir du centre-ville de Montréal.

Accès : *En automobile :* Châteauguay est accessible via les routes 132 et 138 ouest. À partir du centre-ville, on doit utiliser la route 20 ouest, puis suivre les indications vers le pont Mercier; à l'extrémité sud du pont, on n'a qu'à surveiller les indications vers Châteauguay.

En autobus: Il existe un service de transport public à partir des stations de métro Angrignon et Longueuil (Autobus Léo Auger: Tél: (514) 691-1000).

Périodes cibles : Les milieux boisés et les habitats humides accueillent le plus grand nombre d'espèces au printemps et en été; par ailleurs, les rassemblements de canards barboteurs sur la rivière Châteauguay n'atteignent leur apogée qu'à l'automne et en hiver. Les nombreux postes d'alimentation installés par les résidants encouragent plusieurs espèces à hiverner sur ce territoire. Il faudra effectuer plusieurs visites pour compléter l'itinéraire suggéré.

Description du site : La région de Châteauguay est surtout caractérisée par des marais et des forêts inondées qui s'étendent sur près

Petit Butor

de 4 km carrés de part et d'autre de l'embouchure de la rivière ainsi qu'en bordure du lac Saint-Louis. L'île Saint-Bernard, un territoire de 235 hectares situé dans l'embouchure de la rivière Châteauguay, reflète bien l'image de ces milieux humides exceptionnels. Outre un bois parvenu à maturité, une prairie et un peuplement de jeunes Peupliers faux-trembles, on trouve sur cette île un vaste marais ainsi qu'un marécage où furent dénombrés près de 200 nids de Grands Hérons en 1987.

Plusieurs petites parcelles boisées majoritairement dominées par des communautés d'arbres feuillus entourent également la municipalité, assurant la présence d'une faune ailée sylvicole très diversifiée. La proximité d'une vaste région forestière de 30 km carrés sur la réserve amérindienne Mohawk de Kahnawake constitue un élément en mesure de freiner les effets de la fragmentation du milieu forestier et explique probablement la présence, dans les bois de Châteauguay, de plusieurs espèces nicheuses associées à la partie centrale des forêts, espèces qui sont certes les plus affectées par le morcellement de la forêt dans la région de Montréal.

Plus d'une centaine d'espèces d'oiseaux se reproduisent annuellement sur ce site. Parmi celles-ci, les espèces associées aux milieux humides sont particulièrement en évidence; on y rencontre le Grèbe à bec bigarré, le Héron vert, le Petit Butor, le Butor d'Amérique, le Canard branchu, le Râle de Virginie et le Râle de Caroline, la Poule-d'eau, la Bécassine des marais, la Guifette noire et le Troglodyte des marais. Parmi les espèces associées aux écosystèmes terrestres, on retrouve l'Épervier brun, la Buse à épaulettes, la Perdrix grise, le Petit-duc maculé, la Chouette rayée, le Moucherolle des saules, l'Hirondelle à ailes hérissées, le Cardinal rouge, le Passerin indigo, le Bruant des champs, le Roselin familier, ainsi que plusieurs autres espèces plus communes.

Plusieurs visiteurs inusités ont été signalés à Châteauguay; on y a observé entre autres la Grande Aigrette, l'Aigrette neigeuse, la Sterne de Forster, la Mésange bicolore, le Bruant à face noire et le Carouge à tête jaune. Bien que la Mésange bicolore ne soit qu'un visiteur occasionnel près de Montréal, c'est dans la région de Châteauguay qu'elle a été rencontrée le plus souvent, soit à quatre occasions depuis quelques années. Cet oiseau en expansion qui niche à peu de distance du Québec, dans les états de New-York et du Vermont, pourrait bien nicher dans la région de Châteauguay éventuellement.

La région de Châteauguay

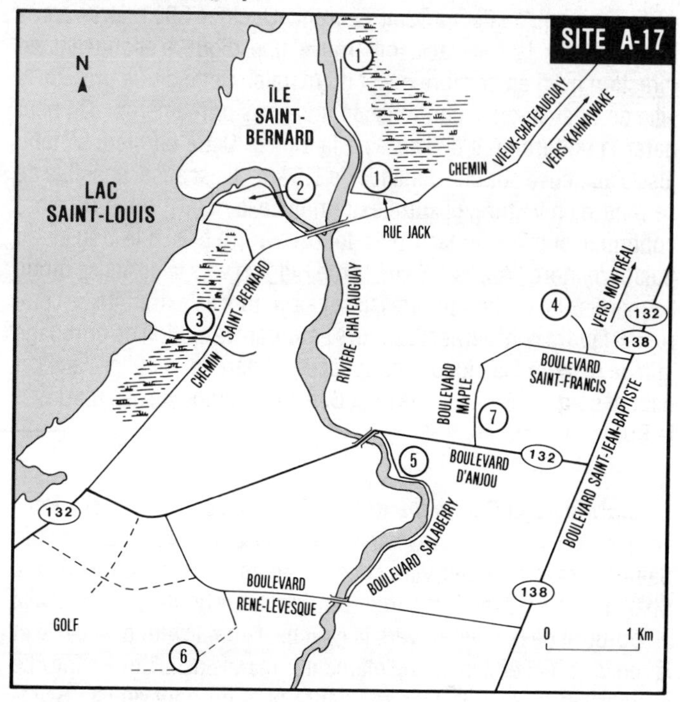

Itinéraire suggéré :

Le marais de la Pointe -Johnson (Site 1) : Ce marais de 80 hectares chevauche les territoires de Châteauguay et de Kahnawake. À la sortie sud du pont Mercier, il faudra utiliser la voie de droite en direction de Châteauguay puis rouler environ 2,6 km, jusqu'à l'échangeur de Kahnawake, avant de tourner à nouveau à droite vers le village de Kahnawake. Après 0,9 km, un virage à gauche sur le chemin Vieux-Châteauguay amènera le visiteur à travers des secteurs boisés de la réserve de Kahnawake sur une distance d'environ 5 km. Peu après les limites de la réserve, il faudra tourner à droite sur la rue Jack. Le marais de la Pointe- Johnson s'étend au nord de cette rue jusqu'au fleuve Saint-Laurent. Quelque 300 mètres après le virage sur la rue Jack, on trouve une digue s'allongeant en direction nord en bordure ouest du marais. Cette digue protège la ville de Châteauguay contre les inondations printanières. On peut garer la voiture près de l'accès à la digue. Cette dernière s'étend jusqu'au fleuve sur une distance de 1,5 km. Il est aussi possible de se rendre en voiture à l'autre extrémité de la digue. Il faudra alors continuer sur la rue Jack puis tourner à droite sur le boulevard Salaberry nord. Après 1,3 km, la rue Higgins vers la droite se dirige au marais. Le visiteur pourra laisser sa voiture à l'extrémité de cette rue. Il faudra contourner la clôture entourant la station de pompage afin de rejoindre la digue. Les espèces d'intérêt particulier dans cet habitat sont le Héron vert, le Petit Butor, le Troglodyte des marais et le Bruant des marais.

Le marais de la Commune et l'île Saint-Bernard (Site 2) : Pour accéder à ce site, il faut revenir à l'angle de la rue Jack et du chemin Saint-Bernard et rouler vers l'ouest. Après avoir franchi la rivière Châteauguay, la première sortie se dirige vers le boulevard d'Youville en bordure de la rivière. Vers la gauche, le boulevard d'Youville et la rue Vinet encerclent complètement le marais de la Commune. Le visiteur est invité à laisser sa voiture près du pont de l'île Saint-Bernard et à parcourir à pied le périmètre du marais. Sur le boulevard d'Youville, une plate-forme facilite l'examen du marais. Ce marais de 9 hectares, dominé par une végétation émergente de quenouilles et bordé de taillis de saules et de jeunes frênes, laisse découvrir une avifaune très riche; on peut y voir le Grèbe à bec bigarré, le Petit Butor, la Poule-d'eau, la Foulque d'Amérique, le Râle de Virginie, le Râle de Caroline, une des rares colonies de Guifettes noires de la région de Montréal, le Troglodyte des marais ainsi que le Bruant des marais. Le long du boulevard d'Youville, plusieurs Moucherolles des saules peuvent être repérés durant l'été grâce à leur chant distinctif. La sécheresse des années 1988-89 a toutefois entraîné une certaine dégradation de l'habitat et chassé certaines espèces de ce site.

Au moment où ces lignes ont été écrites, l'île Saint-Bernard n'était pas encore accessible au public. Toutefois, il est fort possible qu'elle le devienne dans un avenir rapproché. Cette île, d'une grande valeur écologique, héberge à elle seule près de 80 espèces nicheuses, entre autres le Grand Héron, le Canard branchu et la Chouette rayée. À l'automne et au printemps, plusieurs canards plongeurs se rassemblent sur le lac Saint-Louis en face de l'île.

Le ruisseau Saint-Jean (Site 3) : À partir du boulevard d'Youville, il faudra revenir vers le chemin Saint-Bernard et rouler en direction ouest vers Léry. Après 1,4 km, la route franchit le ruisseau Saint-Jean; il faut alors tourner à droite juste avant le pont. Un deuxième pont inutilisé situé parallèlement au premier peut servir d'aire de stationnement. Le ruisseau Saint-Jean alimente en eau un immense marais d'une superficie de près de 200 hectares en bordure du lac Saint-Louis. Des études ont démontré qu'il s'agit d'une des plus importantes frayères du lac Saint-Louis. On peut marcher en bordure du ruisseau sur une courte distance; il y a aussi un vieux chemin de terre battue le long du chemin Saint-Bernard, permettant d'explorer les abords du marais. Le Héron vert, le Canard branchu et la Poule-d'eau sont fréquents dans ce secteur. L'Hirondelle à ailes hérissées niche sous le pont.

Le bois de la rue Woodbine (Site 4) : Ce secteur chevauche les territoires de Châteauguay et de Kahnawake. À partir de l'échangeur de Kahnawake, il faut rouler sur la route 138 en direction de Châteauguay sur une distance de 4 km, tourner à droite sur le boulevard Saint-Francis, puis à nouveau à droite sur la rue Woodbine jusqu'à la rue Oliver. On peut laisser sa voiture près de l'intersection de ces deux rues. À cet endroit, un sentier boueux s'enfonce dans une arbustaie dense avant d'atteindre un petit peuplement de Pins blancs. Ce site est propice à l'observation d'oiseaux forestiers en toutes saisons. La présence des pins attire parfois des espèces boréales en hiver tandis que le Cardinal rouge est très en évidence partout, à cause des nombreux postes d'alimentation érigés dans les secteurs résidentiels avoisinants.

La rivière Châteauguay (Site 5) : De retour à l'angle de la route 138 (boulevard Saint-Jean-Baptiste) et du boulevard Saint-Francis, il faut se diriger à droite jusqu'au boulevard d'Anjou et rouler ensuite vers l'ouest jusqu'au pont Laberge. Il faudra alors tourner à gauche, juste avant le pont, sur le boulevard Salaberry sud en bordure de la rivière. Entre le pont et le barrage situé en amont, la rivière ne gèle pas en hiver. Plusieurs centaines de Canards colverts et de Canards noirs séjournent dans ce secteur où ils trouvent nourriture et tranquillité; on y a même déjà signalé l'hivernage du Canard branchu et de la Sarcelle à ailes vertes. De plus, les postes d'alimentation érigés par les citoyens du quartier attirent plusieurs espèces durant l'hiver, notamment la Tourterelle triste et le Roselin familier. La rivière peut aussi être examinée du côté ouest en empruntant le boulevard Haute-Rivière.

Le centre écologique Fernand-Séguin (Site 6) : On accède à ce site en utilisant successivement le boulevard d'Anjou, le boulevard René-Lévesque à gauche et la rue Brisebois à droite. Au bout de cette rue, le visiteur devra se diriger à l'arrière de l'aréna Léo-Crépin vers une petite aire de stationnement située à l'entrée du centre écologique. Le centre écologique Fernand-Séguin est établi dans une érablière à caryer fréquentée par plusieurs espèces forestières caractéristiques du sud du Québec : Tyran huppé, Troglodyte familier, Grive des bois, Viréo mélodieux, etc. Le Petit-duc maculé y a également été entendu au crépuscule. Plusieurs sentiers, parmi lesquels on trouve un sentier autoguidé, permettent l'exploration du site. Le territoire du centre écologique est de dimensions plutôt modestes mais il s'intègre dans un vaste ensemble forestier d'une superficie de 200 hectares chevauchant les municipalités de Châteauguay et de Léry et entourant le club de golf Bellevue. À partir du centre écologique, des sentiers rejoignent des champs en friche à l'ouest du terrain de golf. À l'est de ce dernier, des sentiers sillonnent une érablière parvenue à maturité ainsi qu'un peuplement de Pruches du Canada. Des oiseaux nicheurs habituellement associés à la partie centrale des grandes régions forestières fréquentent ce secteur. On y retrouve l'Épervier brun, la Chouette rayée, le Grand Pic, le Tangara écarlate et bien d'autres. Ce dernier secteur est accessible à partir du boulevard René-Lévesque par un sentier situé exactement à 0,4 km à l'ouest de la rue Brisebois.

L'école Howard S. Billings (Site 7) : Cette école est située à l'intersection du boulevard Maple et de la rue McLeod un peu au nord du boulevard d'Anjou. Depuis plusieurs années, quelques arbres situés sur le boulevard Maple, face à l'école, servent de dortoir pour le Vacher à tête brune en hiver. Jusqu'à 3000 vachers s'y réunissent chaque soir pour y passer la nuit. Ils arrivent habituellement entre 16h00 et 16h30. En 1988 et en 1989, un Carouge à tête jaune accompagnait ce groupe.

Site A-18

Le bassin de LaPrairie et la région environnante

Profil ornithologique : canards hivernants, limicoles, laridés. *Spécialités :* Garrot de Barrow, Moucherolle des saules, Bruant sauterelle.

Localisation : Ce site est situé dans la municipalité de Sainte-Catherine sur la rive sud du fleuve Saint-Laurent, en aval des rapides de Lachine. Il faut compter environ 30 minutes pour s'y rendre à partir de Montréal.

Accès : *En automobile :* À partir de l'île de Montréal, deux voies d'accès s'offrent au visiteur. La première consiste à emprunter le pont Champlain; on doit ensuite utiliser la première sortie en direction de l'état de New-York (15 sud-132 ouest) puis la sortie 46 (LaPrairie-Boulevard Salaberry). On tourne alors à droite sur le boulevard Marie-Victorin. Après avoir roulé 5,2 km, on tourne à droite aux écluses de Sainte-Catherine (Attention, le boulevard Marie-Victorin fait un virage de 90° à droite aux seconds feux de circulation).

La deuxième voie d'accès emprunte le pont Mercier. À l'extrémité sud du pont, on utilise la sortie de gauche (LaPrairie-132 est). Après avoir roulé 6,5 km, on tourne à gauche sur la rue Centrale afin de rejoindre le boulevard Marie-Victorin et un peu plus loin les écluses de Sainte-Catherine.

En autobus : Les autobus Ménard (1-800-363-4543) desservent ce secteur à partir du terminus Voyageur (métro Berri-UQAM).

Périodes cibles : L'automne, l'hiver et le début du printemps sont les périodes idéales pour visiter les sites 1 et 2; il sera plus profitable d'attendre le printemps et l'été pour se rendre au site 3. Selon la saison, il faudra consacrer d'une à trois heures pour découvrir cet emplacement.

Renseignements spéciaux : La lunette d'approche est indispensable pour bien fouiller les plans d'eau.

Description du site : Le bassin de LaPrairie, un plan d'eau d'environ 40 km carrés, résulte d'un élargissement du fleuve Saint-Laurent en aval des rapides de Lachine. Au sud-est de ce bassin, les berges de LaPrairie, qui étaient jadis l'un des meilleurs endroits de la région de Montréal pour observer les limicoles, furent complètement détruites dans les années cinquantes lors des travaux de construction de la voie maritime. Peu de limicoles fréquentent maintenant l'endroit, si ce n'est lors de la formation d'îlots flottants de végétation aquatique capables de les supporter.

Le bassin comprend, par ailleurs, quelques hauts-fonds riches en végétation submergée. Ces zones sont assidûment fréquentées par la sauvagine principalement à l'automne et en hiver.

Les écluses de Sainte-Catherine, qui permettent aux cargos de franchir les rapides de Lachine, sont situées à l'extrémité sud-ouest du bassin. À cet endroit, un escarpement assure une vue panoramique sur le bassin et les îles voisines des rapides de Lachine. C'est un site de choix pour y voir la faune ailée fréquentant ce tronçon fluvial. Un peu à l'ouest des écluses, un terrain de camping a été aménagé en bordure des rapides, face à l'île aux Hérons; il offre aux visiteurs un endroit très agréable pour faire un séjour sous la tente durant l'été.

Au sud de Sainte-Catherine, particulièrement dans la municipalité de Saint-Constant, les champs cultivés et les nombreux terrains en friche favorisent l'établissement d'espèces affectionnant les milieux ouverts. En été, il est possible d'observer sur ce territoire plusieurs espèces d'intérêt particulier, entre autres le Coulicou à bec noir, le Moucherolle des saules, le Gobe-moucherons gris-bleu et le Bruant sauterelle.

Itinéraire suggéré :

L'écluse de Sainte-Catherine et le terrain de camping (Site 1) : Après avoir franchi l'écluse, on peut garer sa voiture à gauche en bordure de la route menant au terrain de camping. À l'aide d'une lunette d'approche, l'examen minutieux de la baie des Canards révélera plusieurs espèces de barboteurs, particulièrement en novembre et en décembre. Dès que la glace se forme dans la baie, un nombre considérable de canards quittent l'endroit mais plusieurs demeureront tout l'hiver en bordure de la couche de glace ainsi que dans les eaux vives des rapides. Les barboteurs seront alors rejoints par des canards plongeurs, tels que le Garrot à oeil d'or et le Grand Bec-scie. Ce n'est habituellement qu'à la fin de l'hiver que le Garrot de Barrow affiche sa présence.

Plusieurs espèces de laridés, incluant le Goéland arctique et le Goéland bourgmestre, sont également présentes tard à l'automne et en hiver. Le Harfang des neiges se pose souvent sur les glaces durant la saison froide pour y faire le guet, mais il peut facilement échapper à l'attention des observateurs qui le confondent alors avec un amas de neige. En hiver, une randonnée à pied ou en raquettes sur le terrain de camping permettra de se rapprocher des rapides et ainsi d'obtenir une bien meilleure vue des oiseaux fréquentant ce milieu. Le terrain de camping sera aussi intéressant à visiter à l'automne alors que plusieurs bruants y sont notés.

Au fil des ans, plusieurs espèces inusitées ont été aperçues dans le secteur des écluses. On y a observé par exemple à quelques occasions le Canard siffleur d'Europe, le Canard arlequin, le Pygargue à tête blanche, le Labbe parasite, le Goéland brun, la Mouette blanche et plusieurs autres.

La digue de la voie maritime et le chemin du Fleuve (Site 2) : Un chemin à l'est de l'écluse se rend jusqu'au pont Victoria, à près de 15 km, sur la digue qui sépare le canal de la voie maritime du fleuve. Une barrière empêche généralement l'accès à ce chemin pour les

Le bassin de LaPrairie et la région environnante

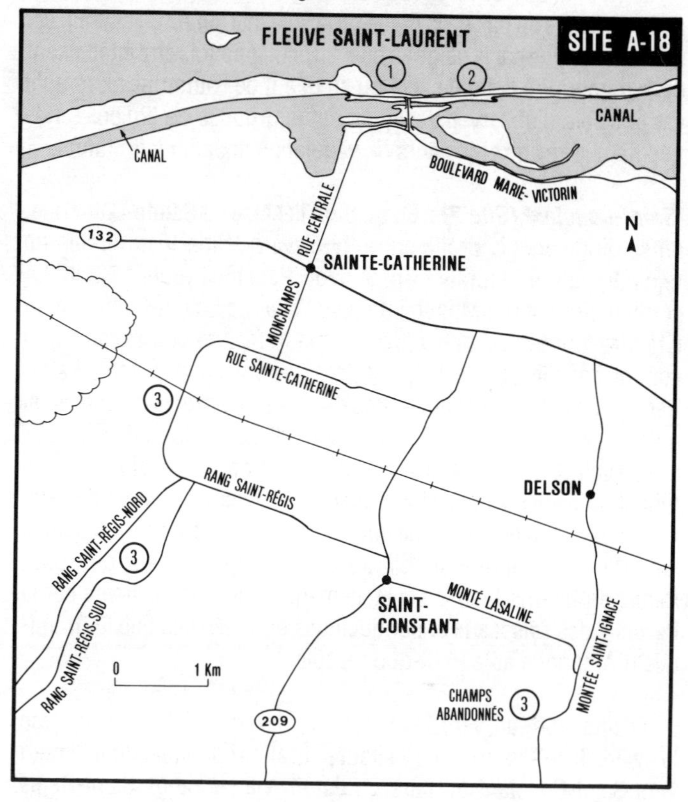

voitures mais on peut y circuler à bicyclette durant la belle saison. Plusieurs espèces de canards et autres oiseaux fréquentant les eaux libres sont présents en bordure de la surface de glace en décembre. Durant la saison de nidification, le visiteur disposant d'une bicyclette pourra se rendre en face de l'île de la Couvée située dans la voie maritime près du pont Champlain. Cette île abrite la plus importante colonie de Goélands à bec cerclé de la région de Montréal, soit environ 20 000 couples.

Le chemin du Fleuve, accessible aussi à partir de l'écluse, suit les rives du fleuve en bas de la digue de la voie maritime. Ce chemin est souvent obstrué par la neige en hiver. Il peut toutefois être intéressant de le parcourir à la fin de l'été ou au début de l'automne alors qu'il est possible d'observer quelques petits groupes de limicoles fréquentant le rivage et les îlots de végétation aquatique flottante.

Saint-Constant (Site 3) : En quittant l'écluse de Sainte-Catherine, on se dirige vers la droite sur le boulevard Marie-Victorin afin de rejoindre la rue Centrale. Après avoir franchi la route 132, il faut continuer sur la rue Monchamp jusqu'à la rue Sainte-Catherine où il faudra tourner à droite; après la voie ferrée, on pourra ranger sa voiture en bordure de la route (maintenant appelée rang Saint-Régis). Les champs abandonnés de part et d'autre de la route ainsi qu'en bordure de la voie ferrée sont d'excellents endroits pour apercevoir la Bécasse d'Amérique au crépuscule ainsi que le Moucherolle des saules et le Coulicou à bec noir au début de l'été. Vers l'ouest, un bois humide que l'on peut atteindre en marchant le long de la voie ferrée, a déjà abrité un couple nicheur de Gobe-moucherons gris-bleu; c'est également un habitat fréquenté par la Paruline des ruisseaux et par quelques strigidés tels que le Grand-duc d'Amérique et le Petit-duc maculé.

En direction sud, vers Saint-Constant, le rang Saint-Régis traverse la rivière du même nom. Le visiteur peut alors continuer directement vers Saint-Constant ou faire un détour via les rangs Saint-Régis nord et Saint-Régis sud qui longent tous les deux la rivière Saint-Régis. Ce détour permettra à l'observateur de découvrir plusieurs espèces fréquentant les milieux ouverts, notamment le Moqueur polyglotte durant l'été, et l'Alouette cornue, le Bruant des neiges et le Bruant lapon durant l'hiver. La Perdrix grise, présente en permanence, est plus facile à repérer en hiver.

À Saint-Constant, on effectue un virage à droite sur la route 209 suivi immédiatement d'un virage à gauche sur la montée Lasaline. On tourne enfin à droite sur la montée Saint-Ignace et on s'arrête après une distance de 400 à 800 mètres. Les champs à droite de la montée Saint-Ignace abritent plusieurs espèces affectionnant les milieux ouverts, en particulier une importante colonie de Bruants sauterelles qui regroupait environ cinq couples en 1988.

Perdrix grise

Hibou des marais

Site A-19

Les municipalités de Brossard et de LaPrairie

Profil ornithologique : rapaces diurnes, passereaux. *Spécialités :* Buse pattue, Hibou des marais, Gobe-moucherons gris-bleu, Troglodyte familier, Moucherolle des saules.

Localisation : Ce site se trouve sur la rive sud du fleuve Saint-Laurent, à moins de 20 minutes du centre-ville en voiture.

Accès : *En automobile :* À partir de Montréal, ce site est accessible via le pont Champlain, l'autoroute des Cantons-de-l'Est (autoroute 10) et le boulevard Taschereau ouest.

En autobus : La STRSM dessert ce secteur; Informations : (514) 463-0131.

Périodes cibles : Pour les rapaces diurnes et les hiboux, la meilleure période est la fin de l'automne et l'hiver ; le printemps est, par ailleurs, le moment idéal pour observer les passereaux. En hiver, quelques minutes devraient suffire pour explorer les sites intéressants mais en été, il faudra prévoir y passer une matinée complète.

Description du site : Brossard et LaPrairie sont des villes de banlieue qui se sont considérablement développées depuis quelques années, entraînant ainsi la disparition de plusieurs habitats de valeur. Toutefois, certains terrains vacants et quelques étendues boisées situés à la périphérie est de ces deux villes demeurent encore de bons endroits pour observer les oiseaux; le développement rapide de ces villes-dortoirs pourrait, par contre, provoquer la disparition éventuelle de ces sites. Les champs en friche situés à l'est de Brossard entre l'autoroute des Cantons-de-l'Est et le boulevard des Prairies sont d'excellents habitats pour rechercher certains rapaces diurnes et certains strigidés (hiboux et chouettes), particulièrement lors des périodes de migration et durant l'hiver. En effet, lorsque les petits rongeurs sont abondants, ces champs sont des territoires de chasse très appréciés par la Buse pattue et le Hibou des marais. D'autres espèces, telles que le Harfang des neiges, la Buse à queue rousse et le Busard Saint-Martin s'y retrouvent aussi à l'automne ou occasionnellement en hiver. Durant la période de nidification, les espèces affectionnant les milieux ouverts sont communes; on y a déjà constaté la présence du Bruant sauterelle, une espèce rare dans le sud-ouest du Québec.

D'autre part, les espaces boisés en regénération, situés au sud du boulevard des Prairies, accueillent plusieurs espèces de passereaux forestiers, particulièrement lors de la migration printanière; on y trouve l'un des rares sites de reproduction du Gobe-moucherons gris-bleu au Québec. Les autres espèces nicheuses caractéristiques incluent le Troglodyte familier et la Grive des bois.

Itinéraire suggéré :

Brossard :

Site 1 : Une portion de ce site pourrait disparaître prochainement puisqu'on y prévoit l'établissement d'un club de golf. À partir de l'autoroute des Cantons-de-l'Est (autoroute 10), le visiteur doit emprunter le boulevard Taschereau ouest, tourner ensuite à gauche sur le boulevard Rome, à droite sur la rue Niagara puis finalement à gauche sur la rue Nogent. On s'arrête alors à l'extrémité de cette rue dans le parc de stationnement du Centre d'accueil Champlain. À l'aide d'une lunette d'approche, il faut bien examiner les champs à la recherche de rapaces. La fin de l'après-midi est la meilleure période pour observer le Hibou des marais, particulièrement en hiver.

Site 2 : De retour sur le boulevard Taschereau, on doit rouler vers l'ouest jusqu'au boulevard des Prairies (2 km) où il faudra tourner vers la gauche. Après la voie ferrée, quelques brefs arrêts permet-

Les municipalités de Brossard et LaPrairie

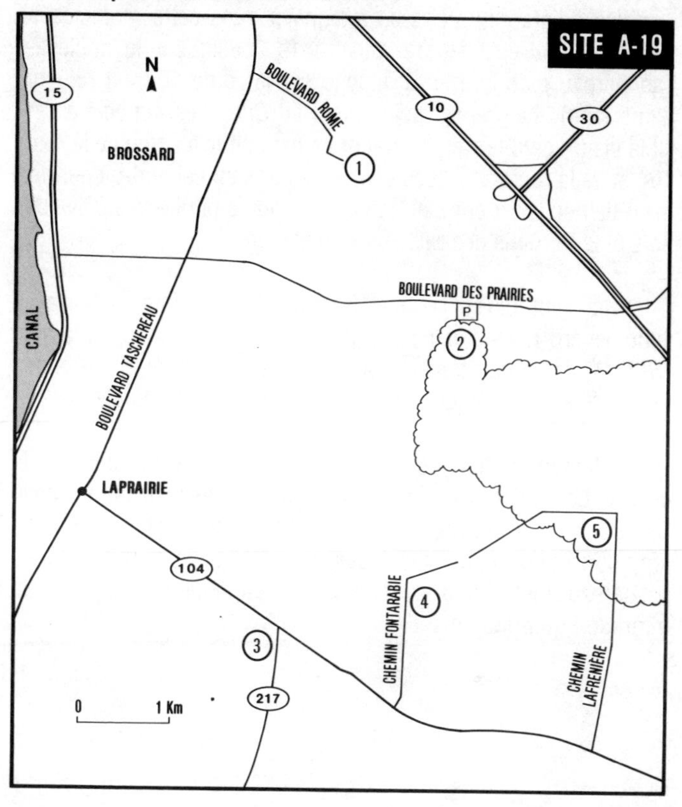

tront d'examiner les champs de part et d'autre de la route. Après avoir roulé 3,4 km, il faudra tourner à droite dans un parc de stationnement. Le bois adjacent est sillonné par des sentiers ainsi que par des pistes de ski de fond et de raquettes aménagés et entretenus par la municipalité de Brossard. Le Gobe-moucherons gris-bleu fréquente surtout l'extrémité sud du sentier principal.

LaPrairie :

Trois points d'intérêt sont à signaler dans cette municipalité. Pour s'y rendre, il faudra rouler vers l'ouest sur le boulevard Taschereau puis tourner à gauche sur la route 104 est (chemin Saint-Jean). Le premier point d'intérêt *(Site 3)* est un bois accessible via un petit terrain de stationnement situé au coin de la route 104 et de la route 217. Les sentiers sillonnant cet endroit permettront de découvrir entre autres le Troglodyte familier, la Grive des bois et la Paruline des ruisseaux en été.

Un peu plus loin sur la route 104, soit à 4 km de l'intersection avec le boulevard Taschereau, on trouve à gauche le chemin Fontarabie *(Site 4)* ; ce dernier traverse des champs en jachère et des zones buissonneuses abritant plusieurs Moucherolles des saules.

Finalement, après une distance de 6,2 km sur la route 104, le chemin Lafrenière *(Site 5)* à gauche mène à des installations de la Société Hydro-Québec (le poste Hertel et la centrale La Citière). Le long de ce chemin, on trouve des secteurs boisés humides où les passereaux insectivores sont nombreux, particulièrement lors de la migration du printemps.

Site A-20

Les berges de Longueuil

Profil ornithologique : grande variété d'espèces migratrices : anatidés, limicoles, laridés.

Localisation : Ce site est localisé en bordure du fleuve Saint-Laurent dans la municipalité de Longueuil. Moins de 15 minutes suffisent pour s'y rendre à partir du centre-ville.

Accès : *En automobile :* À partir de Montréal, on accède à ce site via les ponts Champlain, Victoria ou Jacques-Cartier suivi de la route 132 est et également via le pont-tunnel L.-H. Lafontaine et la route 132 ouest.

En autobus : Au métro Longueuil, on prend l'autobus 17 jusqu'au parc Marie-Victorin.

Périodes cibles : L'été et l'automne sont les deux saisons offrant le plus d'intérêt sur ce site. On peut y passer une à trois heures selon l'affluence des oiseaux.

Description du site : Dès le premier coup d'oeil, les berges de Longueuil trahissent indubitablement un milieu fort perturbé. L'empiètement manifeste sur le fleuve commis lors de la construction de la route 132 en 1966 et le bruit incessant engendré par la circulation automobile témoignent de ces perturbations. Néanmoins, ce site présente un intérêt incontestable pour l'ornithologue. En 1988, une promenade piétonnière ainsi qu'une piste cyclable furent construites entre le fleuve et la route 132 redonnant ainsi à la population l'accès aux rives du fleuve. Cette promenade, du nom de l'ex-premier ministre de la province, René Lévesque, s'étend sur 4 km entre le parc Marie-Victorin et le pont-tunnel L.-H. Lafontaine. Des passerelles enjambant la route 132 permettent aux piétons de rejoindre la promenade en toute sécurité.

Le déversement de matériaux de remplissage dans le fleuve lors de la construction de la route 132 a créé un milieu ponctué d'îlots et de digues très apprécié par les canards, les laridés et les limicoles. Les canards barboteurs, parfois en nombre considérable, fréquentent ce milieu lors de la période d'élevage des canetons. Plus tôt au printemps, ces derniers construisent leur nid principalement sur l'île Verte située un peu plus loin au large. Pour les laridés, ce site constitue avant tout une aire de repos, bien que la Sterne pierregarin puisse y nicher à l'occasion. Outre le Goéland à bec cerclé, certes le laridé le plus abondant en été, on note à l'occasion la Sterne caspienne et plus rarement des espèces aussi inusitées que la Mouette de Franklin.

La présence de limicoles en nombre significatif, à la fin de l'été et à l'automne, est soumise aux caprices du niveau des eaux. Lorsque le niveau de l'eau est bas, ceux-ci peuvent être très nombreux sur les rives. Toutefois, lorsque le niveau de l'eau s'élève, les limicoles, moins nombreux, se concentrent alors sur quelques îlots de végétation aquatique flottante. On observe annuellement une vingtaine d'espèces de limicoles, comprenant entre autres le Bécasseau à échasses, le Phalarope de Wilson et le Phalarope hyperboréen. Occasionnellement, des espèces beaucoup plus rares telles que le Courlis corlieu, la Barge hudsonienne et le Bécasseau d'Alaska s'y arrêtent.

Outre les canards barboteurs, on y trouve à l'automne ainsi qu'au printemps plusieurs espèces de canards plongeurs ainsi que le

Huart à collier, le Grèbe cornu, le Grèbe jougris et le Cormoran à aigrettes. Les trois espèces de macreuses peuvent aussi être notées à l'automne.

Parmi les ardéidés, le Grand Héron vient souvent s'alimenter près des berges tandis qu'à l'occasion des espèces plus méridionales, telles que la Grande Aigrette, l'Aigrette neigeuse et l'Ibis falcinelle font de courts séjours sur ce site, particulièrement au printemps et à l'automne.

La présence de nombreux oiseaux de rivage attire, d'autre part, le Faucon pèlerin, parfois repéré en chasse le long des berges, en particulier à l'automne.

Itinéraire suggéré : Le secteur le plus intéressant pour l'ornithologue est situé entre le parc Marie-Victorin et la pointe du Marigot. Les digues et les îlots qui s'y trouvent hébergent de nombreux oiseaux, particulièrement à la fin de l'été; c'est à cet endroit que les observations les plus exceptionnelles ont été consignées. À la pointe du Marigot, le visiteur peut marcher sur une digue qui s'avance vers le milieu du fleuve. La lunette d'approche est indispensable dans ce secteur pour rechercher les oiseaux souvent posés à des distances considérables.

Une passerelle au-dessus de la route 132 permet de se rendre au parc Marie-Victorin. Pour rejoindre cette passerelle, on doit emprunter le boulevard Roland-Therrien à partir de la route 132 et tourner immédiatement à droite sur la rue Saint-Charles. Il faut ensuite tourner à droite aux prochains feux de circulation (rue D'Auvergne) puis à gauche sur la rue Bord-de-l'eau; on arrive sous peu à la passerelle où on y trouve une petite aire de stationnement. En provenance de l'est sur la route 132, il y a un accès direct au parc Marie-Victorin; il n'y a qu'à suivre les panneaux indicateurs.

Une autre passerelle permet de se rendre à l'est de la pointe du Marigot sur la promenade René-Lévesque. À partir de la route 132, le visiteur emprunte alors le boulevard Roland-Therrien et tourne immédiatement à gauche sur le boulevard Marie-Victorin. La passerelle est située1,7 km à l'est ; on pourra laisser sa voiture dans la petite aire de stationnement tout près de la passerelle. Une troisième passerelle, située tout près de l'entrée sud du pont-tunnel L.-H. Lafontaine, donne accès à l'extrémité est de la promenade René-Lévesque.

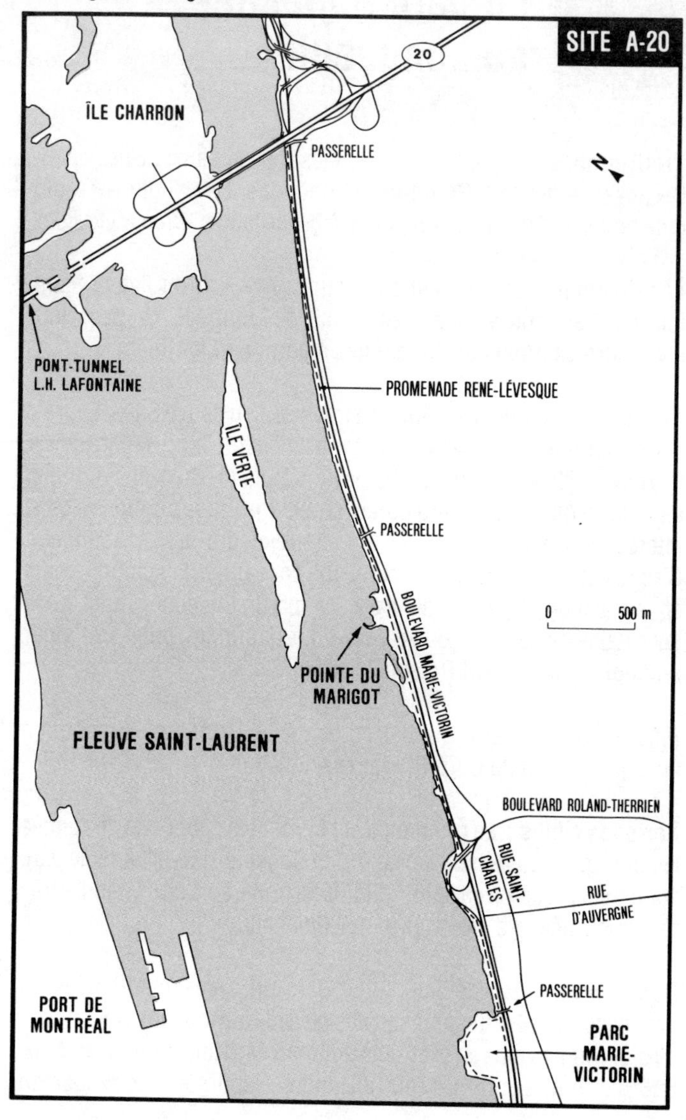
SITE A-20
20
ÎLE CHARRON
PASSERELLE
PONT-TUNNEL
L.H. LAFONTAINE
PROMENADE RENÉ-LÉVESQUE
ÎLE VERTE
PASSERELLE
BOULEVARD MARIE-VICTORIN
0
500 m
POINTE DU
MARIGOT
FLEUVE SAINT-LAURENT
BOULEVARD ROLAND-THERRIEN
RUE SAINT-
CHARLES
RUE
D'AUVERGNE
PASSERELLE
PORT DE
MONTRÉAL
PARC
MARIE-
VICTORIN

Le parc régional de Longueuil

Profil ornithologique : canards, pics, passereaux. *Spécialités :* Bécasse d'Amérique, Grand-duc d'Amérique, Tyran huppé, Troglodyte familier, Grive des bois, Viréo à gorge jaune, Viréo mélodieux.

Localisation : Ce parc est situé sur la rive sud du fleuve Saint-Laurent à environ 5 km du centre-ville de Montréal. On peut donc s'y rendre en moins de 15 minutes à partir de Montréal.

Accès : *En automobile :* Après la traversée du fleuve Saint-Laurent via les ponts Jacques-Cartier, Victoria ou Champlain, il faudra suivre la route 132 est jusqu'au boulevard Roland-Therrien et rouler ensuite jusqu'au boulevard Curé-Poirier. Un virage à gauche à cette intersection permettra au visiteur de rejoindre la rue Adoncour. C'est à cette dernière intersection que sont situés le stationnement et le pavillon d'accueil du parc. À partir du pont-tunnel L.-H. Lafontaine, il faudra rouler vers l'ouest sur la route 132 pour rejoindre le boulevard Roland-Therrien.

En autobus : À partir du métro Longueuil, l'autobus 75 conduira l'usager au coin de Curé-Poirier et Adoncour.

Périodes cibles : Le printemps et l'été sont les périodes de l'année les plus généreuses sur le plan ornithologique. Par ailleurs, le parc étant très fréquenté en après-midi, il est préférable de s'y rendre très tôt en journée et d'y passer toute la matinée.

Renseignements spéciaux : Le parc offre des randonnées en groupe axées sur l'observation des oiseaux surtout au printemps et en été. Pour de plus amples renseignements, il faut composer (514) 646-8269 entre 8h00 et 17h00 du lundi au vendredi. Une exposition permanente de divers éléments de la faune du parc est présentée au pavillon d'accueil.

Description du site : Le parc régional de Longueuil, d'une superficie d'environ 185 hectares, est complètement entouré de quartiers résidentiels. La majeure partie de son territoire est boisée, mais on y trouve aussi quelques milieux ouverts. L'essence dominante est l'Érable à sucre qui est aussi accompagné du Chêne rouge, du Caryer cordiforme, du Hêtre à grandes feuilles, de l'Orme d'Amérique et du Frêne d'Amérique.

À peu près au centre du parc, un grand champ, autrefois cultivé, est aujourd'hui colonisé par diverses communautés de plantes herbacées. Une arbustaie surtout composée d'aubépines, de vinaigriers et de Bouleaux gris s'est aussi développée en périphérie du champ près de la lisière de la forêt. Dans le secteur central, trois petits marais naturels ont survécu miraculeusement aux bulldozers. L'un d'eux, appelé le marais des trois lacs, n'est que partiellement entouré d'arbres, ce qui facilite l'observation de la faune ailée qui lui est associée.

Plusieurs aménagements ont été réalisés dans le parc; on y trouve trois petits lacs artificiels, un jardin communautaire, des pistes cyclables et de ski de fond, dont certaines sont éclairées, ainsi que des aires de pique-nique. Le parc a toutefois conservé une grande partie de son territoire naturel, ce qui explique que plus d'une centaine d'espèces d'oiseaux le fréquentent annuellement. La plupart de ces oiseaux sont des passereaux associés à la forêt ou aux milieux ouverts, reflétant ainsi la composition de l'habitat. Parmi les rapaces diurnes, on constate que la Crécerelle d'Amérique et le Busard Saint-Martin nichent dans le parc. D'autres rapaces diurnes sont repérés à l'occasion lors de leurs déplacements saisonniers au printemps ou à l'automne. Parmi les rapaces nocturnes, le Grand-duc d'Amérique y est signalé régulièrement tandis que la Petite Nyctale s'y rencontre surtout à l'automne. La présence des marais explique par ailleurs le nombre significatif d'espèces associées aux milieux humides. Ces diverses particularités du milieu permettront à un observateur expérimenté de détecter avec facilité plus d'une quarantaine d'espèces nicheuses en quelques heures au mois de juin.

Parmi les oiseaux nicheurs les plus exceptionnels, il est intéressant de souligner que le Viréo à gorge jaune semble avoir niché dans les grands arbres feuillus près du marais des trois lacs au cours des dernières années. D'autre part, le Coulicou à bec jaune, un nicheur très inusité au Québec, y a été observé à quelques reprises et y a probablement niché en 1980.

Il faut aussi souligner la présence d'une vingtaine d'espèces de mammifères dans le parc, ce qui soulève un peu l'étonnement. Encore plus étonnant, cependant, est la présence régulière de Cerfs de Virginie dans le parc. Durant l'hiver 1988, on a dénombré neuf individus.

Itinéraire suggéré : Plus de 14 km de pistes et de sentiers permettent une exploration facile du parc. À partir du pavillon d'accueil, on atteint rapidement le secteur des trois lacs artificiels *(Site 1).* Cet endroit accueille beaucoup d'espèces familières en été ; on ne manquera sûrement pas de voir le Merle d'Amérique, l'Étourneau sansonnet, le Quiscale bronzé, le Vacher à tête brune et le Moineau domestique. Des centaines de Goélands à bec cerclé viennent flâner sur les pelouses tandis que le Pluvier kildir et le Chevalier branlequeue recherchent leur pitance sur le bord des étangs. Les Hirondelles noires, les Hirondelles bicolores et les Hirondelles des granges virevoltent au-dessus des lacs sans cesse à la recherche d'insectes.

Au-delà des étangs, on remarquera le marais des trois lacs surtout colonisé par des quenouilles *(Site 2).* Tôt le matin ou tard le soir, on pourra surprendre un Grand Héron et, moins souvent, un Butor d'Amérique ou un Bihoreau à couronne noire. Le Canard noir, le Canard colvert, le Canard pilet et le Canard siffleur d'Amérique sont les espèces de canards barboteurs les plus souvent rencon-

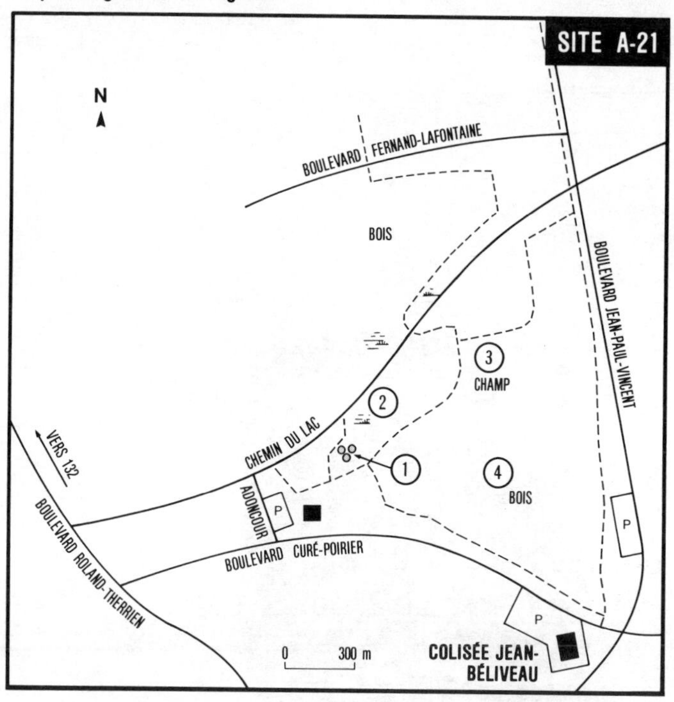

trées; à chaque année, quelques couples y élèvent leur couvée. Le Râle de Virginie et le Râle de Caroline se font par contre beaucoup plus discrets. Parmi les passereaux occupant le marais, le Bruant des marais et le Carouge à épaulettes se distinguent particulièrement; le visiteur s'approchant impunément d'un nid de Carouge à épaulettes aura souvent à essuyer les attaques répétées du mâle défendant sa nichée. Enfin, en juin, les grands arbres en bordure du marais retentissent du chant du Viréo mélodieux et de l'Oriole du Nord.

Nyctale boréale

La prochaine étape consistera à explorer le secteur du grand champ et la zone arbustive qui l'entoure *(Site 3).* Les espèces les plus fréquentes au printemps et en été dans ce secteur sont la Bécasse d'Amérique, le Moucherolle des aulnes, le Tyran tritri, le Moqueur chat, le Jaseur des cèdres, la Paruline jaune, la Paruline masquée, le Bruant familier, le Bruant des prés, le Bruant chanteur, le Bruant à gorge blanche et le Chardonneret jaune. La Crécerelle d'Amérique niche dans les cavités naturelles des grands arbres isolés et le milieu ouvert favorise aussi l'observation des rapaces évoluant en altitude lors des migrations.

Le dernier secteur à explorer, de loin le plus étendu, sera celui de la forêt *(Site 4).* Les espèces présentes dans cet habitat appartiennent à plusieurs familles différentes. Celles dont le chant émerge distinctement du concert matinal sont le Pic flamboyant, le Pioui de l'Est, le Moucherolle tchébec, le Tyran huppé, la Sittelle à poitrine blanche, le Troglodyte familier, la Grive fauve, la Grive des bois, le Viréo aux yeux rouges, la Paruline flamboyante et le Cardinal à poitrine rose. D'autres espèces telles que le Grand-duc d'Amérique et la Gélinotte huppée sont, par contre, plus discrètes et on ne les apercevra habituellement que lors d'une rencontre fortuite.

En hiver, le visiteur est invité à regarder en direction des mangeoires installées près du pavillon d'accueil et dans le parc. On pourra probablement y voir la Tourterelle triste, le Pic mineur, le Pic chevelu, la Mésange à tête noire, le Gros-bec errant, le Chardonneret des pins, le Roselin pourpré ou le Geai bleu. Il ne faudrait pas non plus négliger les espaces boisés en cette saison. Durant l'hiver 1989, une surprise de taille attendait les amateurs d'ornithologie. En effet, deux Nyctales boréales ainsi qu'une Petite Nyctale y ont résidé pendant environ un mois.

Le parc des Îles-de-Boucherville

Profil ornithologique : espèces associées aux milieux humides : anatidés, hérons. *Spécialités :* Grand Héron, Poule-d'eau, Guifette noire, Moucherolle des saules.

Localisation : L'archipel des îles de Boucherville est situé sur le fleuve Saint-Laurent, tout près de Montréal. À partir du centre-ville, il ne faut parcourir qu'environ 10 km pour s'y rendre.

Accès : *En automobile :* On accède à ce site via le pont-tunnel L.-H. Lafontaine et la sortie 89.

En autobus : À partir de la station de métro Radisson, l'autobus 61 de la Société de transport de la rive sud de Montréal (STRSM) s'arrête au parc.

En embarcation : Un bateau-passeur relie la promenade René-Lévesque (à Longueuil) et l'île Charron située au sud du parc.

Périodes cibles : La période s'échelonnant d'avril à octobre permet d'apprécier davantage ce site même si l'hiver peut à l'occasion susciter un certain intérêt. Il faut deux à trois heures pour compléter une tournée des îles en bicyclette.

Renseignements spéciaux : Le parc est ouvert tous les jours de la semaine de 8h00 jusqu'au coucher du soleil. Le bac-à-câble qui permet l'accès à trois des îles de l'archipel est en opération de mai à octobre inclusivement, à partir de 10h00 chaque matin. La rampe de mise à l'eau pour embarcations est disponible dès 8h00 le matin. Il est possible de louer une bicyclette ainsi qu'une embarcation sur l'île Sainte-Marguerite; ces services peuvent changer d'une année à l'autre. Pour toutes informations sur les services offerts dans le parc, tél.: (514) 873-2843. De plus, il est important de souligner que la lunette d'approche sera très appréciée dans cet environnement très ouvert.

Description du site : L'archipel des îles de Boucherville, d'une longueur de 8 km, comprend une douzaine d'îles situées dans le Saint-Laurent à la hauteur du quartier Montréal-Est et de la ville de Boucherville. Le parc des Îles-de-Boucherville, ouvert officiellement en 1984, réunit cinq de ces îles, soit du sud au nord, l'île Sainte-Marguerite, l'île Saint-Jean, l'île à Pinard, l'île de la Commune et l'île Grosbois. En 1989, l'île à Pinard fut concédée à l'entreprise privée avec comme objectif d'y implanter un terrain de golf, ce qui a eu comme conséquence de retrancher littéralement ce territoire de la superficie du parc.

Les principales activités pratiquées dans ce parc de récréation extensive comprennent le pique-nique, le cyclisme, la randonnée pédestre et le canot. Le parc est très fréquenté, particulièrement lors des week-ends de la saison estivale.

Une abondante végétation de prairie ainsi que la présence de vastes herbiers aquatiques dans les chenaux entre les îles caractérisent essentiellement cet archipel. Un seul bois d'importance, localisé sur l'île Grosbois, vient rompre l'uniformité du paysage. La culture du maïs, amorcée bien avant la création du parc, est demeurée une activité encore largement pratiquée sur quelques-unes de ces îles.

L'intérêt ornithologique de cet archipel réside dans l'importance des herbiers aquatiques colonisant le chenal du Courant. Durant la saison de nidification, on y trouve plusieurs espèces de canards barboteurs dont les plus fréquents sont le Canard pilet, le Canard chipeau et le Canard siffleur d'Amérique. Une étude a démontré que le plus grand nombre de nids se retrouvaient sur l'île Saint-Jean. Le chenal du Courant, situé à proximité de cette île, constitue une aire d'élevage toute désignée pour les nombreux canetons ayant vu le jour durant l'été.

Les autres espèces fréquentant le chenal du Courant durant l'été sont le Grèbe à bec bigarré, le Butor d'Amérique, le Petit Butor, le Grand Héron, le Héron vert, le Bihoreau à couronne noire, le Râle de Virginie, le Râle de Caroline, la Poule-d'eau, le Chevalier branlequeue, la Bécassine des marais, la Sterne pierregarin, la Guifette noire, le Troglodyte des marais et le Bruant des marais.

Comme la plupart des sites localisés dans le tronçon Montréal-Sorel du fleuve Saint-Laurent, l'archipel des îles de Boucherville n'accueille pas de très grands rassemblements d'anatidés au printemps et à l'automne, contrairement à la situation qui prévaut aux lacs Saint-François, Saint-Louis ou Saint-Pierre. Néanmoins, quelques centaines d'oiseaux sont régulièrement signalés en mai et en octobre.

Les prairies, les arbustaies et les quelques rares secteurs boisés contribuent à la diversité aviaire des îles et expliquent la présence de plus de 160 espèces d'oiseaux sur ce territoire. Les terres cultivées, en outre, attirent de nombreux oiseaux noirs tels que la Corneille d'Amérique, l'Étourneau sansonnet, le Carouge à épaulettes et le Quiscale bronzé. Parmi les rapaces, le Busard Saint-Martin, la Crécerelle d'Amérique et le Grand-duc d'Amérique nichent dans le parc. En hiver et lors de leurs déplacements saisonniers, d'autres

Canard colvert

rapaces s'associent aux précédents; il n'est pas inhabituel alors d'apercevoir le Balbuzard, la Buse pattue, le Harfang des neiges et le Hibou des marais.

Itinéraire suggéré : Les îles peuvent être explorées à pied ou en bicyclette. Le réseau de sentiers pédestres s'étend sur 18 km tandis que les pistes cyclables parcourent une distance totale de 22 km. Pour une visite complète des îles en un temps minimum, l'utilisation d'une bicyclette est fortement recommandée. Le canot constitue aussi une autre façon agréable de découvrir le parc; une promenade en canot dans le chenal du Courant représente une expérience des plus enrichissantes. En été, on offre des randonnées guidées en canot dans les nombreux chenaux du parc, une activité fort recommandée pour les débutants.

L'île Sainte-Marguerite : Peu après l'entrée dans le parc, on trouve un étang situé derrière l'édifice abritant les bureaux administratifs *(Site 1).* Cet étang, en plus d'accueillir quelques canards nicheurs, constitue une halte migratoire pour plusieurs espèces, entre autres le Grèbe à bec bigarré, la Sarcelle à ailes vertes, le Râle de Virginie et le Râle de Caroline.

Comme pour les autres îles du parc, seule la rive ouest de l'île Sainte-Marguerite (face à Montréal) présente un intérêt ornithologique *(Site 2).* La rive est (face à Boucherville) est la plupart du temps dépourvue d'oiseaux aquatiques. Le visiteur est donc invité à se rendre sur la rive ouest (hors sentier) pour bien examiner le fleuve. Ce site permettra d'observer des canards plongeurs vers le large au printemps ainsi que des canards barboteurs dans les herbiers aquatiques de la portion ouest de l'île Saint-Jean. Le Grand Héron, le Balbuzard ainsi que la Poule-d'eau viennent aussi agrémenter ce lieu.

De retour vers le centre de l'île via le stationnement des autobus, on se dirigera vers le chenal de la Petite-Rivière *(Site 3).* Du haut de la passerelle enjambant ce chenal, il n'est pas inhabituel d'apercevoir le Grand Héron, le Canard noir, le Canard colvert ou le Canard siffleur d'Amérique au printemps. Après avoir franchi la passerelle, une visite au "bois du Grand-duc" permettra de noter plusieurs oiseaux forestiers au mois de mai et, avec un peu de chance, peut-

Le parc des Îles-de-Boucherville

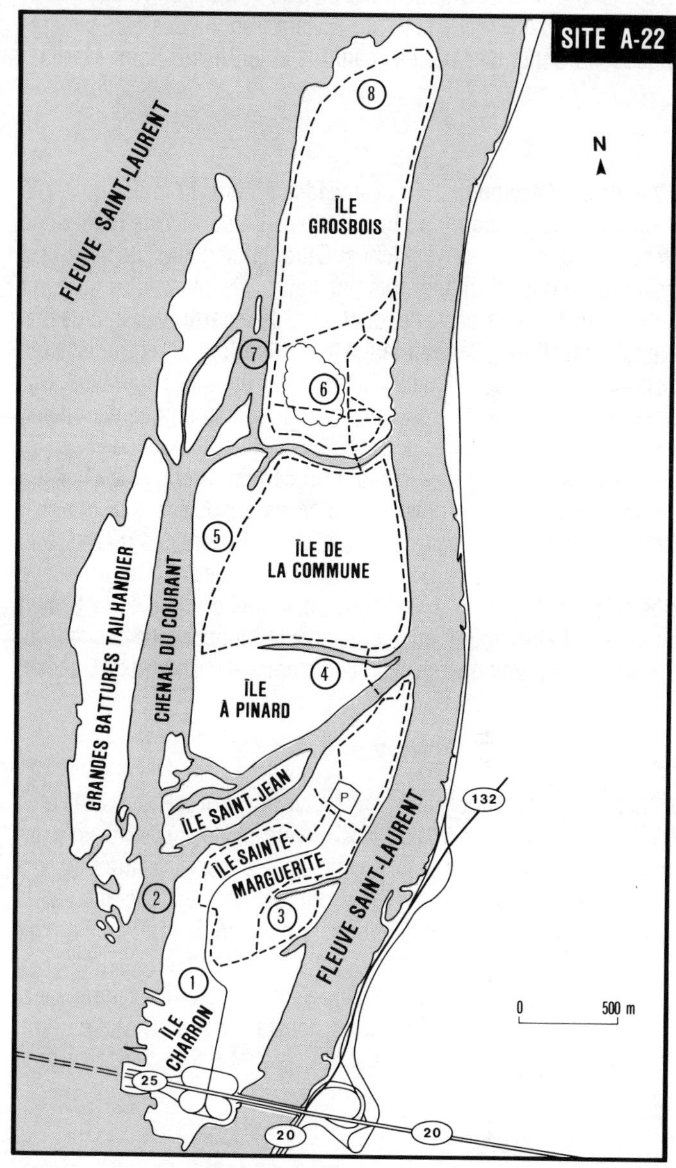

être le Grand-duc d'Amérique. Au-delà de ce bois, un vieux chemin en bordure du chenal de la Petite-Rivière franchit des zones marécageuses fréquentées par des canards et le Busard Saint-Martin.

L'île de la Commune : Pour accéder à cette île ainsi qu'à l'île Grosbois, il faut recourir au bac-à-câble. Ce dernier ne fonctionne en continu que lors des week-ends. Durant la semaine, on ne pourra traverser le chenal qu'une fois par heure. De plus, il ne faut pas oublier que le bac-à-câble ne fonctionne qu'à partir du début de mai et pas avant 10h00. Cette situation n'avantage pas les enthousiastes de la faune ailée qui sont habituellement des gens très matinaux. Sur l'île de la Commune, il faudra opter pour le sentier longeant le chenal à Pinard vers la gauche et se poursuivant du côté ouest de l'île. Ce sont les deux secteurs présentant un certain intérêt. Le chenal à Pinard *(Site 4)* abrite plusieurs espèces associées aux marais : Grèbe à bec bigarré, canards, Poule-d'eau, Bruant des marais, etc. En bordure ouest de l'île *(Site 5)*, le visiteur côtoie une zone arbustive très fréquentée par le Tyran tritri, la Paruline jaune et le Bruant chanteur. Récemment, on y a observé le Moucherolle des saules, une espèce méridionale en expansion rapide dans le sud du Québec.

L'île Grosbois : Le bois ainsi que la rive ouest présentent ici le plus d'intérêt. Dans le bois *(Site 6)*, on trouvera en été plusieurs nicheurs associés aux forêts décidues du sud du Québec. Au printemps et à l'automne, les migrateurs viendront gonfler les effectifs de la population résidante. Un sentier se dirige vers la forêt après avoir franchi la passerelle La Passe. Par ailleurs, le sentier longeant la rive ouest de l'île *(Site 7)* permettra d'examiner une portion intéressante du chenal du Courant. En été, on pourra y voir la Guifette noire, toujours très en évidence, ainsi que le Grèbe à bec bigarré et la

Poule-d'eau accompagnés de leurs couvées. Les canards barboteurs ne manqueront sûrement pas d'attirer aussi l'attention de l'observateur.

À la pointe nord de l'île, une zone arbustive *(Site 8)*, semble exercer un attrait irrésistible pour les nombreux passereaux de passage au printemps et à l'automne. De plus, les canards plongeurs s'arrêtent fréquemment au large de la pointe; au fil des années, on y a remarqué le Morillon à dos blanc, le Morillon à tête rouge, la Macreuse à front blanc et plusieurs autres.

Secteur B

À l'Ouest de Montréal

1- L'île Perrot

2- La région de Vaudreuil

3- Le village d'Hudson

4- La région de Saint-Lazare

5- La région de Rigaud

6- Les régions de Sainte-Marthe et de Saint-Clet

7- Les "gazonnières" de Coteau-Station

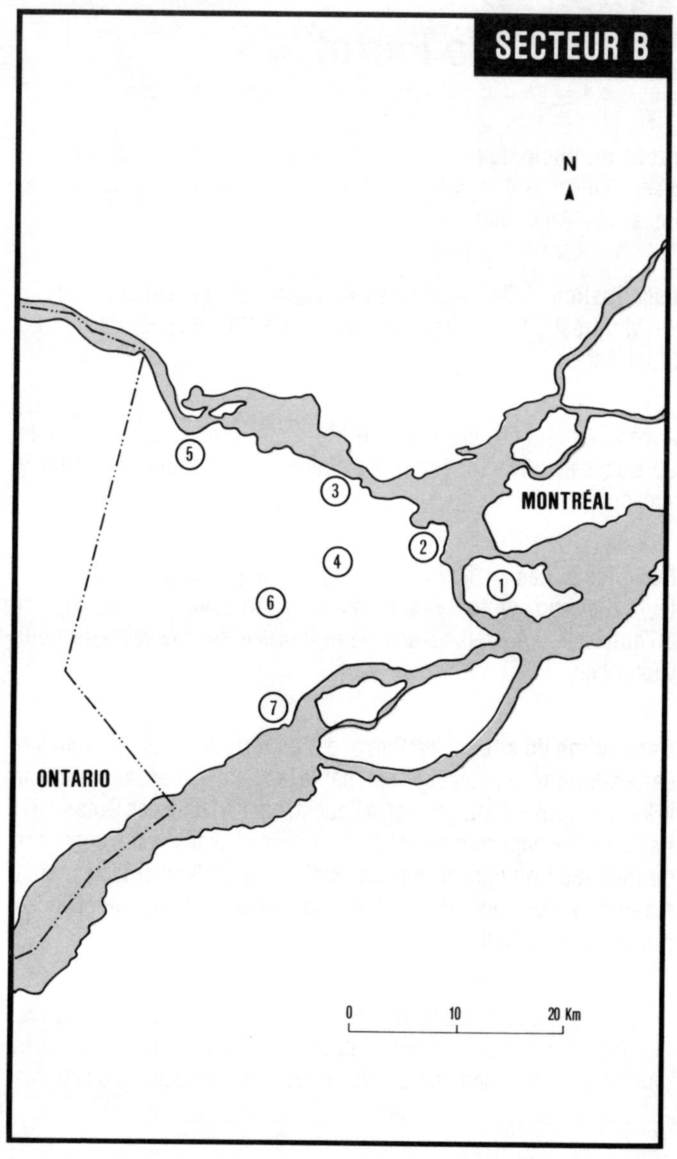
SECTEUR B
N
MONTRÉAL
ONTARIO
1
2
3
4
5
6
7
0
10
20 Km

Site B-1

L'île Perrot

Profil ornithologique : sauvagine, rapaces diurnes, passereaux. *Spécialités :* Grèbe cornu, Grèbe jougris, Morillon à dos blanc, Bécasse d'Amérique.

Localisation : L'île Perrot est située immédiatement à l'ouest de l'île de Montréal. On s'y rend en moins de 30 minutes à partir de Montréal.

Accès : À partir du centre-ville de Montréal, il faut suivre l'autoroute 20 ouest et traverser le pont à Sainte-Anne-de-Bellevue pour y accéder.

Périodes cibles : L'île Perrot est un site apprécié par les observateurs d'oiseaux en toutes saisons et en particulier au printemps et à l'automne. Au moins une demi-journée sera nécessaire pour visiter l'île.

Description du site : L'île Perrot est un territoire d'environ 40 km carrés entouré, au sud et à l'est, par le lac Saint-Louis, au nord, par le lac des Deux-Montagnes et, à l'ouest, par la rivière des Outaouais. Ces grandes nappes d'eau sont au carrefour de plusieurs corridors de migration où converge la sauvagine, en particulier les canards plongeurs qui sont toujours très abondants autour de l'île au printemps et à l'automne.

Coincée entre le lac Saint-Louis et le lac des Deux-Montagnes, l'île Perrot constitue aussi un passage naturel pour les rapaces diurnes qui cherchent alors à éviter les grandes nappes d'eau lors de leur déplacement automnal vers le sud; à certaines occasions, cette migration peut s'avérer très spectaculaire comme en témoigne la journée du 12 septembre 1981, alors que 1500 oiseaux de proie ont défilé au-dessus de l'île en trois heures d'observation. Des concentrations moins importantes sont enregistrées au printemps.

Par ailleurs, l'île offre plusieurs kilomètres carrés d'espaces boisés, de champs cultivés et de friches propices à l'observation des passereaux. Toutefois, à l'instar de plusieurs territoires situés en périphérie de la grande agglomération urbaine de Montréal, l'impact négatif de l'étalement urbain se manifeste aussi à l'île Perrot. La construction résidentielle est en pleine expansion dans les cinq municipalités de l'île et se fait souvent dans les secteurs boisés et les zones présentant le plus d'intérêt pour l'avifaune.

Quelque 217 espèces d'oiseaux ont été répertoriées sur l'île et une centaine d'entre elles utilisent le territoire à chaque année pour se reproduire.

Itinéraire suggéré : Le visiteur arrivant sur l'île Perrot par l'autoroute 20 ouest est invité à utiliser la toute première sortie après le pont de Sainte-Anne-de-Bellevue pour aller faire une petite incursion sur l'île Claude située juste au nord de l'île Perrot *(Site 1).* Une magnifique érablière couvre cette petite île ; en hiver, les rapides de Sainte-Anne, libres de glace, permettent de découvrir quelques Grands Becs-scies et, parfois, un Bec-scie couronné.

En poursuivant sur l'autoroute 20 ouest, on rencontrera sous peu à notre gauche le boulevard Don-Quichotte, un des principaux axes routiers qui traverse l'île en plein centre en direction de la pointe du Moulin. Après l'intersection avec le Grand-Boulevard, le boulevard Don-Quichotte gravit une colline boisée propice à l'observation des passereaux. Un sentier dont l'accès est situé à droite juste au sommet de cette colline (1 km au sud du Grand-Boulevard) conduira le visiteur à travers ce secteur boisé *(Site 2)*. Également, moins d'un kilomètre plus loin, à l'école primaire La Perdriolle, on pourra trouver en hiver des pistes de ski de randonnée dont l'entretien est assuré par le club Les Skieurs de l'île et qui sillonnent aussi le même secteur.

Le boulevard Don-Quichotte franchit ensuite, en particulier au sud du boulevard Saint-Joseph, des champs en culture et des friches propices à l'observation du Bruant des neiges et de la Buse pattue en hiver. À droite du boulevard Don-Quichotte, à environ 1,3 km au sud du boulevard Saint-Joseph, on remarquera une petite colline où les observateurs s'installent habituellement pour dénombrer les oiseaux de proie de passage *(Site 3)*.

Au bout du boulevard Don-Quichotte, on trouve le parc historique de la Pointe-du-Moulin *(Site 4)*; cet endroit offre une vue pano-

Morillon à collier

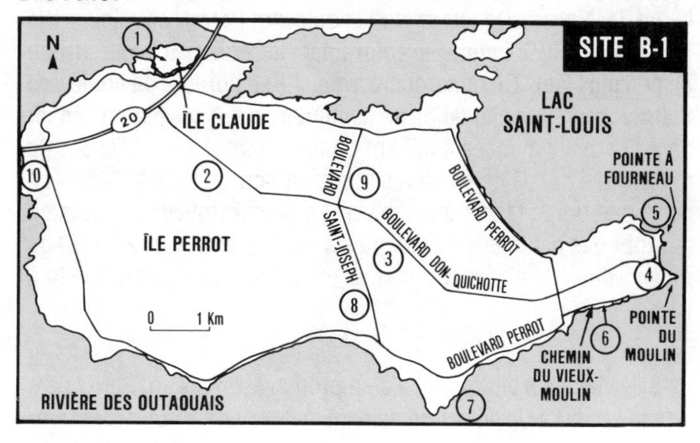

ramique du lac Saint-Louis. À gauche du parc, le chemin Cousineau conduit vers quelques chalets; au-delà de la pointe à Fourneau, ce chemin permet l'accès à une petite baie *(Site 5)*. Il faudra toutefois se frayer un chemin à travers le sous-bois pour atteindre la rive. Au printemps et à l'automne, on peut observer dans cette baie plusieurs espèces de canards plongeurs ainsi que le Grèbe cornu et le Grèbe jougris. Il ne faudrait pas s'étonner si le développement résidentiel restreint éventuellement l'accès à ce site.

De retour sur le boulevard Don-Quichotte vers le nord, le visiteur est invité à tourner à gauche sur le boulevard Caza et à gauche sur la rue Daoust afin d'accéder au chemin du Vieux-Moulin; ce court chemin sans issue présente également de bons postes d'observation pour scruter le lac Saint-Louis *(Site 6)*. On reviendra ensuite jusqu'au boulevard Perrot. Cette route fait le tour de l'île et on peut, à partir de cet endroit, s'y engager dans un sens ou dans l'autre. En direction ouest, c'est-à-dire vers la gauche, on trouvera plusieurs postes d'observation pour examiner le lac. L'un de ces endroits, un petit promontoire, est situé derrière l'église de la paroisse Sainte-

Jeanne-de-Chantal *(Site 7).* Pour s'y rendre, on tourne à gauche sur la rue de l'Église. De retour sur le boulevard Perrot, on rejoindra le boulevard Don-Quichotte en empruntant le boulevard Saint-Joseph un peu plus loin. On remarquera à gauche en bordure du boulevard Saint-Joseph une plantation de conifères accessible par un sentier dont l'entrée est située à 0,7 km du boulevard Perrot *(Site 8).* Ce massif très dense de conifères abrite en permanence le Roitelet à couronne dorée tandis qu'en hiver, on peut y trouver à l'occasion l'Autour des palombes et quelques strigidés, entre autres le Hibou moyen-duc. Ce site est à éviter en été puisqu'on y pratique le tir à l'arc.

Si le visiteur a plutôt choisi d'emprunter le boulevard Perrot vers le côté est de l'île, il pourra également revenir vers le boulevard Don-Quichotte à partir de l'autre extrémité du boulevard Saint-Joseph. Un espace boisé qui s'étend au sud du boulevard Saint-Joseph est accessible en marchant à travers les champs *(Site 9).*

Finalement, un autre point d'intérêt à visiter, plus particulièrement en hiver, est la zone libre de glace sur la rivière des Outaouais juste au sud du pont reliant l'île Perrot à la ville de Dorion *(Site 10)* ; ce secteur a été à quelques reprises le théâtre d'hivernages très inusités : par exemple, un Morillon à collier et un Petit Morillon en 1987, un Bec-scie à poitrine rousse en 1986 et une Bernache du Canada en 1981.

Site B-2

La région de Vaudreuil

Profil ornithologique : canards plongeurs, rapaces diurnes, limicoles. *Spécialités :* Morillon à dos blanc, Buse pattue, Harfang des neiges, Hibou des marais.

Localisation : Ce site est situé à l'ouest de Montréal dans le comté de Vaudreuil-Soulanges. On peut facilement s'y rendre en un peu moins de 30 minutes à partir du centre-ville de Montréal.

Accès : On accède rapidement à ce site à partir de Montréal via l'autoroute Métropolitaine, l'autoroute 40 ouest (Transcanadienne) et la sortie 35.

Périodes cibles : L'automne et l'hiver sont des saisons privilégiées pour observer les oiseaux dans cette région. Quelques heures suffisent pour visiter le secteur.

Description du site : Vaudreuil est une ville de banlieue en plein essor démographique où les anciennes terres agricoles cèdent graduellement la place à des parcs résidentiels. Les terres agricoles laissées en friche en périphérie de Montréal sont toujours d'excellents endroits pour observer les oiseaux; la région de Vaudreuil n'y fait pas exception. Ces terres en friche foisonnent souvent de petits rongeurs , ce qui attire plusieurs rapaces diurnes lors des périodes migratoires ainsi que durant l'hiver. On peut alors y trouver la Buse pattue, la Buse à queue rousse, le Busard Saint-Martin, le Harfang des neiges et le Hibou des marais. Ce dernier, un oiseau très spectaculaire en vol, a aussi niché à quelques occasions dans la région de Vaudreuil.

La proximité du lac des Deux-Montagnes fait également de cette localité un bon site pour étudier les canards, particulièrement à l'automne. Selon des relevés du Service canadien de la faune, le lac des Deux-Montagnes accueille à l'automne en moyenne 21 000 morillons et on y a déjà signalé jusqu'à 8000 macreuses. La pointe Cavagnal à Vaudreuil ainsi que l'île Cadieux offrent de bons postes d'observation pour examiner le lac. À la fin de l'été, lorsque le niveau de l'eau est à son plus bas, il est également possible de rencontrer quelques limicoles sur les rives de l'anse de Vaudreuil.

Itinéraire suggéré : À la sortie 35 de l'autoroute 40, le visiteur devra tourner à droite sur le chemin Roche. Un peu plus loin, le chemin Les Rigollets se dirige vers Vaudreuil-sur-le-lac et l'île Cadieux. On trouvera quelques postes d'observation dans ce secteur pour examiner le lac des Deux-Montagnes. Le chemin Roche donne aussi accès à la montée Cadieux et au chemin de l'Anse; ce dernier chemin permet de longer l'anse de Vaudreuil jusqu'à la pointe Cavagnal et d'examiner une autre partie du lac des Deux-Montagnes. Au mois d'août, les rives de la baie accueillent plusieurs limicoles tandis que du mois d'octobre jusqu'à la prise des glaces au début de décembre, le lac devient un lieu de rendez-vous très apprécié par plusieurs canards plongeurs, notamment le Morillon à dos blanc.

La montée Cadieux présente au visiteur un habitat très différent. En effet, les champs en friche le long de ce parcours permettent plutôt d'observer des rapaces diurnes tels que la Buse pattue, la Buse à queue rousse, le Busard Saint-Martin, le Harfang des neiges et le Hibou des marais à l'automne ainsi qu'en hiver. Jusqu'à neuf Harfangs des neiges ont fréquenté simultanément ces champs en avril 1981. Le développement résidentiel récent dans ce secteur a toutefois entraîné une dégradation significative de ce site. À l'extrémité de la montée Cadieux, on poursuivra notre périple en tournant à gauche sur la route 342 (boulevard Harwood) puis sur la route 340 est (boulevard Cité-des-Jeunes), ce qui permettra de rejoindre l'autoroute 40 à Vaudreuil. Ces deux routes parcourent aussi des champs cultivés ou en friche où les oiseaux de proie sont fréquents à l'automne et en hiver.

La région de Vaudreuil

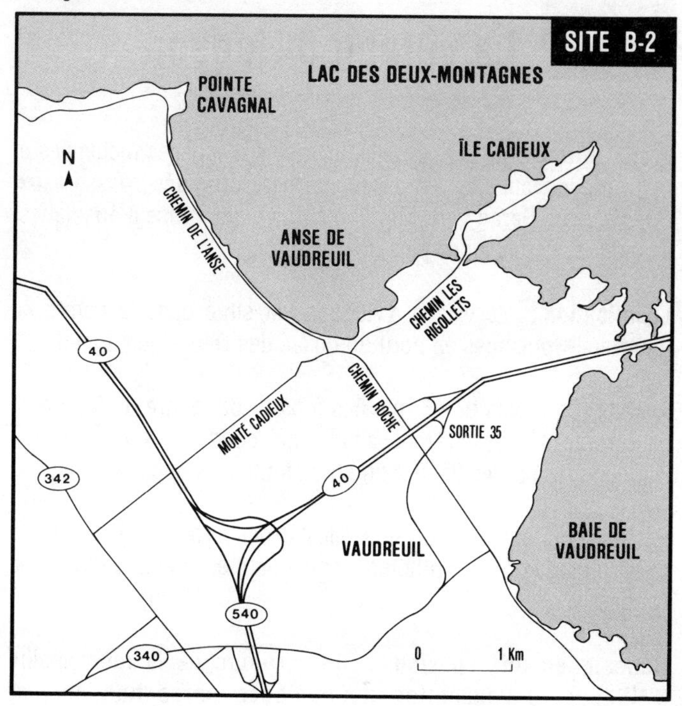

Site B-3

Le village d'Hudson

Profil ornithologique : excellente variété d'espèces nicheuses et migratrices ; anatidés, rapaces diurnes, strigidés, passereaux. *Spécialités :* Héron vert, Morillon à dos blanc, Buse à épaulettes, Grand Pic, Paruline des pins, Cardinal rouge.

Localisation : Le village d'Hudson est situé dans le comté de Vaudreuil-Soulanges en bordure du lac des Deux-Montagnes.

Accès : En moins de 45 minutes à partir du centre de Montréal, l'autoroute 40 ouest (Transcanadienne) conduira le visiteur vers Hudson ; les sorties 26 et 22 mènent toutes les deux au village.

Périodes cibles : Hudson se révèle l'un des rares sites de la région que les amateurs d'ornithologie apprécient en toutes périodes de l'année.

Renseignements spéciaux : Le territoire de la municipalité d'Hudson, à l'exception de quelques parcs publics, est essentiellement constitué de terrains privés. Conformément au code d'éthique de l'amateur d'ornithologie, celui-ci doit préalablement s'assurer de l'accord des propriétaires avant de circuler sur un terrain privé. Plus d'une excursion sera nécessaire pour explorer tous les coins de ce territoire.

Description du site : Le village d'Hudson dont la population oscille autour de 7000 habitants, est constitué de grandes propriétés de style anglais où l'arbre occupe une place prédominante. Tout autour, plusieurs massifs d'arbres relient le village à un vaste ensemble forestier recouvrant les municipalités voisines de Saint-Lazare et de Rigaud. Il en résulte une présence manifeste d'espèces aviaires caractéristiques de la partie centrale des forêts. L'existence d'importants peuplements de Pins blancs et de Pruches du Canada contribue, de plus, à accroître la diversité aviaire de ces lieux. Les nombreux postes d'alimentation installés par les résidants de ce village attirent, d'autre part, plusieurs espèces en hiver. Il n'est donc pas étonnant de constater qu'au-delà de 50 espèces sont dénombrées à chaque année lors du recensement des oiseaux de Noël. Des espèces telles que le Geai du Canada, la Mésange à tête brune, le Jaseur boréal et le Bec-croisé rouge sont incluses dans ce total. Le dénombrement des oiseaux nicheurs, réalisé dans le cadre du projet d'Atlas des oiseaux nicheurs du Québec de 1984 à 1989, a permis de confirmer que cet emplacement demeure aussi en été l'un des plus attrayants pour l'amateur d'oiseaux. On peut en effet y trouver chaque année plus de 120 espèces nicheuses dont plusieurs sont considérées comme plutôt rares dans la région de Montréal.

La Société québécoise de protection des oiseaux organise depuis plusieurs années des excursions dans cette région en hiver, au printemps et à l'automne, ce qui permet aux participants d'enrichir leurs connaissances sur les déplacements saisonniers des oiseaux. Ces excursions sont très appréciées, en particulier par les débutants.

Itinéraire suggéré : Sept points d'intérêt situés d'est en ouest sur le territoire d'Hudson peuvent faire l'objet d'une excursion. Il faudra probablement plusieurs visites pour compléter tous les itinéraires. Ces sites sont particulièrement intéressants au printemps et en été. En hiver, certains présentent moins d'intérêt, mais une promenade à travers les rues du village permettra à l'observateur de découvrir plusieurs espèces fréquentant les postes d'alimentation.

Le chemin Manson (Site 1) : Ce chemin, très pittoresque et peu habité, traverse des champs voués à la culture de plantes fourragères et ponctués de petits espaces boisés. Une grande diversité de passereaux associés aux écosystèmes terrestres caractérise les abords de cette route. Pour accéder à ce site, on utilise la sortie 26 de l'autoroute 40 suivie de la route 342 ouest. Après avoir roulé

0,4 km sur cette route, il faudra tourner à droite sur le chemin Murphy et finalement à gauche sur le chemin Manson. Ce chemin rejoint un peu plus loin la rue Principale.

Le sentier du club de tennis Royal-Oak (Site 2) : Ce sentier relie la rue Principale et le chemin Harwood (route 342). On y accède à partir du terrain de stationnement du club de tennis Royal-Oak. Pour s'y rendre, on utilise la sortie 26 de l'autoroute 40, la route 342 ouest et la rue Bellevue vers le nord. On tourne ensuite à gauche sur la rue Principale sur laquelle il faudra rouler 0,9 km, jusqu'au club de tennis. Le stationnement du club étant réservé avant tout aux usagers, il serait convenable de ne pas l'envahir avec plusieurs voitures simultanément. Il est préférable d'utiliser le stationnement très tôt le matin alors que l'endroit n'est pas encore fréquenté. Celui-ci n'est pas déneigé en hiver et est, par conséquent, à déconseiller en cette saison.

Le début du sentier n'est pas très facile à repérer. À l'extrémité du stationnement, il faut se diriger à gauche et marcher environ 300 mètres jusqu'au début du sentier situé à droite. Celui-ci traverse d'abord une arbustaie dense, franchit une voie ferrée puis passe ensuite près d'une vieille cabane à sucre. Ces deux derniers points de repère permettront au visiteur de s'assurer qu'il est sur la bonne piste. Au sud de la voie ferrée, le visiteur est plongé au coeur d'une magnifique érablière parvenue à un stade de maturité avancé; par la suite, le sentier se rend jusqu'à la route 342 à travers un milieu relativement humide dominé par des peuplements mixtes de feuillus et de résineux. Les passereaux sont nombreux dans cette région, particulièrement au printemps et durant la période de nidification. En juin, une randonnée dans ce sentier permettra à l'observateur attentif de découvrir près de 50 espèces en quelques heures; parmi celles-ci, on remarquera le Grand Pic, la Sittelle à poitrine rousse, le Troglodyte des forêts, le Roitelet à couronne dorée, la Paruline des ruisseaux, la Paruline triste, le Tangara écarlate et le Cardinal rouge.

Le village d'Hudson

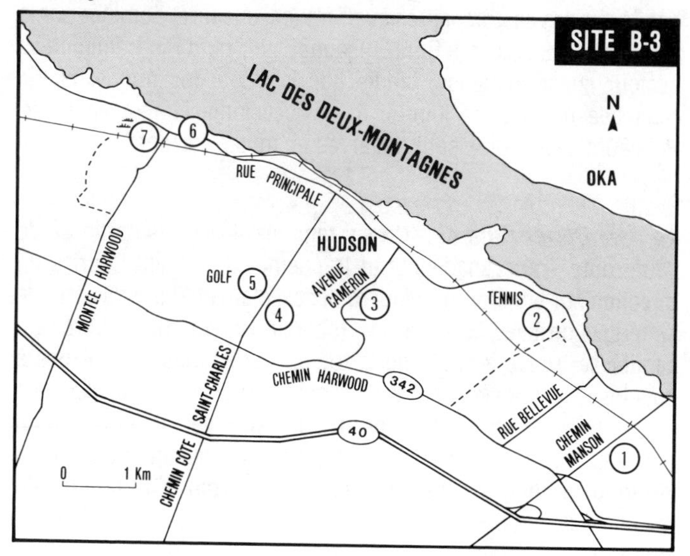

On pourra aussi percevoir le chant de la Paruline des pins qui fréquente le terrain de golf Como situé tout près. Selon votre vitesse de déplacement, il faudra compter d'une à deux heures pour compléter l'aller-retour.

Le parc Olympique (Site 3) : On se rend à cet endroit en utilisant la sortie 26 de l'autoroute Transcanadienne puis la route 342 ouest ; il faut ensuite tourner à droite sur l'avenue Cameron et rouler 0,8 km jusqu'à la rue Olympique. Le parc se trouve à 0,4 km sur cette rue. À gauche, on remarquera un sentier se dirigeant vers un site marécageux. Ce sentier se divise en trois embranchements dont deux, celui de gauche et celui qui traverse le ruisseau, sont d'une longueur de moins de 500 mètres ; en 1989, des castors avaient érigé un barrage le long du sentier de gauche. D'une longueur de

2 km, l'embranchement de droite conduit le visiteur vers un étang habité par des castors, après avoir franchi une forêt dominée par la Pruche du Canada et le Bouleau jaune. Le Grand Pic fréquente ce secteur en permanence, tandis que le Pic à dos noir et le Pic tridactyle peuvent se joindre à lui occasionnellement en hiver. Plusieurs passereaux sont observés en toutes saisons.

Le parc Dwyer (Site 4) : On s'y rend en utilisant la sortie 22 de l'autoroute Transcanadienne et le chemin Côte-Saint-Charles en direction nord (à droite). Il faut rouler exactement 0,8 km à partir de l'intersection avec la route 342 (chemin Harwood). L'entrée du sentier se trouve à droite de la route. Les grands Pins blancs à gauche de la route sont souvent fréquentés par la Paruline des pins en été. Le sentier traverse d'abord un milieu ouvert en bordure d'un ruisseau. Les espèces caractéristiques de cet habitat, notamment le Moqueur chat, le Jaseur des cèdres, le Tyran tritri, la Paruline masquée, la Paruline jaune, le Carouge à épaulettes, l'Oriole du Nord et le Bruant chanteur, y sont abondantes. Le sentier se divise plus loin en plusieurs embranchements dont un qui se dirige vers un peuplement de Pruches du Canada fréquenté par la Chouette rayée depuis plus de 50 ans. Toutefois, le développement domiciliaire récent dans ce secteur chassera éventuellement cet oiseau. L'Épervier brun, un autre oiseau sensible aux modifications de son habitat, est encore observé dans les environs.

Le club de golf Whitlock (Site 5) : Ce site ne peut être visité qu'en hiver. On y trouve alors de nombreuses pistes pour la randonnée en ski. Les espèces les plus communes à cette époque sont le Dur-bec des pins, le Gros-bec errant, le Jaseur boréal et le Chardonneret jaune; on y observe aussi le Grand Pic à l'occasion. Tout comme pour le site précédent, on y accède via le chemin Côte-Saint-Charles; l'entrée du terrain de golf est située du côté gauche de la route, peu après le parc Dwyer.

Le parc Thompson (Site 6) : À partir de l'autoroute Transcanadienne, on atteint ce parc en empruntant la sortie 22 et le chemin Côte-Saint-Charles jusqu'à la rue Principale; il faudra alors tourner à gauche et rouler 2,3 km. À l'automne, un arrêt dans ce parc permettra au visiteur de scruter à son aise le lac des Deux-Montagnes à la recherche de canards plongeurs. On observe régulièrement dans ces parages le Petit Morillon, le Grand Morillon, le Morillon à tête rouge, le Morillon à dos blanc, le Garrot à oeil d'or et le Petit Garrot.

L'étang Aird (Site 7) : Ce petit étang est situé en bordure de la voie ferrée à l'extrémité ouest du village. On s'y rend par la rue Principale en continuant jusqu'au marché aux puces Finnegan, 0,7 km à l'ouest du parc Thompson (Site 6). Le marché aux puces est un endroit très animé, en particulier le week-end. On y trouve un vaste stationnement dans le champ situé du côté nord de la rue Principale. Les propriétaires des lieux sont toujours heureux d'accueillir des amateurs d'ornithologie.

À partir de la rue Principale, on se dirige à pied vers l'étang situé au sud des bâtiments. Pour le visiteur très matinal, il serait convenable de se rendre à l'étang sans importuner les propriétaires. On peut alors emprunter la montée Harwood, juste après le parc Thompson, et rouler jusqu'à la voie ferrée où il faudra stationner. Il suffira ensuite de marcher environ 15 minutes sur la voie ferrée, en direction ouest, jusqu'à l'étang. En période de nidification, l'épaisse végétation de quenouilles en bordure de l'étang abrite le Grèbe à bec bigarré, la Sarcelle à ailes bleues, le Petit Butor, le Butor d'Amérique ainsi que le Râle de Virginie et le Râle de Caroline.

Au sud de la voie ferrée, un sentier s'enfonce dans la forêt vers un léger escarpement recouvert de grands Pins blancs. Ce sentier rejoint plus loin la montée Harwood. Le visiteur disposant de suffisamment de temps peut donc effectuer une boucle en utilisant

Chouette rayée

ce sentier, suivi de la montée Harwood, puis retour vers l'étang par la voie ferrée. Cet itinéraire permettra d'observer plusieurs espèces forestières telles que la Buse à épaulettes, le Grand Pic, la Grive solitaire, la Paruline des pins et le Tangara écarlate. Il faut calculer d'une à deux heures pour compléter cette boucle.

Quelque 300 mètres à l'ouest de l'étang Aird, on trouvera un pré humide qui fut visité par un petit groupe de Troglodytes à bec court en 1989. Le Héron vert fréquente aussi les abords de ce pré. Plus à l'ouest, la voie ferrée franchit des friches et des champs cultivés qui bordent au sud une forêt parvenue à différents stades de maturité ; ces lisières constituent un habitat très recherché par la Paruline triste, le Cardinal rouge et le Passerin indigo.

En conclusion, ce site très apprécié s'est acquis une solide réputation parmi les amateurs d'oiseaux. Au printemps, on peut y entendre en soirée le Grand-duc d'Amérique, le Petit-duc maculé et la Petite Nyctale. Plusieurs espèces inusitées ont été signalées dans ce secteur au fil des années ; qu'il suffise de mentionner l'Aigrette neigeuse, l'Aigrette tricolore, le Coulicou à bec jaune, le Pic à tête rouge et la Pie-grièche migratrice, ce qui ne laissera sûrement pas l'amateur indifférent.

Site B-4

La région de Saint-Lazare

Profil ornithologique : rapaces diurnes, strigidés, passereaux nicheurs, espèces hivernantes. *Spécialités :* Autour des palombes, Engoulevent bois-pourri, Grand Pic, Geai du Canada, Mésange à tête brune, Bec-croisé à ailes blanches.

Localisation : Ce site est situé à l'ouest de Montréal dans le comté de Vaudreuil-Soulanges. Il faut prévoir environ 45 minutes pour s'y rendre en voiture.

Accès : À partir de Montréal, le visiteur devra utiliser l'autoroute Métropolitaine, puis l'autoroute 40 ouest (Transcanadienne), l'autoroute 540 (sortie 32 vers Toronto) et finalement la route 340 ouest (sortie 3, boulevard Cité-des-Jeunes).

Périodes cibles : Ce site est intéressant toute l'année, mais plus particulièrement en hiver et durant la période de nidification. À l'époque de la nidification, les premières heures qui suivent l'aube sont toujours les plus enrichissantes pour l'observation des oiseaux en milieu forestier. Au moins une demi-journée doit être consacrée pour l'explorer en détail.

Description du site : Parmi tous les sites décrits dans ce guide, la région de Saint-Lazare est une de celles présentant les plus grandes superficies boisées et, si on exclut les Laurentides, probablement celle où l'on retrouve la plus forte proportion d'essences résineuses. Cette caractéristique se reflète évidemment dans la composition de la faune ailée de la région.

C'est un des rares endroits de la région immédiate de Montréal où il est possible de retrouver des espèces nicheuses telles que le Roitelet à couronne dorée, la Grive solitaire, le Viréo à tête bleue et

La région de Saint-Lazare

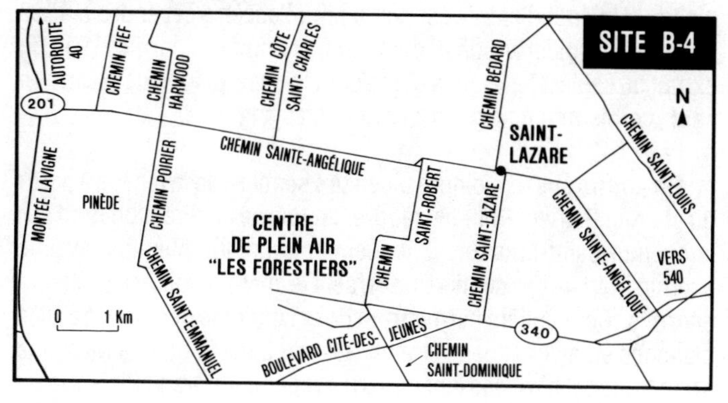

le Junco ardoisé. En hiver, il n'est pas rare d'y retrouver le Bec-croisé à ailes blanches, le Geai du Canada et la Mésange à tête brune tandis qu'en été, l'Autour des palombes y a fait son nid à plusieurs occasions. Parmi les strigidés, le Grand-duc d'Amérique, la Chouette rayée et la Petite Nyctale nichent également dans cette région.

Itinéraire suggéré : En provenance de Montréal par la route 340 ouest (boulevard Cité-des-Jeunes), on remarquera, après l'intersection avec le chemin Sainte-Angélique, des champs en friche au nord de la route. Ces champs, où se trouve un petit aéroport, méritent d'être examinés attentivement, en particulier le long du chemin Saint-Lazare. En effet, il est possible d'y rencontrer des rapaces tels que la Buse pattue et le Harfang des neiges en hiver.

Plus à l'ouest, une vaste plantation de pins et d'épinettes mi-centenaires s'étend au nord de la route 340 entre le chemin Saint-Robert et la route 201 (montée Lavigne). De longs et nombreux sentiers tapissés d'aiguilles de pins sillonnent ce territoire. On peut accéder à plusieurs de ces sentiers à partir de deux endroits. D'abord à partir du Centre de plein air Les Forestiers établi à l'extrémité nord du chemin Saint-Dominique. En hiver, le Centre voit à l'entretien des nombreuses pistes de ski de randonnée dans la pinède. Un coût d'entrée est perçu pour l'accès à cet endroit. Près du Centre de plein air, on découvrira une immense carrière d'où on extrait du sable. Des étangs qui se sont formés au fond de la carrière sont parfois fréquentés par des limicoles à la fin de l'été.

On pourra aussi rejoindre plusieurs sentiers de la pinède à partir du chemin Poirier. Pour s'y rendre, on tourne en direction nord sur le chemin Saint-Emmanuel, lequel communique plus loin avec le chemin Poirier. Les sentiers traversent le chemin Poirier à plusieurs endroits. Ces sentiers permettront de découvrir le Bec-croisé à ailes blanches en hiver et peut-être un Geai du Canada ou une Mésange à tête brune. Il n'est pas inhabituel d'y repérer un Grand Pic et même un Pic tridactyle ou un Pic à dos noir. En été, de nombreuses espèces nichent dans ce secteur, y compris l'Engoulevent bois-pourri qui ne révèle sa présence qu'au crépuscule ou durant la nuit. Un couple d'Autours des palombes ainsi qu'un couple de Grands-ducs d'Amérique ont utilisé, à une année d'intervalle, le même nid pour élever leur progéniture à peine à quelques centaines de mètres du chemin Poirier.

Le chemin Poirier en direction nord rejoint le chemin Sainte-Angélique auquel se greffent d'autres chemins très pittoresques tels que le chemin Fief, le chemin Harwood et le chemin Saint-Charles. Tous méritent une visite, en particulier le chemin Fief qui traverse une forêt décidue sillonnée elle aussi de nombreux sentiers. L'Autour des palombes a niché également dans cette forêt de même que la Buse à épaulettes. Le visiteur reviendra en direction de Montréal en utilisant le chemin Sainte-Angélique vers l'est jusqu'à la route 340.

Grand-duc d'Amérique

Site B-5

La région de Rigaud

Profil ornithologique : importants rassemblements de rapaces diurnes à l'automne, canards, passereaux. *Spécialités :* Héron vert, Urubu à tête rouge, Aigle royal, Maubèche des champs, Grand Pic, Grand Corbeau, Gobe-moucherons gris-bleu, Merle-bleu de l'Est, Viréo à gorge jaune.

Localisation : Le territoire de Rigaud est situé à 70 km à l'ouest de Montréal, près de la frontière avec l'Ontario. Il faut de 45 à 60 minutes pour s'y rendre.

Accès : L'autoroute 40 ouest (Transcanadienne) est la principale voie d'accès à cette région.

Périodes cibles : Toutes les saisons suscitent l'enthousiasme des observateurs d'oiseaux dans cette région mais c'est surtout au printemps et à l'automne que l'on peut compter sur la présence d'espèces plus exceptionnelles. On peut facilement occuper une journée complète à visiter les différents secteurs de la région.

Renseignements spéciaux : Une contrainte de taille attend l'ornithologue dans cette région puisque tout le secteur est constitué de propriétés privées. Il est donc toujours nécessaire de demander l'autorisation avant de s'aventurer sur une propriété. L'état des routes est un autre élément dont il faut tenir compte lors de la préparation d'une excursion sur ce territoire, en particulier au printemps.

Description du site : Une plaine agricole où se dresse, jusqu'à une altitude de 230 mètres, une montagne recouverte de vastes forêts, caractérise le paysage de Rigaud. Dans la plaine, les champs en culture, les pâturages et les friches constituent les principales composantes du milieu tandis que de grands marais colonisés par une épaisse végétation émergente, en bordure de la rivière des Outaouais, ajoutent à la très grande diversité des habitats de la région. Plus de 235 espèces d'oiseaux ont été répertoriées sur ce territoire depuis une quinzaine d'années.

Le printemps est certainement la saison la plus prolifique à Rigaud puisque 180 espèces ont été observées en cette saison. Par ailleurs, en été, environ 120 espèces y nichent et une trentaine d'autres y sont occasionnellement observées. L'automne est surtout spectaculaire en raison des nombreux oiseaux de proie qui font une halte dans les champs aux abords de la montagne afin de s'y nourrir; à cette époque de l'année, de nombreux canards et autres espèces aquatiques s'abritent, par ailleurs, dans les nombreuses baies en bordure de la rivière des Outaouais et du lac des Deux-Montagnes. Environ 170 espèces ont été répertoriées durant cette saison. En hiver, plus de 70 espèces ont été notées jusqu'à maintenant à Rigaud; plus de 150 postes d'alimentation installés par les résidants aident considérablement à la présence de ces oiseaux. Un nombre impressionnant d'espèces inusitées a également été signalé au cours des dernières années, les plus exceptionnelles étant sans aucun doute la Grive litorne, une espèce eurasienne observée en 1976, et le Bruant à face noire, une espèce de l'ouest du continent signalée en 1987.

Itinéraire suggéré : Six parcours en voiture, chacun de moins de 20 km, sont proposés. Les points de départ sont toujours à partir de l'autoroute 40 (Transcanadienne).

Parcours #1, nord-ouest (Sortie 1, environ 10 km) : À partir de la frontière Ontario-Québec, à la sortie 1 de l'autoroute 40, le visiteur est invité à rejoindre la route désignée Grande-Montée (côté ontarien) ou Interprovinciale (côté québécois). En direction nord, cette route se dirige vers le village de Pointe-Fortune et le barrage hydroélectrique de Carillon, à environ 2,5 km de la Transcanadienne.

Au printemps et à l'automne, une grande variété d'oiseaux aquatiques attend l'observateur sur la rivière des Outaouais près du barrage. Le chemin conduisant en haut de ce barrage permet de bien inspecter le réservoir en amont. Il faudra ensuite se diriger vers l'est sur le boulevard des Outaouais tout en effectuant quelques arrêts pour explorer la rivière. À environ 4,5 km du barrage, après une grande courbe et tout près d'un petit pont faisant face à une sablière, une pause pour observer les mares avoisinantes et les champs inondés au printemps devrait s'avérer une décision profitable.

À l'intersection de la route 342, on tourne à gauche pour rejoindre le chemin de la montée Wilson d'où on peut accéder à la Transcanadienne (sortie 2).

Parcours #2, ouest (Sortie 2, environ 20 km) : À partir de la sortie 2, il faut d'abord emprunter le chemin de la montée Wilson vers le sud jusqu'au chemin du rang Saint-Thomas. Ce secteur est fréquenté par des oiseaux de proie à l'automne et, notamment, à la fin d'octobre ou au début de novembre, par l'Aigle royal qui fait habituellement ici une pause dans des champs adjacents à un petit bois.

On tourne à gauche au chemin Saint-Thomas, en direction de la montagne et on poursuit jusqu'à l'intersection du chemin du Haut-de-la-Chute, environ 6 km plus loin, tout en examinant soigneusement les arbres isolés au milieu des champs, postes de prédilection pour les buses. Il faut également bien fouiller le sommet de la montagne, espérant ainsi surprendre au vol un Urubu à tête rouge ou un Grand Corbeau. Au chemin du Haut-de-la-Chute, on tourne à droite et on se dirige vers l'ouest jusqu'en Ontario, tout en inspectant, à gauche, la rivière et, à droite, les grandes terres agricoles.

Au chemin de la Grande-Montée, on tourne à droite, en direction nord, afin de rejoindre la sortie 1 de l'autoroute 40. Tout au long de

La région de Rigaud (parcours n° 1, 2 et 3)

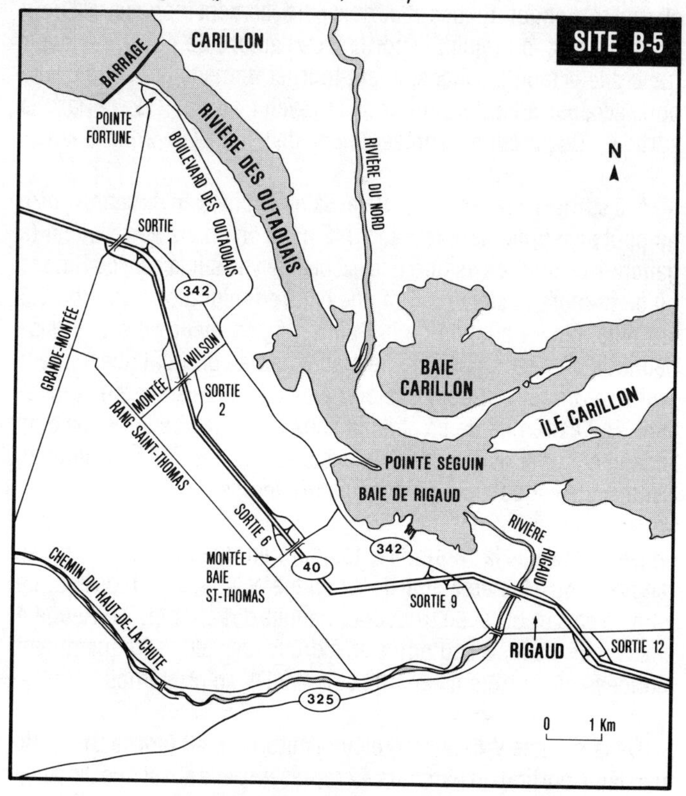

ce trajet, il faut bien surveiller les deux côtés de la route fréquentés par des buses à l'automne et le Harfang des neiges en hiver.

Parcours #3, centre-nord (Sortie 6, 10 km ou 20 km) : À partir de la sortie 6, on prend le chemin de service qui longe l'autoroute 40 du côté nord. Bien que la route soit très accidentée, il s'agit d'un endroit de choix pour observer des oiseaux de proie à courte distance à l'automne. En hiver, cette route est fermée tandis qu'au printemps, elle est très endommagée et parfois partiellement inondée. Au bout de ce chemin, on rejoint la sortie 2 de l'autoroute 40 ; après avoir franchi le viaduc à gauche, il faut tourner immédiatement à droite pour accéder à l'autoroute et ainsi revenir au point de départ, la sortie 6. Ce parcours représente une distance d'environ 10 km.

À la sortie 6, via la montée Baie-Saint-Thomas en direction nord, on peut aussi rejoindre la route 342 que l'on suivra vers l'ouest (à gauche); cet endroit assure une excellente vue sur la baie de Rigaud où de nombreux canards font une halte en migration. Environ 1,5 km plus loin, le chemin de la Pointe-Séguin mène vers une base nautique où il sera possible de stationner la voiture; l'observateur pourra alors revenir pour explorer à pied le marais aperçu auparavant. À l'extrémité de ce chemin sans issue, la vue sur la baie de Rigaud et sur la rivière des Outaouais est encore une fois illimitée. Cette route est souvent inondée au printemps.

De retour sur la route 342, toujours en direction ouest, on se rendra jusqu'à l'intersection de la montée Wilson, 3 km plus loin. Le long de ce parcours, on trouvera à gauche des champs où viennent chasser les buses à l'automne et, à droite, des terres fréquemment inondées où s'arrêtent canards et limicoles au printemps.

De la montée Wilson, on rejoint l'autoroute 40 (sortie 2). Cette deuxième portion du parcours #3 représente elle aussi une distance d'environ 10 km.

Parcours #4, nord-est (Sortie 17, environ 15 km) : À partir de la sortie 17, on tourne en direction nord pour rejoindre la rivière via la montée Lavigne. Ce secteur est très intéressant pour les rapaces diurnes; d'autre part, juste avant la voie ferrée, le petit bois à droite de la route est très apprécié par les oiseaux forestiers au printemps.

À 2,5 km du point de départ, il faut tourner à gauche en direction ouest sur le chemin de l'Anse; on longe alors la baie de Choisy, site

La région de Rigaud (parcours n° 4, 5 et 6)

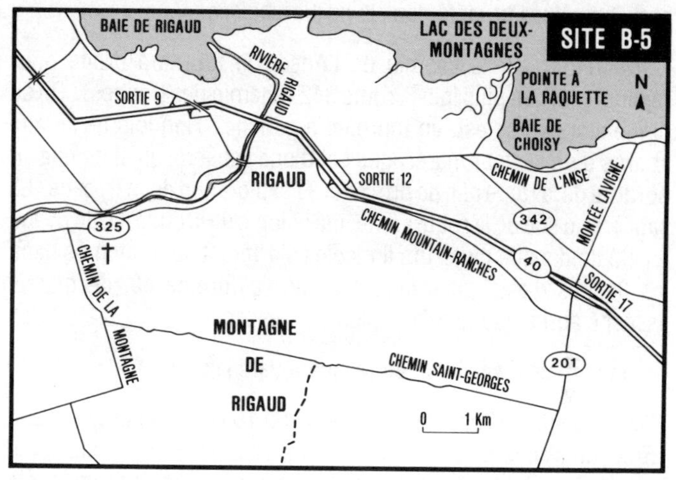

où s'abritent plusieurs canards et où s'arrêtent quelques limicoles au printemps et à l'automne. Une lunette d'approche sera nécessaire pour scruter soigneusement le lac des Deux-Montagnes.

À 3 km de l'intersection de la montée Lavigne et du chemin de l'Anse, le chemin de la Pointe-à-la Raquette, tout juste avant une voie ferrée, représente un arrêt obligatoire. Ce chemin est cependant d'accès difficile, en particulier au printemps à cause des inondations. À moins d'avoir un véhicule qui peut se permettre cette aventure, il est préférable de marcher jusqu'au bout du chemin. On peut toutefois se rendre à l'extrémité praticable du chemin près des dernières habitations, environ 1,5 km de l'entrée, et stationner à cet endroit bien que l'espace pour ce faire soit très restreint (attention au sol mou, au fossé et aux propriétés privées). Tous ces ennuis valent cependant le déplacement car la pointe à la Raquette est un emplacement extraordinaire où les principaux habitats représentés sont une érablière argentée et un vaste marais dominé par une épaisse végétation émergente. Les hérons, les canards, les limicoles,

les mouettes et les goélands y sont nombreux de même que les parulines et les bruants dans la portion boisée.

De retour sur le chemin de l'Anse, on tourne à droite pour rejoindre un peu plus loin la route 342 (chemin des Prairies). On se dirige alors vers l'est, en tournant à gauche. Non loin de là, aux abords d'un secteur marécageux et d'une sablière, on stationne en bordure de la route afin de procéder à l'exploration du marécage. La sablière au sud de la route abrite une colonie d'Hirondelles de rivage en été tandis que plusieurs limicoles s'arrêtent au printemps dans les flaques d'eau ; plus loin, près de l'autoroute 40, un marais asséché abrite quand même plusieurs espèces.

On complète ce circuit en revenant vers la sortie 17.

Parcours #5, sud-est(Sortie 17, environ 10 km) : À partir de cette sortie, on s'achemine vers le sud sur la route 201; tout juste après le pont enjambant la rivière à la Raquette, on tourne à droite sur le chemin Mountain-Ranches. Ce secteur est fortement boisé et excellent pour les chouettes, les hiboux, les pics et plusieurs espèces de passereaux. À 3,5 km de la routre 201, on gravit le chemin de la Sucrerie jusqu'à la rue Look-Out; à l'extrémité de cette rue, le chemin Clair-Creek mène, un peu plus loin, au chemin Pointe-Coupée. On stationne à cet endroit, point de départ pour une randonnée en forêt et vers des champs laissés en friche (si le développement domiciliaire n'a pas encore étendu ses tentacules à cet endroit). Plusieurs observations inhabituelles ont été consignées dans ces parages; on y a observé par exemple la Paruline à ailes dorées, la Paruline polyglotte, le Bruant des plaines et le Bruant des champs. Une très grande variété de grives et de parulines peut y être rencontrée au printemps.

De retour sur le chemin Mountain-Ranches, on se dirige vers l'ouest en direction du village de Rigaud où on pourra accéder à l'autoroute 40 (sortie 12).

Parcours #6, sud(Sortie 17, environ 20 km) : À partir de cette sortie, il faut suivre la route 20l sud pour une distance d'environ 2 km jusqu'au chemin Saint-Georges, à droite. Cette route se déroule sur la crête de la montagne au sein d'une forêt presqu'ininterrompue. Le long de ce chemin, le visiteur peut compter sur la présence de la Buse à épaulettes qui se reproduit en été dans le secteur. Un kilomètre après s'être engagé sur le chemin Saint-Georges, non loin d'un petit pont, il faut rechercher le Gobe-moucherons gris-bleu qui a niché à quelques reprises à cet endroit. C'est également le paradis de l'Engoulevent bois-pourri.

Après une série de grandes courbes, 2,5 km plus loin, on stationne en retrait de la route, et on revient à pied vers le sommet où il serait raisonnable de prévoir passer de 30 à 60 minutes. Ce secteur, soumis à un développement domiciliaire intense, pourrait subir une dégradation importante à court terme. Les amateurs de chants se réjouiront ici à l'écoute des différentes espèces de grives donnant leur concert, tôt le matin et tard le soir. Par ailleurs, les viréos bien camouflés dans la voûte foliacée, exigeront plus d'efforts pour les repérer. Les parulines aussi sont abondantes partout et le Grand Pic sillonne régulièrement le territoire. Là où il y a des massifs de conifères, une halte pour rechercher les becs-croisés pourrait s'avérer fructueuse.

La rue Ganivet, quelque 3 km plus loin mène vers le versant sud de la montagne où une randonnée du côté des cèdrières pourrait être très plaisante. De retour sur le chemin Saint-Georges, on s'arrête, 1 km plus loin, face à une sablière; l'exploration de ces lieux est souvent très profitable.

À droite, environ 0,5 km plus loin, on trouve le chemin de la Croix, un chemin de terre menant au sommet le plus en évidence de la région. Il s'agit d'un excellent endroit pour observer les rapaces diurnes au printemps; une randonnée dans le secteur permet de découvrir aussi plusieurs espèces sylvicoles.

De retour au chemin Saint-Georges, on tourne à droite sur le chemin de la Montagne. Au bas de la pente, on tourne à droite en direction de Rigaud. Le visiteur disposant d'un peu de temps est

Chouette épervière

invité à faire une halte au centre de ski du Mont-Rigaud ce qui lui permettra de découvrir un panorama exceptionnel.

Enfin, pour revenir à l'autoroute 40, il faut se diriger jusqu'aux feux de circulation dans le village de Rigaud ; là, en tournant à gauche, on pourra rejoindre l'autoroute 40 (sortie 9).

Site B-6

Les régions de Sainte-Marthe et de Saint-Clet

Profil ornithologique : rapaces diurnes, bruants. *Spécialités :* Urubu à tête rouge, Buse pattue, Harfang des neiges, Engoulevent bois-pourri, Merle-bleu de l'Est, Bruant sauterelle, Bruant des champs, Tohi à flancs roux.

Localisation: Ces deux villages agricoles sont localisés dans le comté de Vaudreuil-Soulanges au sud du mont Rigaud. On peut accéder au site en moins d'une heure à partir de Montréal.

Accès : À partir de Montréal, on utilise l'autoroute 40 ouest (Transcanadienne) suivie de la route 201 sud (montée Lavigne, sortie 17).

Périodes cibles : Le printemps et l'hiver sont les deux périodes de l'année les plus animées dans ce secteur. Une demi-journée suffira habituellement pour visiter cette région.

Description du site : Sur ce territoire, on retrouve surtout des pâturages et des champs cultivés. Au nord de Sainte-Marthe, toutefois, les contreforts du mont Rigaud sont recouverts de belles forêts parvenues à différents stades de développement et parfois interrompues par des pâturages. Les nombreux champs de cette région sont particulièrement intéressants à visiter en hiver de même que tard à l'automne et tôt au printemps. C'est à cette époque de l'année que l'observateur pourra y trouver des espèces telles que la Buse pattue, la Buse à queue rousse, le Harfang des neiges, la Perdrix grise, l'Alouette cornue, le Bruant des neiges ainsi que le

Bruant lapon. Les portions boisées de la région susciteront toutefois plus d'intérêt à partir du mois de mai jusqu'au mois d'août. Ces habitats seront alors d'excellents sites pour se familiariser avec plusieurs espèces sylvicoles ainsi que celles affectionnant les milieux en regénération. Il sera possible d'y trouver la Buse à épaulettes, l'Urubu à tête rouge, la Bécasse d'Amérique, l'Engoulevent bois-pourri, le Merle-bleu de l'Est, le Tohi à flancs roux, le Bruant vespéral, le Bruant des champs ainsi que le Bruant sauterelle dans les champs à herbes courtes.

Itinéraire suggéré :

Le chemin Saint-Henri : Le visiteur en provenance de Montréal par l'autoroute 40 devra utiliser la route 201 sud (montée Lavigne) et tourner à droite sur le chemin Saint-Henri. Un arrêt près du pont de la rivière à la Raquette (0,3 km) permettra probablement à celui-ci d'observer l'Hirondelle à ailes hérissées qui niche sous le pont. La route franchit ensuite des champs où le Merle-bleu de l'Est devrait être présent, particulièrement près des nichoirs installés par la Société québécoise de protection des oiseaux. À environ 1 km du pont, la route longe alors un secteur forestier où nichent la Buse à épaulettes et d'autres espèces sylvicoles. D'autre part, les champs au sud de la route sont habituellement fréquentés par la Bécasse d'Amérique, le Merle-bleu de l'Est, le Bruant vespéral, le Bruant des champs, le Bruant sauterelle, le Passerin indigo et plusieurs autres. L'Urubu à tête rouge est souvent signalé dans ce secteur. À l'intersection du chemin Saint-Henri et de la montée Saint-Henri (4,6 km), on trouve un excellent poste de guet pour observer la migration des rapaces diurnes en avril. Un chemin forestier, quelque 500 mètres à l'ouest de la montée Saint-Henri, relie le chemin Saint-Henri au chemin Saint-Georges à Rigaud. Des espèces aussi spectaculaires que la Paruline triste, le Tangara écarlate et le Passerin indigo sont très répandues le long de ce chemin en été.

La région de Sainte-Marthe

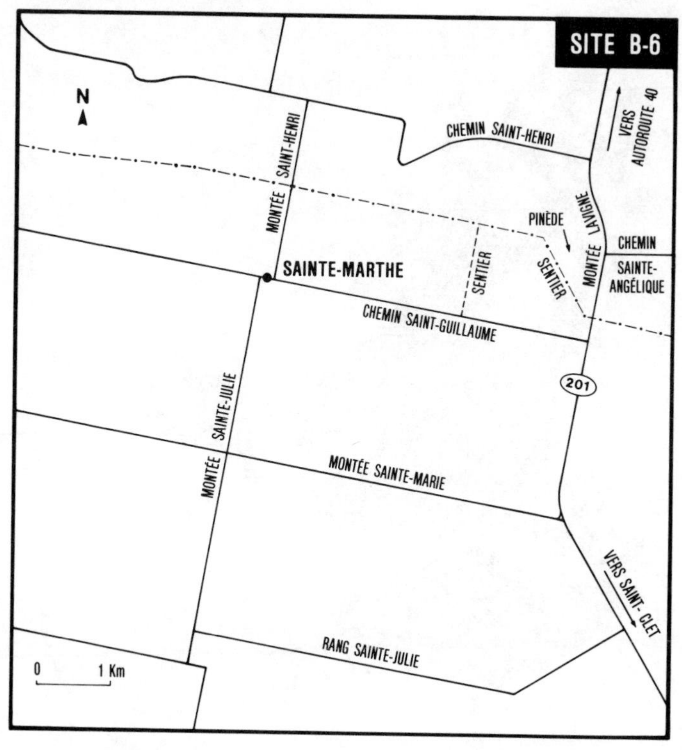

La pinède de Sainte-Marthe : On accède à ce site à l'intersection de la route 201 (montée Lavigne) et du chemin Sainte-Angélique (1,2 km au sud du chemin Saint-Henri). On peut laisser sa voiture sur l'accotement et parcourir les nombreux sentiers de la pinède. L'Engoulevent bois-pourri est régulièrement présent à cet endroit mais difficile à surprendre. On peut cependant l'entendre chanter au crépuscule, particulièrement en mai et juin.

Buse à épaulettes

La région de Saint-Clet

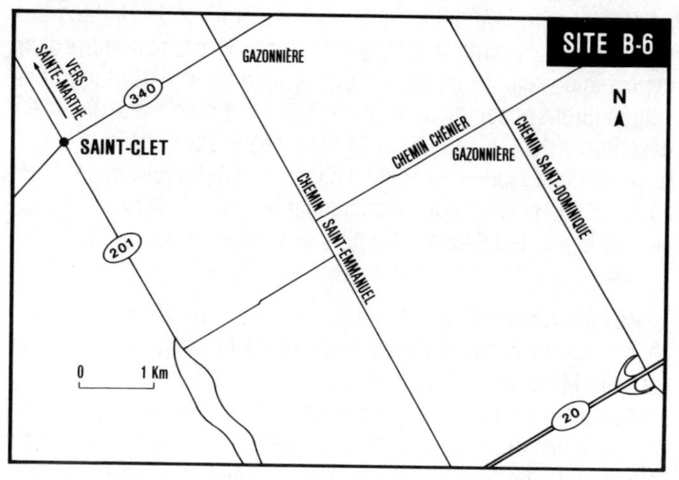

À l'ouest de la pinède, un sentier suit la ligne à haute tension d'Hydro-Québec en direction nord-ouest, puis s'en sépare pour rejoindre le chemin Saint-Guillaume vers le sud. Le parcours de ce sentier avec retour par le chemin Saint-Guillaume et la route 201 représente une randonnée d'environ 2 heures. En plus de l'Engoulevent bois-pourri, les espèces les plus typiques en été dans ce secteur sont la Sittelle à poitrine rousse, la Grive solitaire, le Moqueur chat, le Moqueur roux, la Paruline à joues grises, la Paruline à croupion jaune, la Paruline à gorge orangée, le Tohi à flancs roux, le Bruant des champs et le Bruant vespéral. Le Bruant des plaines y a déjà été signalé.

Les terres agricoles : Les champs au sud de Sainte-Marthe et aux environs de Saint-Clet sont sillonnés par plusieurs routes. Les axes routiers principaux sont la route 201 et la route 340 (boulevard Cité-des-Jeunes) qui permettent d'accéder aux autres chemins tels que le chemin Saint-Emmanuel, le chemin Saint-Dominique, le rang Sainte-Julie ou la montée Sainte-Julie. En hiver, le Harfang des neiges et la Buse pattue sont parfois signalés en grand nombre dans cette région; par exemple, 20 Buses pattues et 5 Harfangs des neiges furent observés dans un rayon de 5 km de Saint-Clet le 31 décembre 1980. L'apparition de ces oiseaux étant cyclique, on ne peut toutefois espérer voir autant d'individus à chaque année. C'est aussi un bon secteur pour y rechercher le Bruant lapon, en particulier sur la montée Sainte-Julie près de la montée Sainte-Marie.

Aux abords du chemin Saint-Dominique et du chemin Chénier, on retrouvera également des colonies de Phragmites communs (roseaux) fréquentées par le Hibou des marais, particulièrement au printemps et à l'automne. Les "gazonnières" aux coins du boulevard Cité-des-Jeunes et du chemin Saint-Emmanuel, ainsi qu'au coin du chemin Saint-Dominique et du chemin Chénier, attirent parfois d'importants rassemblements de Pluviers dorés d'Amérique au mois d'août et au début de septembre (voir site B7).

Site B-7

Les "gazonnières" de Coteau-Station

Profil ornithologique : limicoles. *Spécialités :* Pluvier doré d'Amérique, Bécasseau roussâtre.

Localisation : Ce site est localisé à l'ouest de Montréal dans le comté de Vaudreuil-Soulanges. Il faut prévoir environ une heure pour s'y rendre à partir de Montréal.

Accès : On accède à ce site via l'autoroute 20 ouest, la sortie 12 et la rue Sauvé qui se rend vers le village de Coteau-Station, à gauche

Périodes cibles : Seule la période s'étendant de la fin d'août au début de septembre permettra d'observer des limicoles. L'exploration de ce site requiert environ une heure.

Description du site : On retrouve à Coteau-Station de vastes territoires où l'on cultive le gazon en plaques (appelé couramment tourbe) pour la vente commerciale. Le Pluvier doré d'Amérique et le Bécasseau roussâtre, deux espèces qui se reproduisent dans l'Arctique, affectionnent particulièrement ce type d'habitat, c'est-à-dire les champs à herbes courtes. Pour nicher, ils fréquentent tous les deux la toundra relativement sèche où croissent herbes et mousses. Le Pluvier doré d'Amérique est noté annuellement à Coteau-Station, parfois en nombre relativement important ; quelques centaines ont déjà été observées. Le Bécasseau roussâtre est beaucoup plus rare et n'est pas signalé à toutes les années ; un oiseau solitaire est généralement observé mais jusqu'à trois ont déjà été notés. En plus de ces deux espèces, le Pluvier argenté et le Bécasseau de Baird ont déjà été aperçus sur ce site ; on verra aussi en grand nombre le Pluvier kildir et l'Alouette cornue à cette époque.

Bruant chanteur

Les « gazonnières » de Coteau-Station

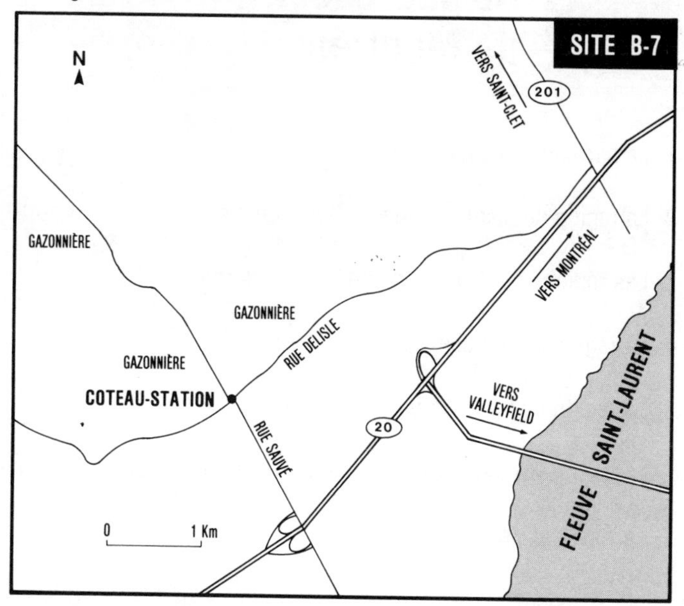

Itinéraire suggéré : À partir du village, la rue Delisle doit être parcourue dans les deux sens, vers l'ouest et vers l'est; un autre chemin non pavé traverse les "gazonnières" en direction nord et permet d'ailleurs de rejoindre d'autres "gazonnières" de superficies plus modestes, après avoir franchi un petit bois. À partir de Coteau-Station, on peut se rendre vers d'autres "gazonnières" situées sur le territoire de Saint-Clet ; elles sont situées au coin du boulevard Cité-des-Jeunes et du chemin Saint-Emmanuel ainsi qu'au coin du chemin Saint-Dominique et du chemin Chénier. On y parvient en empruntant la rue Delisle vers l'est, en tournant à gauche sur la route 201 nord puis à droite sur le boulevard Cité-des-Jeunes (route 340). Une lunette d'approche est indispensable pour examiner soigneusement les "gazonnières".

Secteur C

Au sud-ouest de Montréal

1- Le barrage de Beauharnois

2- La région de Saint-Étienne-de-Beauharnois

3- Les régions de Valleyfield et de Sainte-Barbe

4- La région de Dundee

5- La région de Huntingdon

6- La réserve écologique du Pin rigide et la tourbière de Saint-Pierre

7- La région d'Hemmingford

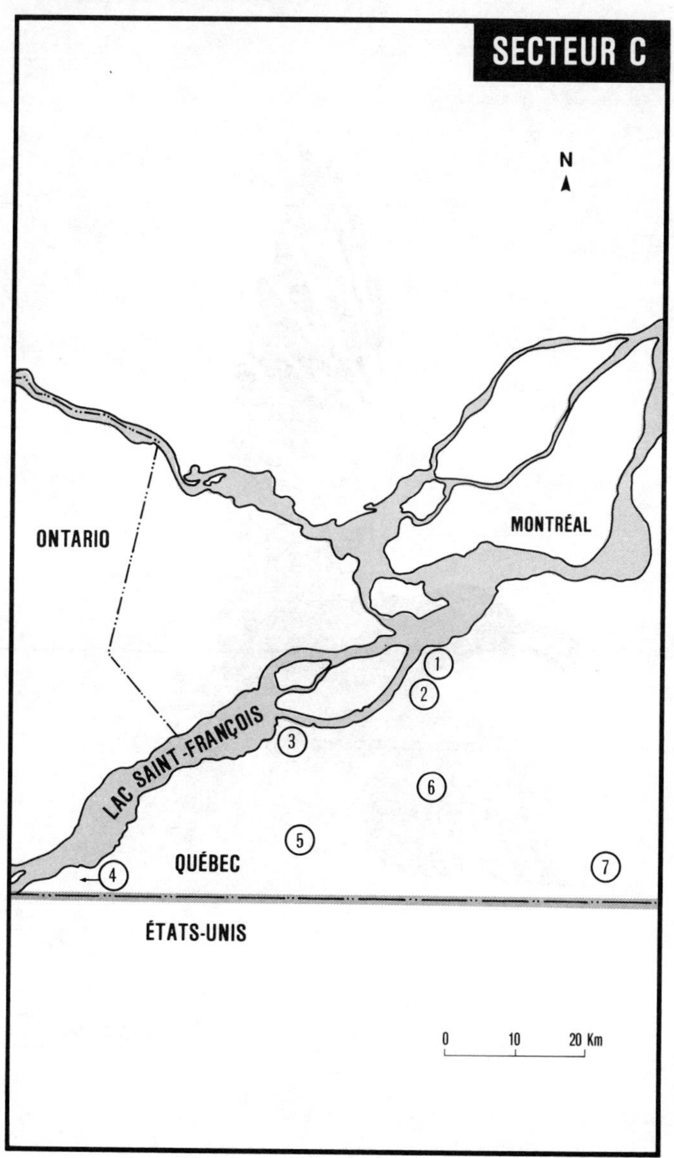
SECTEUR C
N
ONTARIO
MONTRÉAL
LAC SAINT-FRANÇOIS
1
2
3
6
5
QUÉBEC
4
7
ÉTATS-UNIS
0
10
20 Km

Guifette noire

Site C-1

Le barrage de Beauharnois

Profil ornithologique : excellent site pour les sternes, les mouettes, les goélands, les canards plongeurs et les limicoles à l'automne ; vingt-trois espèces de laridés observées à cet endroit. *Spécialités :* Mouette pygmée, Mouette rieuse, Goéland de Thayer, Goéland brun, Mouette tridactyle, Mouette de Sabine.

Localisation : Le barrage de Beauharnois est situé à environ 30 km au sud-ouest de Montréal en bordure du lac Saint-Louis. On s'y rend en 30 minutes à partir du centre-ville.

Accès : À partir de Montréal, il faut d'abord accéder à la route 132 ouest par l'un des ponts reliant l'île à la rive sud. Le barrage est situé juste à l'ouest de la ville de Beauharnois le long de la route 132.

Périodes cibles : La fin de l'été (août à mi-septembre) et la fin de l'automne (fin d'octobre à mi-janvier) sont les deux périodes au cours desquelles les laridés se rassemblent en plus grand nombre. Au moins une heure est nécessaire pour explorer le site, mais il faudra plus de temps en période de grande affluence d'oiseaux.

Renseignements spéciaux : Ce site offre très peu de protection contre les intempéries, en particulier contre les vents vifs soufflant en provenance du lac Saint-Louis. À la fin de l'automne et en hiver, il est donc important de se vêtir adéquatement. Une lunette d'approche est également presqu'indispensable sur ce site.

Description du site : Beauharnois est une petite ville industrielle de prime abord peu propice à l'observation de la faune ailée. Pour l'ornithologue qui met les pieds à Beauharnois pour la première fois, rien ne laisse présager qu'à l'automne, cette ville assiégée par la pollution industrielle, devient le théâtre d'un spectacle ornithologique unique au Québec. Et pourtant, un tel spectacle se déroule effectivement à chaque année. La scène de ce spectacle est un barrage hydroélectrique situé à l'extrémité est du canal de Beauharnois et les acteurs sont des milliers de laridés qui se rassemblent pour se reposer et s'alimenter avant leur départ pour des régions plus clémentes. Leur principale nourriture est composée de poissons de toutes sortes, entre autres le gaspareau, un petit poisson aux flancs argentés, de la famille du hareng, qui vient se reproduire en eau douce au printemps et retourne en eau salée à l'automne.

Le spectacle se déroule essentiellement en deux actes. Le premier acte débute au mois d'août et se poursuit jusqu'à la mi-septembre. En cette période de fin d'été, ce sont les sternes qui prennent la vedette. Des centaines de Sternes pierregarins et de Guifettes noires viennent alors occuper la scène. À ces deux espèces, s'ajoutent également quelques Mouettes de Bonaparte ainsi que quelques Mouettes pygmées et, à l'occasion, des espèces beaucoup plus inusitées telles que la Mouette de Sabine (observée maintenant presqu'à chaque année en septembre), la Mouette rieuse, la Mouette tridactyle, la Mouette de Franklin, la Sterne de Forster et même le Labbe parasite.

C'est à la suite d'un long entracte que débute, vers la fin d'octobre, le deuxième acte. Cette deuxième vague migratoire est d'abord composée de quelques Mouettes de Bonaparte et surtout de Goélands à bec cerclé dont le nombre atteint environ 10 000 à la mi-novembre. C'est alors qu'un autre acteur, le Goéland argenté, vient graduellement remplacer le Goéland à bec cerclé, de sorte qu'à la mi-décembre, on peut dénombrer jusqu'à 10 000 Goélands argentés alors que les Goélands à bec cerclé ont presque tous disparus. Par la suite, alors que le froid s'intensifie, le nombre de Goélands argentés diminue progressivement mais d'autres espèces viennent s'ajouter à la liste des acteurs; ce sont tour à tour le Goéland à manteau noir, le Goéland arctique et le Goéland bourgmestre qui passent sur la scène mais en nombre beaucoup plus réduit. À la fin de janvier, presque tous les acteurs ont disparu. Au cours de ce

Le barrage de Beauharnois

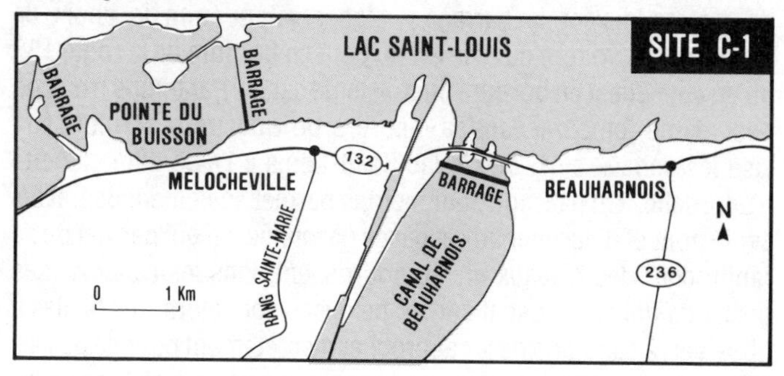

deuxième acte, on remarque aussi, à l'occasion, la présence d'espèces plus inusitées telles que le Goéland cendré, le Goéland de Thayer, le Goéland brun, la Mouette tridactyle (qui est observée à chaque année en novembre), la Mouette blanche (qui n'a été observée qu'à deux occasions en janvier) et le Goéland de Californie (signalé une seule fois en octobre 1989).

Au printemps, le spectacle fait partiellement relâche. Seule la Mouette de Bonaparte, alors en plumage nuptial, la Sterne pierregarin et quelques Goélands à bec cerclé qui nichent localement près du barrage, viennent agrémenter les lieux.

Le spectacle automnal au barrage de Beauharnois n'est pas uniquement réservé aux mouettes et aux goélands, bien que ces derniers dominent incontestablement la scène. En effet, le lac Saint-Louis accueille aussi plusieurs milliers de canards plongeurs, y compris le Morillon à dos blanc, le Morillon à tête rouge, et occasionnellement, des espèces plus inusitées. Il est également possible de rencontrer quelques limicoles sur les pelouses à proximité du barrage. En définitive, tout un programme attend l'observateur.

Itinéraire suggéré : Devant le barrage, l'eau s'écoule par trois canaux creusés dans le roc et séparés par des espaces gazonnés. La route 132 franchit ces canaux par un pont situé à quelques centaines de mètres devant le barrage. L'observateur aura le choix de stationner sa voiture du côté est du pont en bordure de la route 132 ou du côté ouest en bordure du troisième canal. Par temps froid, on peut même demeurer dans sa voiture, si on le désire, et scruter à son aise les canaux ainsi que le lac Saint-Louis à l'aide d'une lunette d'approche. Un passage pour piétons permet également de traverser le pont et d'accéder aux espaces gazonnés, ce qui permet de se rapprocher des oiseaux qui se nourrissent dans les canaux. Les goélands qui se reposent sur les pelouses sont alors très faciles à observer, à condition de les approcher discrètement pour ne pas les effaroucher. D'autres oiseaux se reposent parfois à distance considérable sur le lac Saint-Louis ou sur les glaces à la dérive au début de l'hiver. Il est alors important d'investir suffisamment de temps pour explorer à fond tous les regroupements d'oiseaux. Une espèce inusitée, égarée parmi plusieurs milliers d'oiseaux, peut facilement échapper à l'attention de l'observateur et ce n'est parfois qu'après plusieurs heures de recherche qu'elle sera repérée. La rive ouest du troisième canal devra aussi être explorée jusqu'à l'embouchure du canal de Beauharnois ; c'est là, particulièrement en après-midi, qu'on obtient les meilleures conditions d'éclairage pour examiner le lac Saint-Louis. À ce dernier endroit, on peut aussi observer des bandes de morillons au large en novembre.

À l'automne, la visite du barrage de Beauharnois peut aussi être accompagnée d'un court séjour au parc archéologique de la Pointe-du-Buisson. Pour s'y rendre, on roule environ 4 km vers l'ouest sur la route 132 et on tourne à droite sur la rue Émond. Plusieurs goélands séjournent aussi dans les rapides face à la pointe du Buisson à cette époque. À la fin d'octobre et au début de novembre, on peut observer des limicoles sur les rochers situés dans les rapides. Les espèces présentes sont le Bécasseau variable, le Bécasseau à poitrine cendrée, le Bécasseau à croupion blanc et parfois le Bécasseau violet, une espèce de passage rarement signalée dans le sud-ouest du Québec.

Site C-2

La région de Saint-Étienne de Beauharnois

Profil ornithologique : oiseaux de marais, rapaces diurnes, strigidés, oiseaux noirs. *Spécialités :* Petit Butor, Poule-d'eau, Foulque d'Amérique, Guifette noire, Moucherolle des saules, Carouge à tête jaune.

Localisation : Ce site est situé au sud de Beauharnois, à moins de 45 minutes du centre-ville en voiture.

Accès : Ce site est accessible via la route 132 ouest ; à partir de Montréal, on rejoint cette route par les ponts Mercier, Champlain, Victoria ou Jacques-Cartier ainsi que par le pont-tunnel L.-H. Lafontaine. À Beauharnois, le visiteur devra tourner à gauche sur la route 236 (chemin Saint-Louis) pour parvenir à Saint-Étienne.

Périodes cibles : Les étangs en bordure du canal de Beauharnois sont particulièrement animés au printemps et en été. Par ailleurs, les territoires agricoles de la région sont surtout intéressants à visiter durant l'automne, l'hiver et tôt le printemps. Un séjour de plusieurs heures peut être nécessaire pour effectuer une visite complète des lieux.

Description du site : Le village de Saint-Étienne est situé dans une région agricole où prédomine la culture du maïs. La présence d'un vaste territoire inculte, dominé par des colonies de Phragmites communs (roseaux) et des fourrés de saules, en bordure du canal de Beauharnois constitue probablement le centre d'intérêt de cette région. Ce territoire, qui appartient à la Société Hydro-Québec, est littéralement envahi par des hordes d'oiseaux noirs lors des périodes de migration ; Carouges à épaulettes, Quiscales bronzés, Vachers à tête brune et Étourneaux sansonnets s'y rassemblent par centaines de milliers. Les oiseaux y viennent pour passer la nuit et se dispersent dans les champs de maïs environnants pour se nourrir durant la journée.

La Société Canards Illimités a, d'autre part, aménagé quelques étangs sur ce territoire pour y favoriser la reproduction de la sauvagine. L'un de ces étangs est le meilleur site de la région pour observer la Foulque d'Amérique. En 1988, une nichée de Canards roux, une espèce rare dans la région de Montréal, fut également observée sur cet étang. Récemment, le Service canadien de la faune a donné un statut d'"aire de repos" au territoire bordant les deux rives du canal de Beauharnois, soit une superficie de 36 km carrés; la chasse à la sauvagine y est maintenant interdite. Outre les nombreuses espèces aquatiques, certains rapaces affectionnant les milieux humides, tels que le Busard Saint-Martin et le Hibou des marais, nichent sur ce territoire.

L'attrait qu'exerce cette région sur les oiseaux noirs incite quelques-uns d'entre eux à y hiverner. Durant la saison froide, on les retrouve alors dispersés près des séchoirs à maïs et aux postes d'alimentation des villes avoisinantes telles que Beauharnois et Léry. Au crépuscule, tous ces oiseaux convergent vers les colonies de phragmites pour y passer la nuit. Depuis quelques années, quelques Carouges à tête jaune, une espèce de l'Ouest, fréquentent également ce secteur en hiver et s'associent souvent aux bandes de Vachers à tête brune.

Les terres agricoles entourant le village de Saint-Étienne sont fréquentées par plusieurs rapaces diurnes en période de migration et en hiver. On retrouve alors le Busard Saint-Martin, la Buse à queue rousse, la Buse pattue, le Harfang des neiges et le Hibou des marais. Les parcelles boisées sont par ailleurs occupées par le Grand-duc d'Amérique. Enfin, l'Alouette cornue, le Bruant des neiges et le Bruant lapon fréquentent les abords des routes lorsque la neige recouvre les champs.

La région de Saint-Étienne-de-Beauharnois

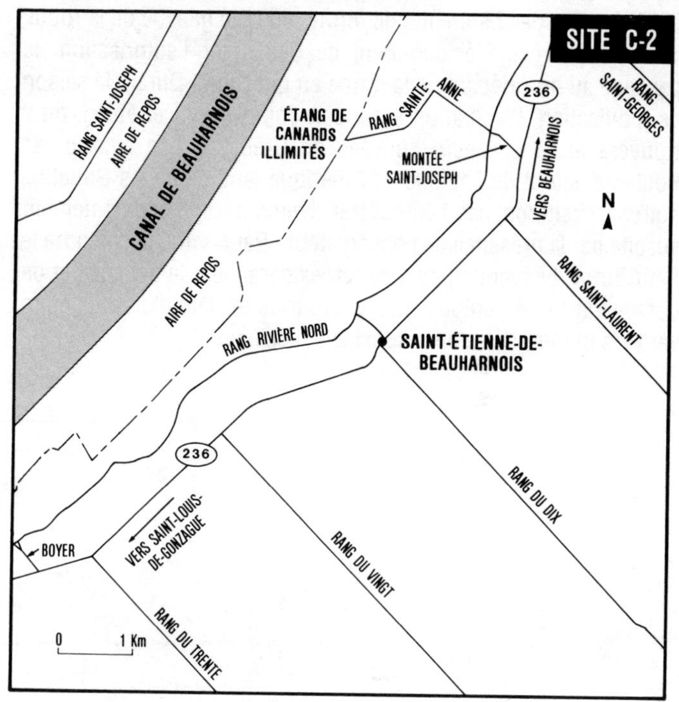

Itinéraire suggéré : À partir de Beauharnois, la route 236 (chemin Saint-Louis) mènera le visiteur à la montée Saint-Joseph (5,2 km). Après avoir traversé la rivière Saint-Louis et le rang Rivière nord, le visiteur devra s'engager sur le rang Sainte-Anne. Un petit bois en bordure de cette route abrite depuis plusieurs années un couple de Grands-ducs d'Amérique que l'on peut entendre hululer en fin de journée, particulièrement en février et en mars. Il n'est pas rare d'apercevoir le Hibou des marais et le Harfang des neiges dans les champs avoisinants en hiver. Le rang Sainte-Anne se termine en cul-de-sac près d'un étang aménagé par la Société Canards Illimités. Une digue en bordure de l'étang permet de circuler à pied et d'observer aisément les oiseaux présents. L'accès à cette digue se fait à l'arrière des bâtiments de ferme, du côté gauche de la route; la courtoisie exige évidemment de demander l'autorisation de passage au propriétaire de la ferme en question. Durant la saison de nidification, l'animation est à son comble sur cet étang; on y trouvera alors plusieurs couvées de Grèbes à bec bigarré, de Poules-d'eau et de Foulques d'Amérique tandis que les Guifettes noires n'hésiteront pas à démontrer vivement leur mécontentement suscité par la présence de l'observateur. Par contre, surprendre le Petit Butor, beaucoup plus discret, exigera plus de patience et de persévérance. Au crépuscule, le retour de milliers d'oiseaux noirs vers les phragmites est un spectacle fascinant.

Bruant des prés

De retour sur le rang Rivière nord, l'observateur est invité à se diriger vers l'ouest tout en prenant soin d'inspecter soigneusement les champs et les abords des réservoirs à maïs, où la présence de quelques oiseaux noirs est possible même en hiver; c'est d'ailleurs durant cette période que les apparitions du Carouge à tête jaune, quoique peu communes, sont les plus fréquentes dans cette région. On poursuivra sa route jusqu'à la montée Boyer et on reviendra vers Saint-Étienne en utilisant la route 236 est. Plusieurs chemins perpendiculaires à la route 236 méritent d'être visités durant l'hiver, notamment au début et à la fin de cette saison; ce sont les rangs du Trente, du Vingt et du Dix ainsi que les rangs Saint-Laurent et Saint-Georges. On y apercevra, entre autres, des bandes de Bruants des neiges et d'Alouettes cornues ainsi que quelques rapaces diurnes et, avec de la chance, peut-être un Carouge à tête jaune.

Le visiteur pourra revenir vers Beauharnois par la route 236 est ou par le côté nord du canal de Beauharnois. S'il choisit la deuxième alternative (non indiquée sur la carte), il devra alors se diriger vers l'ouest sur la route 236 jusqu'au village de Saint-Louis-de-Gonzague et tourner à droite sur l'avenue du Pont, ce qui l'amènera sur un pont traversant le canal de Beauharnois. Du côté nord du canal, un petit chemin privé parcourt le territoire de la Société Hydro-Québec. Si la barrière donnant accès à ce chemin est ouverte, le visiteur est alors invité à explorer ce territoire où l'on retrouve quelques étangs aménagés par la Société Canards Illimités. Pour le retour vers Beauharnois, il faut revenir sur ses pas jusqu'à la barrière, rouler vers le nord sur le boulevard Pie-XII, et tourner à droite sur le rang Saint-Joseph, qui conduira éventuellement le visiteur jusqu'à la route 132 via le rang Sainte-Marie. Le dernier segment du rang Saint-Joseph ainsi que le rang Sainte-Marie longent l'aire de repos au nord du canal de Beauharnois. Le Moucherolle des saules est très fréquent en été dans les fourrés de saules de ce secteur

Durant l'hiver, la visite de la région de Saint-Étienne peut être combinée à celle du barrage de Beauharnois (Site C1).

Site C-3

Les régions de Valleyfield et de Sainte-Barbe

Profil ornithologique : sauvagine, rapaces diurnes. *Spécialités :* Grèbe cornu, Grèbe jougris, Oie rieuse, Aigle royal, Moucherolle des saules.

Localisation : Ce site est situé au sud de Valleyfield, à l'extrémité est du lac Saint-François. Il faut prévoir 60 minutes pour s'y rendre à partir de Montréal.

Accès : On accède à ce site par la route 132 ouest. À partir de Montréal, on peut atteindre la route 132 par les ponts Mercier, Champlain, Victoria ou Jacques-Cartier ainsi que par le pont-tunnel L.-H. Lafontaine. À Saint-Timothée, il est recommandé d'utiliser l'autoroute 30 ouest jusqu'au pont Larocque, qui permet de franchir le canal de Beauharnois au sud de Valleyfield. À partir de l'ouest de l'île de Montréal, on peut s'y rendre via l'autoroute 20 ouest et la route 201 sud qui rejoint l'autoroute 30 via le pont Monseigneur-Langlois.

Périodes cibles : Seul le printemps, en particulier la période s'étendant de la fin de mars jusqu'à la fin de mai, suscite l'intérêt de l'ornithologue pour ce site. Une journée complète peut être nécessaire pour compléter la visite de la région.

Description du site : Le secteur compris entre le canal de Beauharnois et le village de Sainte-Barbe est une région fortement agricole où prédomine la culture du maïs. Par ailleurs, la bande riveraine en bordure du lac Saint-François est occupée en totalité par des chalets de villégiature.

Pendant une courte période au printemps, c'est-à-dire de la fin de mars jusqu'à la mi-avril, les champs situés immédiatement au nord de Sainte-Barbe accueillent d'importants rassemblements de Bernaches du Canada, d'Oies des neiges et de canards barboteurs. Au fil des ans, toutefois, l'évolution des techniques de drainage des sols a considérablement réduit la durée de cette période qui, aujourd'hui, se limite parfois à quelques jours vers la fin de mars. Les Bernaches du Canada séjournent aussi sur le lac Saint-François à cette époque et les volées d'oiseaux se déplacent constamment entre le lac et les champs inondés. En plus de ces dernières, le lac accueille dès le mois de mars de grands rassemblements de canards plongeurs composés surtout de morillons, de garrots et de becs-scies. Ces canards s'aventurent souvent sur le canal de Beauharnois, où ils peuvent être contemplés de plus près à la grande satisfaction des observateurs.

En plus de la sauvagine en migration, on peut observer, à l'extrémité est du lac Saint-François, plusieurs rapaces diurnes en vol lors de leur déplacement annuel vers le nord. Ces derniers contournent alors le lac Saint-François afin de bénéficier au maximum des mouvements ascendants d'air chaud rencontrés au-dessus des terres. Tous les rapaces diurnes nichant au Québec y sont vus à chaque année alors qu'ils survolent le site, en particulier au mois d'avril. L'observateur patient pourra même y apercevoir un Pygargue à tête blanche ou un Aigle royal. La meilleure période pour observer ce dernier se situe à la mi-avril. L'espèce la plus abondante à cet endroit est la Petite Buse. Des regroupements de plus de 500 individus y ont déjà été notés en une seule journée, habituellement entre le 24 avril et le 9 mai. Des groupes importants de Buses à queue rousse et de Balbuzards traversent aussi le secteur au mois d'avril. Enfin, l'Urubu à tête rouge y est aperçu de plus en plus souvent entre la mi-avril et le début de mai.

Itinéraire suggéré : En provenance de Valleyfield, la route 132 franchit le canal de Beauharnois par le pont Larocque. Le visiteur doit alors se préparer à tourner à droite immédiatement après le pont. Ce site a été baptisé "Eagle Crossing" par les amateurs de rapaces *(Site 1)*. La technique pour détecter les rapaces consiste à s'installer confortablement près du pont et à scruter l'horizon en direction sud à l'aide de jumelles et d'une lunette d'approche. Pour qu'elle soit fructueuse, cette technique exige beaucoup de patience et de persévérance de la part de l'observateur. Les conditions météorologiques sont également importantes puisque les rapaces ne migrent que lorsque les conditions sont favorables, c'est-à-dire lorsque les vents sont légers et de composante sud ou est. De plus, l'observateur devra être familier avec la silhouette et la technique de vol de ces oiseaux puisque ce sont souvent les seuls critères qui permettent d'identifier l'espèce observée.

À l'ouest du pont Larocque, un chemin longe la bordure du canal de Beauharnois sur le territoire de la Société Hydro-Québec *(Site 2).* Il est possible qu'une barrière empêche l'accès à ce chemin. Toutefois, si la barrière est ouverte, ce chemin peut être exploré en voiture et permet souvent l'observation à très faible distance de plusieurs espèces de canards plongeurs ainsi que du Grèbe cornu et du Grèbe jougris. Ce chemin rejoint le chemin du Petit-Canal en bordure du lac Saint-François *(Site 3).* Là aussi, on peut voir plusieurs canards plongeurs, y compris le Morillon à dos blanc.

L'observation des rapaces près du pont Larocque est souvent troublée par le bruit importun de la circulation routière. Il existe un autre site d'observation beaucoup moins bruyant situé un peu plus au sud. Il faudra alors poursuivre sa route en direction ouest sur la 132 et tourner à droite sur le chemin de la Baie, environ 1 km au sud du pont. Les rapaces en migration peuvent être observés en s'installant le long de cette route peu fréquentée *(Site 4).* Les zones buissonneuses en bordure de la route accueillent également le Moucherolle des saules en été.

En roulant vers l'ouest sur le chemin de la Baie, le visiteur rejoindra le chemin du Petit-Canal mentionné précédemment. Le chemin de la Baie se poursuit encore plus loin vers l'ouest où, après l'intersection avec le chemin Seigneurial, il franchit des champs inondés au printemps pour finalement rejoindre la route 132. Il est à noter que cette dernière portion du chemin de la Baie est habituellement en fort mauvais état lors du dégel printanier. Les champs

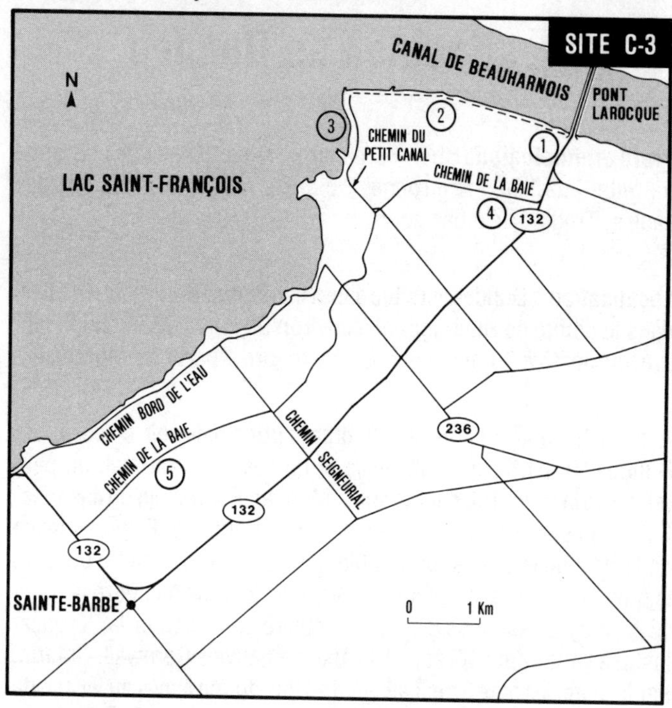

situés de part et d'autre de ce chemin ainsi que ceux à l'ouest de la route 132 accueillent jusqu'à 5000 Bernaches du Canada à chaque printemps *(Site 5)*. L'Oie des neiges y est notée en nombre croissant à chaque année tandis que l'Oie rieuse y est aperçue occasionnellement. Parmi les canards barboteurs qui s'alimentent dans les champs, le Canard pilet est le plus abondant. La présence du Harfang des neiges est également signalée dans ces champs au printemps. À l'extrémité du chemin de la Baie, on pourra revenir vers Valleyfield en utilisant la route 132 est à gauche ou la route 132 ouest à droite, suivie du chemin Bord-de-l'eau en bordure du lac Saint-François.

Site C-4

La région de Dundee

Profil ornithologique : hérons, canards, râles. *Spécialités :* Grande Aigrette, Morillon à tête rouge, Pic à tête rouge, Moucherolle des saules, Troglodyte à bec court.

Localisation : Dundee est situé dans l'extrême sud-ouest du Québec, dans le comté de Huntingdon, à environ 90 km de Montréal. Il faut prévoir de 75 à 90 minutes pour s'y rendre à partir de Montréal.

Accès : La route 132 ouest constitue la principale voie d'accès vers Dundee. À partir du centre-ville et de l'est de Montréal, on peut rejoindre la route 132 par les ponts Mercier, Champlain ou Jacques-Cartier ainsi que par le pont-tunnel L.-H. Lafontaine. En provenance de l'ouest de l'île, il est préférable d'utiliser l'autoroute 20 ouest et le pont Monseigneur- Langlois à Valleyfield pour rejoindre la route 132. Il est aussi possible de poursuivre sa route sur la 20 ouest jusqu'à l'autoroute 40l et de traverser le fleuve à Cornwall, Ontario. Par la suite, la route 37 est aux États-Unis donne accès au village de Saint-Régis.

Périodes cibles : L'observation des oiseaux est intéressante en toutes saisons à Dundee, mais le printemps et l'été sont les saisons présentant le plus d'attrait. L'hiver peut par ailleurs réserver des surprises, particulièrement lorsque certains hiboux nordiques envahissent les régions du sud. Le meilleur moment de la journée survient sans aucun doute le matin, en particulier durant la saison de nidification. Un minimum de trois heures est nécessaire pour visiter tous les points d'intérêt, mais une période de quatre à six heures permettra une inspection plus complète du site.

Renseignements spéciaux : Les routes non pavées peuvent être en mauvais état tôt le printemps et des bottes de caoutchouc sont indispensables pour marcher dans les marais. Par ailleurs, la lunette d'approche sera très appréciée dans un habitat ouvert comme celui de Dundee. Il faudrait aussi se munir des documents nécessaires pour traverser la frontière canado-américaine car certains sites ne sont accessibles que par les États-Unis.

Description du site : Avec ses marais d'eau douce à perte de vue, la région de Dundee se classe parmi les sites ornithologiques les plus intéressants du sud du Québec. Environ les deux tiers du territoire illustré sur la carte sont couverts par des marais alors que le reste du secteur est recouvert par différentes variétés de forêts. D'autre part, l'extrémité ouest du lac Saint-François, où sont regroupées une soixantaine d'îles, fournit un excellent abri pour les oiseaux aquatiques. Reconnaissant la valeur de cette région, le Service canadien de la faune a créé, en 1971, la réserve nationale de faune du lac Saint-François, un territoire de 12 km carrés situé sur la rive sud du lac. Les autres territoires d'intérêt dans ce secteur incluent la réserve amérindienne Akwesasne ainsi que quelques propriétés privées situées à la pointe Hopkins et à la pointe Fraser.

Une étude publiée par le Service canadien de la faune en 1982 a permis de mettre en évidence 265 espèces d'oiseaux dans un secteur de 300 km carrés entourant la réserve, dont 200 retrouvées sur la réserve elle-même et 110 espèces nicheuses. Selon des estimations plus récentes, environ 130 espèces nicheraient sur le territoire représenté sur la carte.

La région de Dundee est un site bien connu pour la nidification de la sauvagine. La Bernache du Canada ainsi que treize espèces de canards, incluant le Morillon à tête rouge et le Petit Morillon, se reproduisent dans cette région. Le lac Saint-François constitue également une aire de repos importante pour les canards et les oies; on estime que 70 000 oiseaux, principalement des canards plongeurs, s'y arrêtent en période de migration.

Plusieurs espèces de hérons fréquentent la région de Dundee lors de la saison de nidification. On y trouve le Butor d'Amérique, le Petit Butor, le Grand Héron, la Grande Aigrette, le Héron vert et le Bihoreau à couronne noire. Les quatres dernières espèces nichent dans une colonie mixte sur l'île Dickerson. Cette île est le seul endroit connu au Québec où niche la Grande Aigrette. Les premiers nids y ont été découverts en 1984. Bien que la population totale semble plutôt faible, on y dénombra néanmoins 14 individus en une seule journée en août 1983 et six nids en 1985.

La région de Dundee n'est pas très réputée pour l'abondance des rapaces. Le Busard Saint-Martin s'y retrouve néanmoins en grand nombre. Le Balbuzard n'est commun que durant la migration du printemps tandis que le Pygargue à tête blanche et l'Aigle royal sont observés sporadiquement. Depuis quelques années, l'Urubu à tête rouge est signalé de plus en plus fréquemment, surtout au printemps. Lors des invasions de Chouettes lapones notées durant les deux dernières décennies, Dundee attira ces oiseaux en grand nombre; 9 et 15 individus furent respectivement dénombrés à la fin de l'hiver 1978-79 et le 15 janvier 1984.

Dundee est d'autre part le royaume des râles, le Râle de Virginie et le Râle de Caroline y étant très abondants. Il est possible que le Râle jaune y niche également puisqu'il a été signalé à quelques occasions sur la réserve en mai et en juin. Sa nidification n'a toutefois pas été confirmée.

Les passereaux présentant une certaine affinité pour les habitats humides sont très communs à Dundee. Les cinq espèces notées le plus souvent durant la saison de nidification sont le Bruant des marais, la Paruline masquée, la Paruline jaune, la Grive fauve et le Carouge à épaulettes. On y trouve également deux espèces, le Moucherolle des saules et le Troglodyte à bec court, dont la répartition est très restreinte au Québec. Une étude réalisée à l'été 1983 a permis de déceler un nombre insoupçonné d'individus de ces deux espèces : 25 mâles chanteurs de Moucherolles des saules

La région de Dundee

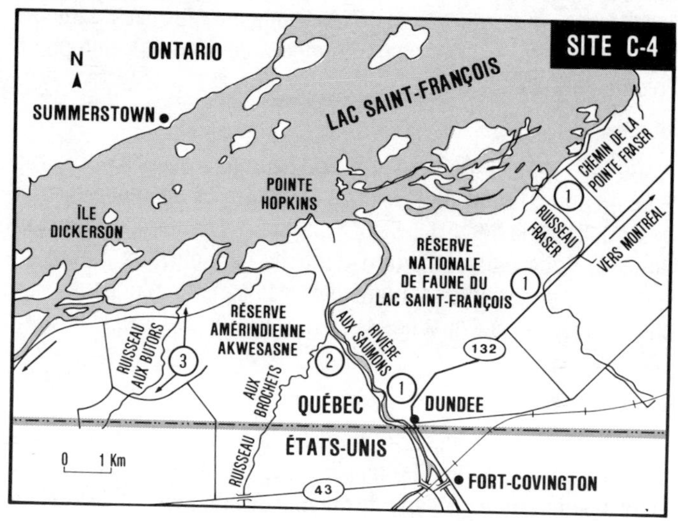

et 28 mâles chanteurs de Troglodytes à bec court avaient alors été dénombrés sur la réserve. Il s'agit probablement de la plus forte densité relevée dans la province pour ces deux espèces.

D'autres espèces nichant rarement dans le sud-ouest du Québec, notamment le Pic à tête rouge, le Coulicou à bec jaune et la Pie-grièche migratrice, se retrouvent à l'occasion à Dundee.

Itinéraire suggéré :

La région de Cazaville (non indiquée sur la carte) : L'itinéraire débute à Cazaville, un petit village situé à l'est de Dundee. Le visiteur en provenance de Montréal par la route 132 doit tourner à droite sur le chemin Saint-Charles ouest. Cette route se dirige vers des marais dominés par des plantes émergentes en bordure du lac Saint-François. Plusieurs canaux et des avenues bordées de chalets de villégiature sillonnent ce secteur. La 142e avenue, par exemple, longe un marécage arbustif fréquenté par le Moucherolle des saules. Par ailleurs, en bordure de la 148e avenue, on retrouve un marais peu profond dont l'exploration permettra de découvrir une petite colonie de Guifettes noires.

Au bout de la 148e avenue, il faut tourner à gauche sur la rue Gagnon puis à droite sur le chemin Trépanier, ce qui mène vers un quai public sur la rive du lac Saint-François. Au printemps, l'examen du lac à l'aide d'une lunette d'approche permettra de mettre en évidence d'importants regroupements de canards plongeurs. Le chemin Trépanier en direction sud permettra de revenir vers la route 132.

Un peu plus à l'ouest, au nord de la route 132, deux routes parallèles, séparées de 400 mètres l'une de l'autre, traversent un marais peu profond; il s'agit du chemin de la Pointe-Leblanc et de la montée Gordon. Dans le marais entre ces deux routes, on pourra voir le Héron vert, le Canard branchu, le Râle de Virginie, la Bécassine des marais, ainsi que le Moucherolle des saules et le Troglodyte à bec court dans les zones plus arbustives. Le retour sur la route 132 en direction ouest conduira éventuellement le visiteur jusqu'au chemin de la Pointe-Fraser.

La réserve nationale de faune du lac Saint-François (Site 1) : La réserve est bordée à l'est par le chemin de la Pointe-Fraser et au sud par la route 132. Après un virage à droite sur le chemin de la Pointe-Fraser, le visiteur traverse des marais où le Râle de Virginie et le Râle de Caroline sont habituellement présents. Le Troglodyte à bec court y a également été entendu. Au bout de ce chemin, il faut faire demi-tour pour revenir vers la route 132.

En direction de Dundee sur la route 132, on remarquera à droite de grands arbres morts que visite occasionnellement le Pic à tête rouge. En hiver, les champs au sud de la route sont un excellent terrain de chasse pour la Buse pattue, la Buse à queue rousse, le Harfang des neiges ainsi que pour la Pie-grièche grise. Au printemps, des milliers de canards se rassemblent dans les champs inondés. Lors des invasions de la Chouette lapone, comme ce fut le cas en 1979 et en 1984, plusieurs de ces oiseaux peu farouches ont été observés en bordure de la route.

La réserve n'offre pour le moment aucun programme d'interprétation et d'observation de la faune; toutefois, à la porte du village de Dundee, une passerelle de bois a été construite en 1983. Elle s'est malheureusement dégradée depuis ce temps et la prudence s'impose. Plusieurs espèces de canards nichent en bordure de la passerelle. Le Pic à tête rouge et le Troglodyte à bec court ont également été notés à proximité.

La pointe Hopkins (Site 2) : Pour accéder à ce site et au suivant (site 3), le visiteur doit se rendre aux États-Unis afin de traverser la rivière aux Saumons et revenir au Québec ensuite. Le pont d'acier qui enjambe la rivière est situé dans le village de Fort-Covington, N.Y., à 1,3 km au sud de la frontière. Une fois le pont franchi, il faut tourner à droite au bout de la rue; la route traverse alors une voie ferrée puis un autre embranchement de la rivière; 0,2 km après ce deuxième pont, un virage à droite nous amènera sur le chemin de la Pointe-Hopkins. Cette route de terre très étroite sillonne d'abord un secteur boisé où les passereaux abondent. Par la suite, la route traverse un immense marais où le Moucherolle des saules, le Troglodyte des marais, les canards et les râles sont abondants. Le visiteur devra s'attarder particulièrement juste avant le ruisseau aux Brochets. En effet, le Troglodyte à bec court ainsi que le Râle jaune ont été observés à cet endroit du côté gauche du chemin. Après le pont du ruisseau aux Brochets, la route est privée. À la demande des propriétaires, aucune voiture ne doit circuler au-delà du pont. Toutefois, une promenade à pied ne semble pas soulever d'objections.

La réserve amérindienne Akwesasne et le ruisseau aux Butors (Site 3) : De retour à Fort-Covington, la route 43 ouest nous conduira vers la réserve Akwesasne. Après 4,3 km, il faudra tourner à droite sur un chemin non pavé. Après 1,5 km, on revient au Québec. Sur une distance d'environ 1 km, la route traverse alors une forêt inondée. À l'extrémité, un virage à gauche nous guidera à travers les marais bordant le ruisseau aux Butors. La Grande Aigrette vient se nourrir régulièrement dans ce marais (il est aussi possible de voir les Grandes Aigrettes sur leurs nids à l'île Dickerson en s'y rendant par bateau à partir de Summerstown, Ontario). Différentes espèces de hérons, de râles et de canards peuvent être observées dans ce marais; une colonie de Guifettes noires s'y est aussi installée. Au bout de ce chemin, un virage à droite conduira le visiteur le long de la rive du lac Saint-François. Près d'un petit pont, à l'embouchure du ruisseau aux Butors, une excellente vue du lac permettra possiblement de voir le Morillon à tête rouge. Le Moucherolle des saules et le Troglodyte à bec court sont aussi notés à cet endroit.

Pic à tête rouge

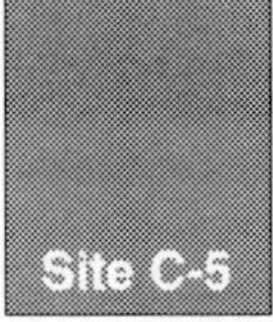

La région de Huntingdon

Profil ornithologique : nombre exceptionnel d'espèces nicheuses, en particulier chez les parulines et les bruants. *Spécialités :* Épervier de Cooper, Viréo à gorge jaune, Paruline à ailes dorées, Paruline azurée, Bruant des champs, Bruant de Henslow.

Localisation : Ce site est situé à environ 60 km au sud-ouest de Montréal. Le trajet en voiture s'effectue normalement en 60 minutes.

Accès : La route 138 ouest constitue la principale voie d'accès à ce site. Cette route, accessible à partir du pont Mercier, traverse successivement les villes de Châteauguay, Mercier, Sainte-Martine et Ormstown avant d'atteindre Huntingdon. De la partie ouest de l'île de Montréal, on peut utiliser l'autoroute 20 ouest puis la route 201 sud pour rejoindre la route 138 à Ormstown.

Périodes cibles : Le printemps et l'été sont les saisons les plus productives dans cette région, plus spécialement la période s'échelonnant entre le 15 mai et le 15 juillet. Il est préférable de s'y rendre très tôt le matin afin de concentrer ses efforts durant la matinée. Il faudra prévoir de quatre à cinq heures pour explorer l'ensemble du territoire.

Renseignements spéciaux : Ce territoire est essentiellement constitué de terrains privés. Le visiteur doit donc s'assurer de l'accord des propriétaires avant de circuler sur leurs terrains. Par ailleurs, si celui-ci laisse sa voiture sans surveillance en bordure d'une route, même très peu fréquentée, il doit veiller à ce que celle-ci soit complètement rangée sur l'accotement, afin de ne pas nuire à la circulation.

Description du site : Cette région est presqu'entièrement située dans la municipalité de Hinchinbrook et inclut deux petits villages particulièrement pittoresques, Herdman et Rockburn. Les deux tiers de ce territoire sont recouverts par des forêts en regain parvenues à différents stades de développement et parmi lesquelles on trouve quelques peuplements climaciques, notamment certaines érablières et quelques peuplements de pins et de pruches. Des champs cultivés et en jachère, des pâturages et quelques vergers couvrent le reste du territoire et contribuent également à la diversité du milieu. Les habitats humides sont plutôt rares dans cette région; on n'y trouve aucun marais d'envergure, seulement quelques ruisseaux et quelques étangs à castors. Par conséquent, très peu d'espèces aquatiques fréquentent ce site. Néanmoins, ce territoire est d'une richesse exceptionnelle, près de 130 espèces d'oiseaux s'y retrouvant annuellement durant l'été pour y nicher. Non sans intérêt pour le visiteur, on note également la présence de mammifères de grande taille tels que le Cerf de Virginie, le Coyote et l'Ours noir.

Parmi les rapaces diurnes, l'Épervier de Cooper, la Petite Buse, la Buse à épaulettes, la Crécerelle d'Amérique ainsi que fort probablement la Buse à queue rousse et l'Autour des palombes nichent sur ce territoire. De plus, la Buse à queue rousse et la Buse pattue se retrouvent en bon nombre lors de la migration automnale ainsi qu'en hiver dans les champs en culture. L'Urubu à tête rouge est observé principalement lors de la migration printanière. Parmi les strigidés, la Chouette rayée, le Grand-duc d'Amérique et la Petite Nyctale y nichent aussi. En outre, le Harfang des neiges fréquente souvent les champs cultivés en hiver.

Les cinq espèces de viréos nichant au Québec sont présentes sur ce territoire. Pour le Viréo à tête bleue, il s'agit du seul site de nidification connu dans la région de Montréal. Mais cet endroit est surtout remarquable pour le nombre impressionnant de parulines qui y nichent. En effet, 19 espèces de parulines, y compris la Paruline à ailes dorées, la Paruline azurée, la Paruline à tête cendrée et la Paruline des pins nichent dans ce secteur. On y retrouve la plus importante concentration de Parulines à ailes dorées de la région de Montréal; une trentaine d'individus y ont été dénombrés en 1984.

De plus, onze espèces de bruants incluant le Bruant des plaines, le Bruant des champs, le Bruant sauterelle, le Bruant de Henslow et le Bruant de Lincoln ont été observées dans cette région en période de nidification. La présence du Bruant de Henslow dans ce secteur est particulièrement remarquable. En effet, cet oiseau, qui n'a été signalé que trois fois au Québec dans les 20 dernières années, le fut à deux reprises dans la région de Hinchinbrook, soit en juillet 85 et en juin 89.

Parmi les autres espèces d'intérêt, signalons que le Dindon sauvage y est de plus en plus souvent rencontré tandis que le Pic à tête rouge y a niché au moins à une occasion.

Itinéraire suggéré :

La municipalité de Huntingdon (non illustrée sur la carte) : En provenance de Montréal sur la route 138, le visiteur peut garer sa voiture à gauche dans le parc de stationnement du restaurant Rest-o-route, en bordure de la rivière Châteauguay (avant le pont). Quelques Hirondelles à ailes hérissées nichent le long de la rivière juste en face du stationnement ; elles se laissent facilement observer au printemps et au début de l'été. D'autre part, une petite population de Roselins familiers séjourne toute l'année sur la rue Prince, entre les rues Bouchette et Lake. Pour s'y rendre, on tourne à droite sur la rue Prince en face du pont enjambant la rivière.

Le chemin Gowan : En provenance de Montréal sur la route 138, le visiteur doit tourner à gauche sur la route 202 est. Le chemin Gowan est situé à 8,2 km du pont enjambant la rivière Châteauguay à Huntingdon. Il faudra être attentif car le chemin n'est pas identifié. Le chemin Gowan est une petite route non pavée parcourant, sur une distance de près de 8 km, une région très boisée. On retrouve de nos

La région de Huntingdon

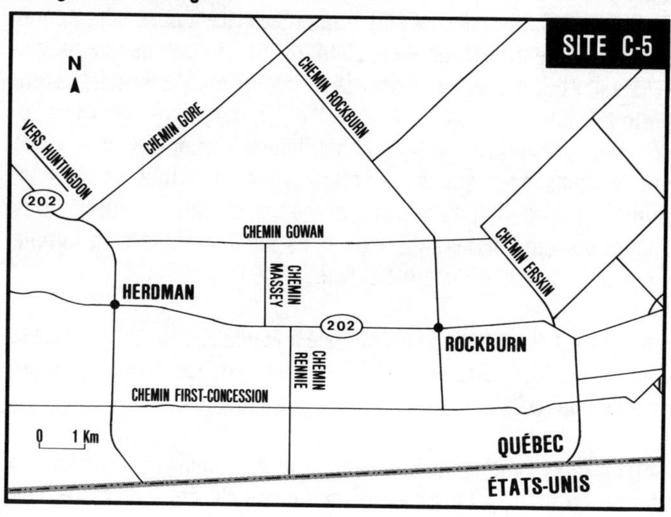

La région de Huntingdon (chemin Gowan)

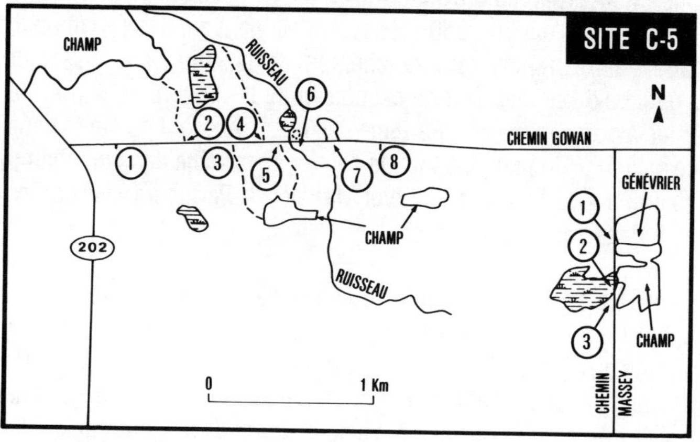

jours peu de coins aussi paisibles et pittoresques dans le sud-ouest du Québec. Cette route est peu fréquentée et il est possible de garer sa voiture à l'entrée de certains chemins forestiers et de marcher ici et là sans but précis. L'observation des oiseaux est intéressante partout le long du chemin Gowan. Il est important de noter que les chemins forestiers de ce secteur n'affichent aucune signalisation et que certains sont envahis par une végétation très dense. La prudence est donc de mise afin de ne pas s'égarer en forêt. Nous suggérons toutefois les haltes suivantes, le kilométrage étant compté à partir de l'angle du chemin Gowan et de la route 202.

• **Arrêt No 1** (0,3 km) : la prucheraie au sud de la route accueille la Chouette rayée, le Grand Pic, le Viréo à tête bleue ainsi que plusieurs espèces de parulines durant la saison de nidification.

• **Arrêt No 2** (0,7 km) : le chemin forestier à gauche conduit vers un champ en friche. Après avoir parcouru environ 350 mètres, un second sentier se dirige à droite vers un étang habité par des castors. Tout ce secteur abrite plusieurs Paruline à ailes dorées.

• **Arrêt No 3** (1,0 km) : le chemin forestier à droite de la route traverse une érablière parvenue à maturité où niche probablement la Chouette rayée. Après environ 550 mètres, on parvient à une bifurcation; il faudra alors prendre l'embranchement de gauche. Dans le secteur à gauche du sentier, la forêt est plus humide; la Paruline azurée, le Viréo à gorge jaune et la Paruline des ruisseaux sont présents dans ce secteur. Un peu plus loin, le sentier se termine dans un champ abandonné où l'on peut observer à la lisière la Paruline à ailes dorées et le Passerin indigo.

• **Arrêt No 4** (1,2 km) : le sentier à gauche de la route traverse d'abord une forêt très jeune puis ensuite une forêt un peu plus âgée pour aboutir du côté est de l'étang de castors mentionné à l'arrêt No 2. Ce sentier est considérablement envahi par la végétation. La Paruline à ailes dorées ainsi que le Viréo à gorge jaune se rencontrent le long de ce sentier, le viréo fréquentant les habitats plus matures.

• **Arrêt No 5** (1,3 km) : juste avant le ruisseau, un sentier se dirige à droite vers le champ mentionné à l'arrêt No 3.

• **Arrêt No 6** (1,4 km) : le chemin à gauche conduit à un incinérateur construit près d'un étang fréquenté par des castors. Plusieurs Parulines à ailes dorées occupent le périmètre de cet étang.

• **Arrêt No 7** (1,6 km) : en bordure gauche de la route, un ancien dépotoir est envahi par des arbustes. Le Passerin indigo et la Paruline à ailes dorées fréquentent cet habitat.

• **Arrêt No 8** (1,9 km) : la forêt en regain, à gauche de la route, abrite plusieurs espèces de parulines dont la Paruline triste et la Paruline à ailes dorées. La Paruline de "Brewster", un hybride résultant de l'accouplement d'une Paruline à ailes dorées et d'une Paruline à ailes bleues, a niché dans ce secteur en 1984. Du côté droit de la route, la forêt est plus âgée et offre un bon site de nidification pour la Paruline azurée et le Viréo à gorge jaune. Une Paruline azurée transportant de la nourriture pour ses jeunes fut observée à 300 mètres de la route en 1986.

• **Arrêt No 9** (4,1 km) : à droite de la route, une pinède accueille la Paruline des pins, le Viréo à tête bleue et la Grive solitaire. On peut observer ces espèces en bordure de la route.

Le chemin Massey : ce chemin relie le chemin Gowan à la route 202; il est situé à 3,3 km de l'extrémité ouest du chemin Gowan.

• **Arrêt No 1** (0,5 km) : le sentier à gauche de la route sillonne un peuplement de genévriers où niche la Paruline à tête cendrée. Un peu avant cet arrêt, la Petite Nyctale et la Chouette rayée ont déjà été entendues la nuit, pendant la saison de nidification.

Paruline à ailes dorées

• **Arrêt No 2** (0,8 km) : le marécage à droite de la route offre un bon site de nidification pour le Canard branchu. Le Pic à tête rouge y a niché en 1984. Aussi, le Grand-duc d'Amérique, la Petite Nyctale et le Grand Pic y nichent probablement.

• **Arrêt No 3** (0,9 km) : à droite de la route, un champ parsemé de genévriers et de jeunes pins abrite le Bruant des champs et le Tohi à flancs roux.

Le chemin Erskin :

• **Arrêt No 1 :** l'Engoulevent bois-pourri niche à l'intersection du chemin Erskin et du chemin Gowan. Jusqu'au prochain arrêt, une majestueuse érablière s'étend du côté droit de la route; la Chouette rayée et le Grand-duc d'Amérique y trouvent refuge.

• **Arrêt No 2** (0,9 km) : à gauche de la route, un sentier traverse une plantation de jeunes pins. Le Passerin indigo est facile à trouver en bordure de la forêt.

Le chemin Rockburn : On peut se rendre sur ce chemin à partir de la route 138 dans le village de Dewittville (non indiqué sur la carte). Entre Dewittville et le chemin Gore, le chemin Rockburn traverse d'abord des champs cultivés et des pâturages où la Buse pattue, la Buse à queue rousse et le Harfang des neiges sont souvent rencontrés lors des migrations ainsi qu'en hiver.

Au sud du chemin Gore, le chemin Rockburn s'enfonce à travers une forêt en regain très diversifiée et humide où l'on trouve le Viréo à gorge jaune, le Viréo à tête bleue, la Petite Buse, la Chouette rayée, le Grand-duc d'Amérique et plusieurs espèces de parulines. Il y a toutefois très peu d'endroits où il est possible de garer sa voiture en toute sécurité le long de cette route.

Le chemin First Concession : Ce chemin orienté est-ouest traverse un habitat principalement constitué de champs en culture et de vergers. C'est un bon secteur pour observer la Maubèche des champs, l'Alouette cornue et le Merle-bleu de l'Est. Ce dernier est particulièrement en évidence à l'automne dans un secteur situé environ 1,5 km à l'ouest du chemin Rennie. Le Bruant des plaines et le Bruant de Henslow ont été observés le long de ce chemin. En continuant vers l'ouest jusqu'à la rivière Châteauguay, le visiteur pourra admirer l'un des plus anciens ponts couverts de la région, le pont Powerscourt, qui fut construit en 1861 (non indiqué sur la carte)

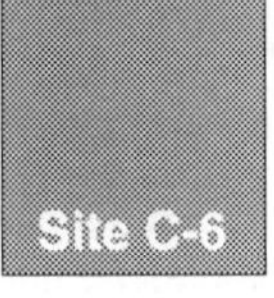

La réserve écologique du Pin rigide et la tourbière de Saint-Pierre

Profil ornithologique : passereaux nicheurs. *Spécialités :* Coulicou à bec noir, Engoulevent bois-pourri, Tohi à flancs roux, Bruant des champs, Bruant de Lincoln.

Localisation : Cette région est située au sud-ouest de Montréal dans les municipalités de Saint-Antoine-Abbé et de Saint-Jean-Chrysostome. On s'y rend en 45 minutes à partir du centre-ville.

Accès : Ce site est accessible via la route 138 ouest. Cette route, qui peut être empruntée à partir du pont Mercier, traverse successivement les villes de Châteauguay, Mercier et Sainte-Martine. Après l'intersection avec le chemin menant vers Allan's Corner, la route traverse une voie ferrée (1,2 km); le visiteur doit alors se préparer à tourner à gauche sur le chemin Bryson.

Périodes cibles : Le printemps et l'été sont les seules périodes intéressantes pour effectuer une visite de cet endroit. Il faudra environ deux heures ou plus pour compléter l'exploration du site.

Description du site : Ce territoire est constitué d'un réseau de tourbières qui est connu sous le nom de tourbière de Saint-Pierre et d'un peuplement de Pins rigides, l'une des deux seules stations connues dans la province. Une partie de ce peuplement, d'une superficie de 66 hectares, a été constituée en réserve écologique en 1978. Le Pin rigide est une essence rare qui atteint la limite septentrionale de son aire de répartition au Québec.

Le groupe des bruants est probablement celui qui est le mieux représenté sur ce territoire ; on y trouve en effet huit espèces nicheuses, y compris le Tohi à flancs roux, le Bruant des champs et le Bruant de Lincoln. Ce dernier se rencontre principalement en périphérie des tourbières. Le Bruant des prés, le Bruant des marais et le Bruant à gorge blanche sont d'autre part très communs, voire même abondants. Parmi les parulines, la Paruline à joues grises et la Paruline masquée sont les plus abondantes.

La Grive solitaire, peu fréquente dans la région de Montréal, s'y retrouve en abondance. Le Coulicou à bec noir peut être très commun certaines années mais presque absent en d'autres temps. Les tourbières abritent, d'autre part, plusieurs espèces aquatiques, entre autres le Canard colvert, le Canard noir, la Sarcelle à ailes vertes, le Butor d'Amérique, le Grèbe à bec bigarré et la Bécassine des marais. Le Busard Saint-Martin y niche également tandis que l'Engoulevent bois-pourri est omniprésent dans tout le secteur.

Itinéraire suggéré : On recommande de faire plusieurs haltes le long du chemin Bryson, particulièrement au sud de l'intersection avec le chemin Fertile-Creek. Entre ce dernier chemin et le Rang 5, le Bruant des champs et le Tohi à flancs roux sont présents du début de mai jusqu'à la fin de l'été.

Au sud du Rang 5, le Bruant de Lincoln niche dans une tourbière du côté droit du chemin du Rocher. Encore plus au sud, et toujours à droite de la route, la réserve du Pin rigide s'étend jusqu'au Rang 8. Les réserves écologiques étant des territoires créés pour sauvegarder des espèces animales ou végétales menacées de disparition ou d'extinction, la loi interdit d'y pénétrer ou d'y circuler sans avoir obtenu une autorisation spéciale du ministre de l'Environnement. Celui-ci peut accorder cette autorisation seulement pour fin de recherche scientifique ou d'éducation.

Face à la réserve, c'est-à-dire du côté gauche de la route, une autre tourbière abrite le Bruant de Lincoln ainsi que quelques espèces de canards. Un sentier longe la bordure sud de la tourbière sur une distance d'au moins 1 km.

Plus loin, le Rang 8 constitue également un excellent endroit pour découvrir le Bruant des champs et le Tohi à flancs roux. Enfin, peu après le coucher du soleil, le visiteur n'aura pas de difficulté à percevoir le chant de l'Engoulevent bois-pourri, tout particulièrement en mai et juin.

Si le temps le permet, on rejoindra ensuite le chemin Gowan (voir site C5). Pour s'y rendre, on tourne à droite sur le chemin Savary au bout du chemin du Rocher, à droite ensuite sur la route 201, puis à gauche sur le Rang 8 (1,3 km). On rejoint ainsi le chemin Erskin et éventuellement le chemin Gowan. Le Rang 8 s'avérera une excellente route pour observer les oiseaux sylvicoles.

Tohi à flancs roux

La réserve écologique du Pin rigide et la tourbière de Saint-Pierre

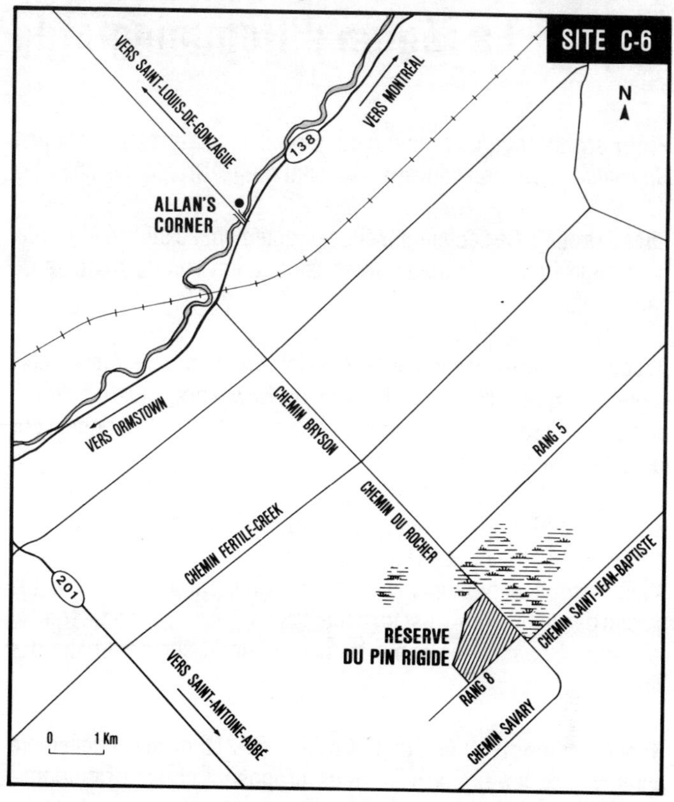

Site C-7

La région d'Hemmingford

Profil ornithologique : éperviers, strigidés, passereaux nicheurs. *Spécialités :* Dindon sauvage, Cardinal rouge, Bruant des champs.

Localisation : Ce secteur est situé directement au sud de Montréal près de la frontière canado-américaine, à environ 45 minutes du centre-ville en voiture.

Accès : Ce site est facilement accessible via le pont Champlain et la route 15 sud en direction de l'état de New-York. Juste avant le poste-frontière, on doit prendre la sortie 1 et rouler vers l'ouest sur la montée Glass.

Périodes cibles : Cette région est particulièrement intéressante au printemps et en été. Le Dindon sauvage est présent toute l'année mais il est beaucoup plus en évidence tôt le printemps. Durant la saison de nidification, il est fortement conseillé de s'y rendre très tôt le matin. Une matinée complète permet une visite sommaire des lieux.

Renseignements spéciaux : Ce territoire étant essentiellement constitué de terrains privés, nous proposons ici une randonnée ornithologique en voiture plutôt qu'à pied. Les espaces de stationnement en bordure des routes étant souvent très restreints, ce type d'excursion sera d'autant plus agréable que le nombre de voitures sera réduit. Ce site n'est donc pas très approprié pour y effectuer une excursion de groupe.

Description du site : Ce territoire chevauche en partie les municipalités d'Hemmingford et de Saint-Bernard-de-Lacolle. Il est encore recouvert de vastes étendues de forêts mixtes où le Cerf de Virginie abonde et où l'Ours noir, très rare dans les basses-terres près de

Montréal, a été repéré récemment. On y trouve plusieurs vergers de pommiers ainsi que des champs cultivés et plusieurs peuplements de cèdres.

Ce site est très riche en oiseaux forestiers; on y retrouve par contre très peu d'espèces aquatiques. Néanmoins, plus de cent espèces nichent sur ce territoire. Parmi les espèces d'intérêt, le Dindon sauvage est très recherché par les ornithologues dans cette région. Le Dindon sauvage ne s'est établi dans ce secteur que très récemment, soit en 1982. Son apparition coïncide avec le début d'un programme de réintroduction de l'espèce dans le nord de l'état de New-York. En effet, 18 oiseaux furent relâchés près de Champlain dans le comté de Clinton en février 1982 suivis de quelques autres en février 1983. Dès l'automne 1982, des oiseaux identifiés par une étiquette à l'aile furent observés dans la municipalité de Saint-Bernard-de-Lacolle. Cette espèce semble dès lors s'être rapidement répandue dans cette région comme en témoigne l'observation de plusieurs oiseaux (jusqu'à 40 ensemble) par des résidants lors des années subséquentes. Au moins trois nids contenant des oeufs ont été découverts jusqu'à maintenant.

La région d'Hemmingford abrite d'autre part le Grand-duc d'Amérique et la Chouette rayée, qui y ont été repérés à plusieurs reprises. De plus, les rapaces diurnes sont fréquemment observés dans ce secteur. La Petite Buse, la Buse à épaulettes et la Buse à queue rousse y nichent tandis que l'Urubu à tête rouge est très fréquent en migration, particulièrement au mois d'avril. Les trois espèces d'éperviers ont été signalées sur ce territoire en hiver, l'Épervier brun et l'Autour des palombes, plus fréquemment que l'Épervier de Cooper, qui est toujours très rare partout dans la région de Montréal.

Une quinzaine d'espèces de parulines nichent dans les secteurs boisés de la région, incluant la Paruline à tête cendrée, plutôt rare en période de nidification dans la région de Montréal. Le Viréo à tête bleue pourrait également nicher dans les peuplements mixtes. Parmi les bruants, le Bruant des champs peut être considéré comme très commun dans ce secteur tandis que le Bruant des plaines a été signalé à une occasion; ce dernier est susceptible de réapparaître puisqu'on trouve à cet endroit plusieurs peuplements de jeunes conifères, l'habitat normalement fréquenté par cette espèce en expansion.

Itinéraire suggéré : À partir de la route 15, le visiteur est invité à prendre la montée Glass vers l'ouest jusqu'au chemin Alberton (2,4 km). Les abords du chemin Alberton dans les deux directions, ainsi que la portion de la montée Glass comprise entre le chemin Alberton et le chemin Roxham, doivent être explorés minutieusement. Ce secteur présente plusieurs lisières, un habitat où le Dindon sauvage est susceptible d'être aperçu. Très tôt le matin, en avril et en mai, on peut entendre des mâles glouglouter. Toutefois, il faudra beaucoup de chance et de persévérance pour observer un oiseau, ce dernier étant plus souvent entendu qu'aperçu. La forêt située au sud de la montée Glass s'étend jusqu'à la frontière et sert de refuge à plusieurs espèces de parulines nicheuses ainsi qu'à la Chouette rayée et au Grand-duc d'Amérique. Le Dindon sauvage y a déjà niché. Plus à l'ouest sur la montée Glass, on détectera facilement tôt le matin la présence de la Paruline à tête cendrée et de la Paruline à croupion jaune dans les jeunes pins et les cèdres bordant la route.

À l'extrémité de la montée Glass, un virage à gauche sur le chemin Roxham amènera le visiteur jusqu'à la frontière. Il s'agit là d'un excellent coin pour l'observation des oiseaux fréquentant les lisières et les jardins tels que le Coulicou à bec noir, le Cardinal rouge et le Passerin indigo. Après un demi-tour, on est invité à se diriger vers l'ouest sur la rue Fisher. À l'intersection de ce chemin et du chemin Brownlee, le Bruant des champs est omniprésent. Le Bruant des plaines a également fréquenté cet endroit en 1987. Après avoir parcouru 6 km vers le nord sur le chemin Brownlee, on s'arrêtera alors à l'intersection du chemin Williams et du chemin Shields. La pinède avoisinante justifie cette halte. La Buse à épaulettes niche dans ce secteur tandis qu'un peu plus au nord, la Paruline à tête cendrée fréquente les jeunes pins en bordure de la route.

La région d'Hemmingford

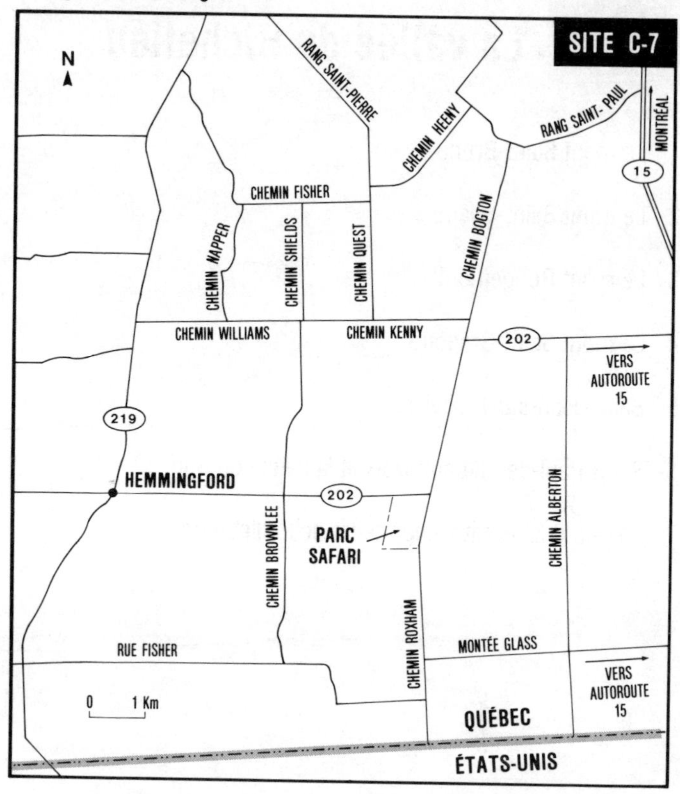

La prochaine étape consistera à examiner attentivement les champs le long des chemins Fisher et Quest. Le Dindon sauvage y a été observé en bordure des bois, particulièrement à l'intersection du chemin Quest et du rang Saint-Pierre. Finalement, le visiteur terminera son périple en parcourant lentement le chemin Heeny où un peuplement de jeunes pins abrite plusieurs Bruants des champs. Au bout du chemin Heeny, le rang Saint-Paul sud (vers la droite) nous reconduira vers la route 15.

Secteur D

La vallée du Richelieu

1- Le mont Saint-Bruno

2- Le mont Saint-Hilaire

3- Le mont Rougemont

4- Le mont Saint-Grégoire

5- Saint-Jean-sur-Richelieu

6- Saint-Paul-de-l'Île-aux-Noix et la rivière du Sud

7- Le refuge d'oiseaux migrateurs de Philipsburg

La vallée du Richelieu

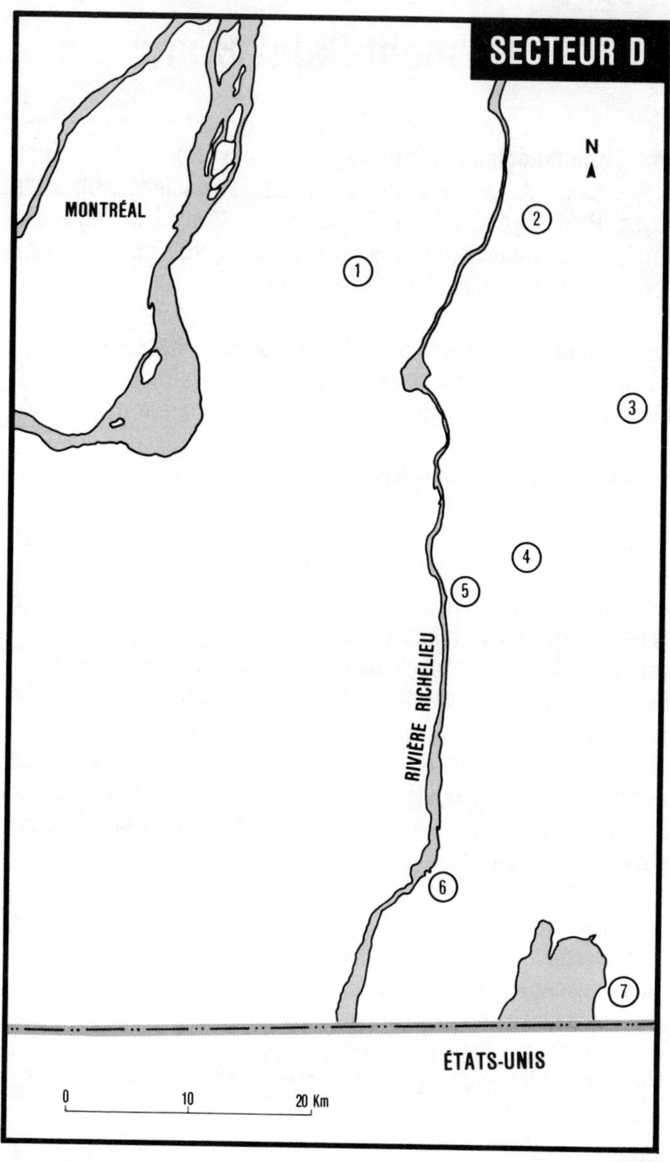

Site D-1

Le mont Saint-Bruno

Profil ornithologique : rapaces et passereaux. *Spécialités :* Urubu à tête rouge, Autour des palombes, Buse à épaulettes, Chouette rayée, Petite Nyctale, Grand Pic, Grand Corbeau, Troglodyte des forêts, Gobe-moucherons gris-bleu, Viréo à gorge jaune, Paruline azurée, Cardinal rouge, Bec-croisé rouge.

Localisation : Le mont Saint-Bruno est situé au sud-ouest du Québec et à l'est de Montréal, dans le comté de Chambly. Il faut compter de 25 à 35 minutes pour s'y rendre à partir de Montréal.

Accès : Le site est surtout accessible par le parc provincial du Mont-Saint-Bruno. Il y a trois terrains de stationnement et un poste d'accueil. Pour y parvenir, il existe trois principales voies d'accès à partir de Montréal. Du centre-ville, l'itinéraire le plus simple emprunte le pont Jacques-Cartier, puis le boulevard Taschereau et la route 116 ; on s'y rend ensuite par le chemin des 25, via l'autoroute 30. À partir de l'ouest de la ville, il est possible d'emprunter l'autoroute des Cantons-de-l'Est (10), puis l'autoroute 30. Enfin, pour les visiteurs en provenance du nord de la ville ou des régions périphériques, l'itinéraire le plus simple emprunte l'autoroute 20 ouest et la sortie du boulevard Montarville. Cette dernière voie se prolonge jusqu'au chemin des 25 où il faut tourner à gauche pour parvenir jusqu'au site.

Périodes cibles : L'observation des oiseaux est intéressante en toutes saisons au mont Saint-Bruno. Toutefois, les périodes les plus propices comprennent le printemps: du début d'avril à la fin de mai ; le mois de juin ; puis du milieu d'août à la fin de novembre et enfin l'hiver, aux mois de février et mars. Le meilleur moment de la journée est tôt le matin quoique la fin de la matinée est recommandée pour l'observation des oiseaux de proie diurnes. Un minimum d'une demi-journée est nécessaire pour visiter les principaux sites d'intérêt, en particulier au printemps.

Renseignements spéciaux : Quelques sentiers du parc et les bois périphériques sont rocailleux. Il est donc utile d'apporter de solides bottes de marche. Une carte du parc indiquant l'emplacement de la plupart des sentiers est disponible au poste d'accueil. L'équipement d'observation indispensable se limite aux jumelles. La lunette d'approche peut être utile pour observer les rapaces à distance.

Description du site : Le mont Saint-Bruno est l'une des 10 collines montérégiennes. C'est la moins élevée. En effet, son altitude dépasse à peine 200 mètres. Une autre caractéristique est la présence de 5 lacs et de plusieurs vallons. Enfin, on retrouve quelques escarpements malgré l'absence de falaise importante. La plus grande partie de la surface est couverte par la forêt. Les principaux groupements forestiers sont dominés par l'Érable à sucre, le Chêne rouge ou le Hêtre à grandes feuilles. On retrouve aussi d'autres espèces comme le Bouleau jaune, le Caryer ovale et le Caryer cordiforme. Enfin, quoique couvrant une faible superficie, les conifères sont présents. On retrouve quelques petits peuplements dominés par la Pruche du Canada, une plantation de Pins gris située au sud du lac des Bouleaux et un peuplement mixte où se retrouvent plusieurs Pins blancs à l'est du lac du Moulin.

Reconnaissant sa valeur biologique, le ministère du Loisir, de la Chasse et de la Pêche entreprenait en 1977 la création du parc du Mont-Saint-Bruno. Ce dernier couvre une superficie d'environ 7 km carrés dont la majeure partie se retrouve sur le mont. Enfin, en octobre 1985, il fut inauguré et déclaré officiellement parc de conservation.

Le mont St-Bruno peut se classer parmi les sites ornithologiques les plus captivants dans le sud du Québec. Quelque 230 espèces d'oiseaux ont été observées sur le mont et ses environs depuis

1972, soit sur une superficie totale d'environ 20 km carrés. Depuis la même époque, environ 112 espèces ont niché ou nichent encore sur le territoire, la dernière espèce à être confirmée nicheuse est l'Urubu à tête rouge au printemps 1990.

Ce site est connu pour la nidification d'une variété importante d'oiseaux forestiers. On y trouve des espèces aussi rares que le Viréo à gorge jaune, le Gobe-moucherons gris-bleu et la Paruline azurée. Une des seules mentions de nidification récentes du Bec-croisé rouge pour le Québec provient du mont Saint-Bruno (1977). Le Cardinal rouge est relativement abondant à Saint-Bruno et dans la périphérie du parc. Notons aussi que plusieurs espèces de parulines y nichent, entre autres la Paruline des ruisseaux, la Paruline à gorge orangée, la Paruline noir et blanc et la Paruline bleue à gorge noire. La Paruline des pins a possiblement niché durant quelques années et est observée presque chaque année. Parmi les autres espèces nicheuses, mentionnons le Coulicou à bec noir, le Grand Pic, le Moucherolle phébi, la Sittelle à poitrine rousse, le Troglodyte des forêts, la Grive solitaire, le Moqueur polyglotte et le Passerin indigo.

Le mont Saint-Bruno est réputé pour sa communauté nicheuse d'oiseaux de proie. Les espèces les plus abondantes sont la Buse à épaulettes et la Chouette rayée (5 couples en 1987) mais on y retrouve aussi l'Autour des palombes, la Petite Buse, le Grand-duc d'Amérique, la Buse à queue rousse et plusieurs autres. D'autres espèces sont observées durant les périodes de migration. Mentionnons que l'Aigle royal et le Pygargue à tête blanche sont signalés presque chaque année. Le printemps 1987 fut particulièrement propice car, en seulement deux sorties, il a été possible de voir un total de trois Aigles royaux et deux Pygargues à tête blanche. Par ailleurs, les présences de l'Urubu à tête rouge sont de plus en plus fréquentes surtout de la fin de mars au début de juin. La Petite Nyctale peut être trouvée en tout temps de l'année mais il est plus facile de découvrir cet oiseau durant l'automne et l'hiver. Il a été possible de dénombrer jusqu'à 6 individus en quelques heures en novembre et jusqu'à 4 individus ont déjà hiverné. Enfin les sites dégagés sur le mont permettent d'observer les migrations des rapaces diurnes. Malgré un effort relativement faible d'observation, il a été possible durant les meilleures journées de compter plusieurs centaines de rapaces migrateurs, surtout à l'automne vers la mi-septembre. Les espèces les plus abondantes sont la Petite Buse et l'Épervier brun.

Les oiseaux aquatiques ou de rivage ne sont pas abondants mais une grande variété a été observée au fil des ans. Parmi les espèces qui se rencontrent presque chaque année, notons : le Huart à collier, le Grèbe à bec bigarré, le Grèbe jougris, le Grand Héron, le Héron vert, la Bernache du Canada, le Morillon à collier et le Bec-scie couronné. Le Chevalier solitaire est régulièrement signalé au printemps et à l'automne.

Itinéraire suggéré :

Les étangs artificiels et le voisinage du terrain de stationnement (Site 1) : Pour le visiteur, ce point d'intérêt est le premier rencontré. Au nord du premier terrain de stationnement se trouvent deux petits étangs artificiels. Il est possible de rencontrer plusieurs canards et des hérons, notamment le Grand Héron. Au printemps et en été, on y voit le Passerin indigo, le Moqueur chat et plusieurs autres espèces de lisières. Le Gobe-moucherons gris-bleu a été observé à l'ouest du poste d'accueil. À l'automne et en hiver, on y trouve la Buse pattue et d'autres rapaces, la Pie-grièche grise et le Dur-bec des pins.

Le vallon (Site 2) : On accède à ce site à pied, en suivant les sentiers ou par un chemin. Tous partent du poste d'accueil. La distance est d'approximativement un kilomètre et il faut compter environ 15 minutes de marche. Le site est une dépression plutôt marécageuse qui est traversée par le chemin. Il est situé à proximité du lac Seigneurial. La Chouette rayée fréquente l'endroit en toutes saisons, la Petite Nyctale en automne et en hiver et le Troglodyte des forêts de la fin de mars à novembre. Un grand nombre d'autres espèces forestières y ont été notées.

Le lac Seigneurial et ses environs (Site 3) : On accède à ce site par un chemin qui fait le tour du lac. Il faut compter environ 20 minutes de marche à partir du poste d'accueil et 5 minutes à partir du vallon. Le lac Seigneurial est le plus propice pour l'observation de l'avifaune aquatique au mont Saint-Bruno. La plupart des espèces de canards y ont été signalées, y compris le Canard roux et les macreuses. Les périodes les plus favorables sont au printemps entre la fin d'avril et le milieu de mai et en automne du milieu d'août jusqu'à la fin de novembre. L'espèce la plus fréquente et la plus abondante est la Bernache du Canada. C'est le site par excellence pour les passereaux forestiers. La forêt entourant le lac est propice à l'observation de la Paruline azurée, du Viréo à gorge jaune et du Gobe-moucherons gris-bleu au printemps et en été. Durant l'époque de la migration printanière, en mai, il est possible de voir des centaines de parulines, le Tangara écarlate, des viréos, etc. Parmi les rapaces, la Chouette rayée et la Buse à épaulettes sont fréquemment aperçues sur le chemin qui fait le tour du lac. Notons que deux couples de Chouettes rayées nichent chaque année aux abords du lac. Enfin, le côté ouest du lac est l'un des endroits les plus propices pour chercher le Grand Pic.

Le lac des Bouleaux (Site 4) : On peut accéder à ce site soit à partir du lac Seigneurial, après un maximum de 10 minutes de marche par un sentier, soit par un chemin à partir du poste d'accueil, via le vallon. Il faut alors compter près de 25 minutes de marche. Le lac des Bouleaux est intéressant en toutes saisons mais surtout en automne, en hiver et au printemps. À l'ouest du lac se trouve une plantation de Pins gris couvrant 0,3 hectare environ. Ce site est l'un des plus propices pour l'observation de la Petite Nyctale. Jusqu'à quatre individus ont été signalés dans la même journée et la Nyctale boréale y a été aperçue en février 1980. Toutefois, un verglas à l'automne 1983 a considérablement réduit l'attrait du site pour ces

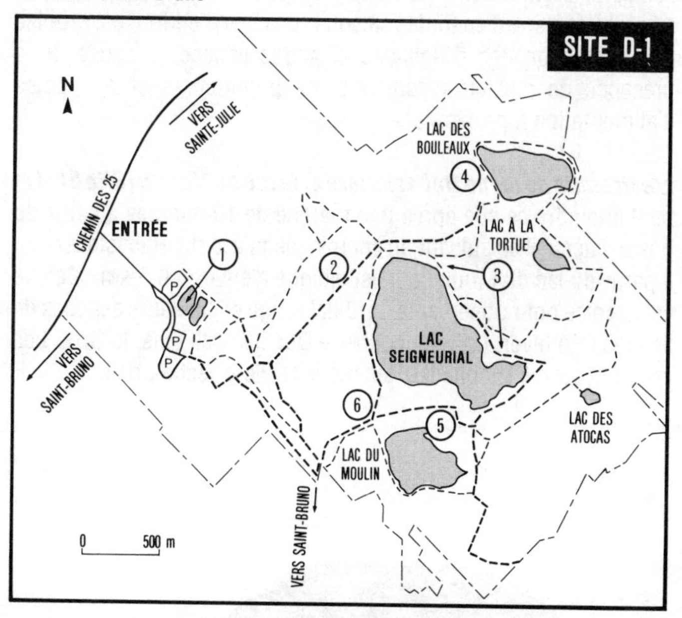

espèces. Le site est encore propice pour la Gélinotte huppée et pour un bon nombre d'espèces, particulièrement en hiver. Le Grand Corbeau fréquente régulièrement les parages du lac. La Paruline azurée a déjà été observée au nord du lac des Bouleaux. Un sentier fait presque le tour du lac.

Le lac du Moulin et ses alentours (Site 5) : Ce site est accessible à partir de différents points. Il se trouve à quelques minutes de marche du site 3 et est accessible par un chemin. Il est situé entre le lac Seigneurial et le lac du Moulin. On y retrouve une pelouse, un ancien verger, une petite friche, deux lacs, des jardins et la forêt à proximité. Il est possible de trouver un grand nombre d'espèces sur ce site à cause notamment de la variété de paysages. Les espèces particulières sont le Grand Pic, la Paruline des pins, la Buse à épaulettes, l'Hirondelle à ailes hérissées et le Bec-croisé rouge. Le site est intéressant en toutes saisons. En hiver, l'endroit est propice à l'observation des fringillidés et autres espèces à cause de la présence de plusieurs conifères, de pommetiers et de postes d'alimentation à proximité.

L'extrémité de la rue Rabastalière et la rue du Moulin (Site 6) : On peut atteindre ce site après une marche de 10 minutes à partir du poste d'accueil en suivant un chemin jusqu'à la rue Rabastalière ou à partir du lac du Moulin qui est éloigné d'environ 0,5 km. Ce site est propice pour observer le Cardinal rouge et plusieurs espèces de lisières. En hiver, on y rencontre le Dur-bec des pins, le Gros-bec errant et autres fringillidés, ainsi que la Pie-grièche grise.

Chouette rayée

Site D-2

Le mont Saint-Hilaire

Profil ornithologique : rapaces, nombreuses espèces sylvicoles. *Spécialités :* Urubu à tête rouge, Buse à épaulettes, Faucon pèlerin, Grand Pic, Grand Corbeau.

Localisation : Le mont Saint-Hilaire est situé à l'est de la région métropolitaine, soit à 35 km du centre-ville de Montréal. Il faut compter 30 à 40 minutes pour s'y rendre.

Accès : Trois voies d'accès convergent vers cette montagne. À partir du secteur est de Montréal, on peut emprunter le pont-tunnel L.-H. Lafontaine et poursuivre sur l'autoroute 20 est jusqu'à la hauteur de la route 133 qui mène vers Mont-Saint-Hilaire en direction sud. À partir du centre-ville, il est préférable de prendre le pont Jacques-Cartier. Sur la rive sud, le boulevard Taschereau donne accès à la route 116 est qui se dirige vers la montagne. Par le pont Champlain, on roule ensuite sur l'autoroute 10 est (autoroute des Cantons-de- l'Est) jusqu'à la sortie 29 où il faudra utiliser la route 133 nord jusqu'à Mont Saint-Hilaire.

Dans la municipalité de Mont-Saint-Hilaire, des panneaux routiers indiquent avec précision le chemin qui conduit vers le Centre de conservation de la nature. En détail, à partir de la route 116, il faudra rouler sur la rue Fortier puis continuer ensuite sur le chemin Ozias-Leduc jusqu'au chemin de la Montagne où il faudra tourner à gauche. Au chemin des Moulins, il faudra de nouveau tourner à gauche jusqu'au domaine Gault, 200 mètres plus loin.

Périodes cibles : Le printemps et l'été sont sans doute les deux meilleures saisons puisque l'abondance et la diversité des espèces atteignent alors un sommet. L'automne permet d'observer plusieurs espèces aquatiques sur le lac Hertel tandis que l'hiver est particulièrement intéressant pour rechercher les pics et autres espèces fréquentant les mangeoires. Il faut prévoir y passer au moins une demi-journée.

Renseignements spéciaux : Un léger tarif est réclamé à l'entrée du Centre de la nature. Les bottes ne sont pas indispensables pour se promener dans les sentiers du mont Saint-Hilaire. Durant l'hiver, on peut même circuler sans raquettes dans des sentiers déneigés. La lunette d'approche peut s'avérer très utile pour l'observation de la sauvagine surtout présente à l'automne sur le lac Hertel. En cas de mauvais temps, on peut trouver refuge dans le pavillon d'accueil.

Description du site : S'élevant à 400 mètres au-dessus du niveau de la rivière Richelieu, le mont Saint-Hilaire se distingue comme la plus imposante des collines montérégiennes. Le domaine Gault, propriété de l'Université McGill, occupe la majeure partie de la montagne, soit environ 11 km carrés.

Ce domaine est réparti en deux secteurs. Le secteur du Centre de la nature, d'une superficie de 6 km carrés, est accessible au public, tandis que l'autre secteur sert à des fins de recherche. Le Centre de la nature est géré par le Centre de conservation de la nature dont les objectifs principaux sont la préservation et l'aménagement de la montagne ainsi que la mise sur pied de programmes d'interprétation de la nature.

Le mont Saint-Hilaire jouit de deux statuts particuliers. En 1960, il fut déclaré refuge d'oiseaux migrateurs, ce qui en fait par conséquent un territoire où la possession d'armes à feu est interdite. En 1978, il fut désigné réserve de la biosphère par l'Organisation des Nations Unies pour l'éducation, la science et la culture (UNESCO) à cause de sa composition géologique et biologique unique.

Cette montagne est recouverte d'une forêt parvenue à maturité qui est demeurée presqu'intacte au cours des siècles. Un lac de

0,3 km carré s'étend dans une dépression formée au pied des sommets périphériques.

Alors que les pentes raides sont couvertes de bouquets de pins, de chênes et d'érables, le pourtour du lac est quant à lui composé principalement d'essences feuillues comprenant l'Érable à sucre, le Hêtre à grandes feuilles, le Chêne rouge, le Tilleul d'Amérique et le Frêne d'Amérique. C'est dans cet habitat qu'il est possible de trouver la Buse à épaulettes et le majestueux Grand Pic.

Le fort relief de cette montagne en fait un site intéressant pour l'observation des rapaces diurnes en migration. De plus, le mont Saint-Hilaire est l'un des rares sites naturels dans le sud du Québec où il est possible d'observer un couple de Faucons pèlerins nicheurs. Au retour de leur longue migration, il est possible de les voir évoluer dans les cieux près de la paroi rocheuse qui fait face à la route 116. Pendant tout l'été, il n'est pas rare d'y rencontrer des Urubus à tête rouge en nombre appréciable. Jusqu'à ce jour, aucun nid n'a été repéré mais l'habitat est tout à fait propice à la nidification de cette espèce. Il est probable qu'elle fera prochainement partie des 80 espèces d'oiseaux nicheurs de la montagne sur un total de 187 espèces observées jusqu'à ce jour.

Itinéraire suggéré : Le Centre de la nature englobe un réseau de 24 km de sentiers, réparti en cinq pistes principales. Chacune de ces pistes est jalonnée de symboles, et culmine à un des cinq sommets principaux de ce secteur : la piste rouge au sommet Rocky, la bleue au sommet Sunrise, la verte au sommet Dieppe, la jaune au sommet du Pain de Sucre, et l'orange au sommet Burned Hill.

Le pavillon d'accueil : Peu après avoir pénétré sur le site, le visiteur atteint le pavillon d'accueil. Pendant la saison froide, plusieurs postes d'alimentation y sont aménagés, permettant l'observation des oiseaux à faible distance. Un Pic à ventre roux s'y est alimenté pendant l'hiver 1988-89, ce qui constitue une mention fort inusitée pour la région.

Le lac Hertel : C'est principalement à l'automne que le lac, situé à 15 minutes de marche du pavillon, offre le spectacle de centaines d'oiseaux aquatiques. De la mi-septembre à la mi-novembre, bernaches, morillons, macreuses et huarts viennent s'y reposer et refaire le plein de nourriture avant de nous quitter définitivement pour l'hiver.

Durant la saison estivale, on trouve en périphérie du lac plusieurs espèces nicheuses, entre autres le Viréo à gorge jaune et la Paruline azurée. Cette dernière qui est pratiquement inconnue dans le reste du Québec fut observée régulièrement, en petit nombre, dans les

Junco ardoisé

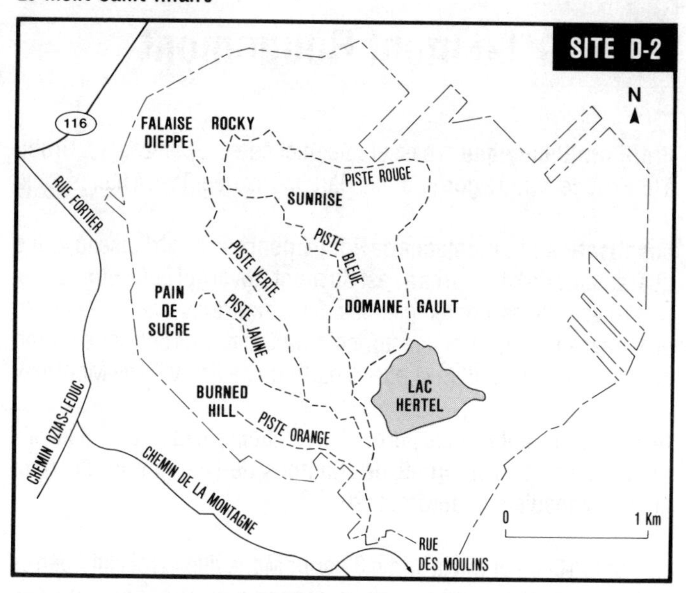

grands arbres feuillus bordant le lac à partir de 1961. Au début des années 80, un verglas dévastateur semble avoir entraîné une dégradation sérieuse de l'habitat où nichait cette petite population. Toutefois, des mentions de présence sporadiques laissent penser que cette paruline ait pu s'établir ailleurs dans la montagne.

Les sommets Dieppe et Pain de sucre : Ces deux sommets situés respectivement à 75 et 60 minutes de marche du lac sont des endroits tout désignés pour y voir le Grand Corbeau ainsi que plusieurs oiseaux de proie diurnes. Buses, éperviers, faucons et urubus y sont rencontrés fréquemment et à l'occasion, il est possible d'y voir un Pygargue à tête blanche ou un Aigle royal se laisser flotter dans l'air.

Site D-3

Le mont Rougemont

Profil ornithologique : passereaux nicheurs. *Spécialités :* Urubu à tête rouge, Viréo à gorge jaune, Paruline azurée, Tohi à flancs roux.

Localisation : La montagne de Rougemont est, à vol d'oiseau, à une quarantaine de kilomètres à l'est du mont Royal qui fait, comme elle, partie des collines montérégiennes. Située entre les rivières Richelieu et Yamaska, dans la plaine agricole du Saint-Laurent, on s'y rend aisément en moins d'une heure à partir du centre-ville de Montréal.

Accès : Deux autoroutes permettent d'atteindre rapidement la ville de Rougemont : l'autoroute des Cantons-de-l'Est (autoroute10) et la Transcanadienne (autoroute20).

Par la 10, on prend la sortie 37 pour Marieville. Trois kilomètres avant la sortie, on a une vue panoramique des collines montérégiennes. À Marieville, on suit la 112 est. La première des quatre sorties vers Rougemont mène au centre touristique pommicole qui sert de point de référence sur la carte (environ 35 minutes du pont Champlain, 44 km).

Par la 20, on prend la sortie 115 et on suit la 229 sud en direction de Saint-Jean-Baptiste puis de Rougemont jusqu'au centre touristique. Cette route offre une belle vue sur le mont Saint-Hilaire (environ 40 minutes du tunnel L.-H. Lafontaine, 48 km).

Périodes cibles : En tout temps, la montagne est intéressante à visiter. Lors des migrations printanières, durant la nidification estivale, dans la féerie des couleurs automnales ou en ski de fond l'hiver, on peut y faire de bonnes observations. Comme cette montagne est beaucoup moins fréquentée que les autres collines montérégiennes, on y circule avec plus de tranquillité. Pour obtenir une expérience approfondie de cette vaste montagne, il faudra y prévoir plus d'une visite.

Renseignements spéciaux : Trois municipalités (Rougemont, Saint-Jean-Baptiste et Saint-Damase) se partagent le mont Rougemont et chacune a ses pistes de ski de fond. Toute la montagne est subdivisée en lots qui appartiennent à une centaine de propriétaires. Ses deux sommets les plus élevés servent de pistes d'envol à un club de deltaplanes et ses sentiers sont sillonnés, voire tracés par des motos tout-terrain. La marche y est plutôt fatigante à cause des assez fortes dénivellations et de l'état des pistes qui sont, par endroits, très boueuses.

La montagne est grande, les pistes nombreuses et on peut y marcher très longtemps. Il vaudrait peut-être mieux s'en tenir aux pistes de ski de fond balisées si l'on n'a pas un bon sens de l'orientation. La carte ci-jointe est un bon guide mais il convient toujours d'être prudent.

Rougemont est une région réputée pour ses vergers et la ballade vaut le coup d'oeil, particulièrement à l'automne. Le centre pommicole est intéressant à visiter et on peut y déguster les produits de la pomme.

Description du site : Émergeant d'une vaste plaine agricole, entourée de vergers, la montagne abrite une grande diversité d'oiseaux forestiers. Bien que la végétation primitive y soit presque complètement disparue à cause de l'abattage, on y trouve des bois en regain à différents stades et l'érablière à sucre occupe de bons secteurs de la colline. La Pruche du Canada est le conifère le plus fréquent.

Dans ces forêts nichent cinq espèces de pics (incluant le Grand Pic), cinq moucherolles et tyrans, les trois moqueurs, trois viréos et au moins treize parulines. La Paruline azurée y a déjà été vue dans le passé mais elle reste à redécouvrir. Le Grand-duc d'Amérique, la Chouette rayée et la Petite Buse y chassent discrètement et on y observe souvent des familles de Gélinottes huppées. Le Colibri à gorge rubis, le Grimpereau brun et les deux sittelles s'y rencontrent et un peu partout chante le Troglodyte des forêts. Geais, cardinaux, orioles, tangaras, chardonnerets et roselins ajoutent couleur et musique aux excursions. À toutes ces espèces se joignent, au printemps et à l'automne, un bon nombre de migrateurs.

Dans les vergers, on peut observer la Tourterelle triste, le Tyran tritri, l'Étourneau sansonnet, le Bruant chanteur et le Bruant familier.

Dans les champs, on remarque le Pluvier kildir, l'Alouette cornue, le Bruant des prés, le Goglu, la Sturnelle des prés, le Busard Saint-Martin et le Bruant vespéral.

Itinéraire suggéré : Quatre endroits permettent d'accéder à la montagne:

Le chemin du Moulin (Site 1) : situé à 2,8 km du centre touristique par la 229 nord. À l'indication "Érablière Mont-Rouge, F. Goyette, prop.", on tourne à droite. Un demi-kilomètre plus loin, une pancarte nous interdit de continuer. Même si l'accès en automobile est strictement réservé aux membres du club de deltaplanes, on peut monter à pied à la croix sans problèmes. De là-haut, la vue est vraiment saisissante. Des sentiers permettent de se rendre au lac Saint-Damase.

Le camping Au Pied du Mont (Site 2) : situé à 6,1 km du centre touristique. Il faut suivre la 229 nord et tourner à droite au rang du Cordon. Quelque 42 km de pistes de ski de fond permettent d'explorer la face ouest de la montagne. Ce centre est relié au suivant par une piste de niveau intermédiaire. L'été, 2,00 $ donnent droit aux sentiers et à la piscine (!); l'hiver, 3,00 $ pour la raquette

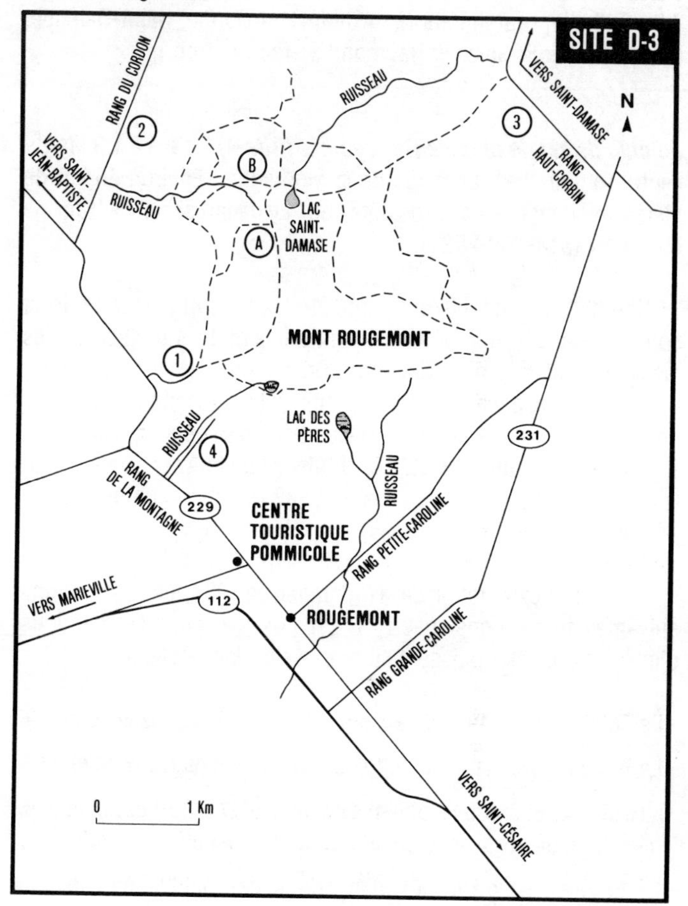

ou le ski de fond (3225 rang du Cordon, Saint-Jean-Baptiste, (514) 467-6318, M. Weber, prop.).

Le relais de l'Écureuil (Site 3) : situé à 9 km du centre touristique par la 231 nord. Quelque 40 km de pistes sillonnent le versant nord-ouest du mont et communiquent avec le camping Au Pied du Mont. 3,00 $ l'hiver, gratuit l'été (314 rang Haut Corbin, Saint-Damase, (514) 797-3958, Gilles et Raymond St-Pierre, prop.).

Le club de ski de fond de Rougemont (Site 4) : situé à 1,3 km du centre touristique, sur la rue de la Montagne. Environ 55 km de pistes couvrent une partie du côté sud. Le départ se fait de la ferme McArthur (514-469-2521).

Une ballade agréable qui complète bien la randonnée en forêt consiste à faire le tour de la montagne par la route pour observer les oiseaux d'habitats plus ouverts. On débute par le rang Petite-Caroline d'où le panorama est superbe. À l'intersection avec la 231 nord, il faut tourner à gauche vers Saint-Damase puis 7 km plus loin, à gauche sur le rang Saint-Louis. Enfin, il faut tourner à gauche sur le rang Cordon d'où on rejoint la route 229. Le tour complet donne 28 km.

Lors d'une exploration de la montagne en 1988, les observations suivantes furent consignées. Il est possible que ces mentions d'intérêt particulier puissent se renouveler dans l'avenir.

- Le Tohi à flancs roux niche dans une clairière déboisée au site A.
- Le Viréo à gorge jaune chante sur un chemin pierreux au site B.
- L'Urubu à tête rouge s'observe au milieu des journées chaudes, n'importe où au-dessus de la montagne (jusqu'à 5 individus).
- Le Cardinal rouge va aux mangeoires des habitations près du centre touristique.
- Le Moqueur polyglotte niche sur le rang Petite-Caroline.
- La Maubèche des champs niche sur le chemin qui mène au centre de ski de fond de Rougemont.
- Le Passerin indigo se retrouve près de l'érablière Mont-Rouge.

Maubèche des champs

Site D-4

Le mont Saint-Grégoire

Profil ornithologique : passereaux insectivores. *Spécialités :* Urubu à tête rouge.

Localisation : Ce site est situé au sud-est de Montréal à moins de 45 minutes du centre-ville en voiture.

Accès : On accède à ce site via l'autoroute des Cantons-de-l'Est (autoroute 10) et l'autoroute 35 (sortie 22) suivie de la route 104 vers l'est. À Saint-Grégoire (6 km), il faut continuer tout droit au feu clignotant puis tourner à gauche (1,6 km) au chemin Sous-Bois. On peut aussi se rendre à cet endroit via la sortie 37 de l'autoroute 10. On poursuit alors sur la route 227 vers le sud puis on tourne à droite sur le chemin Sous-Bois (3 km).

Périodes cibles : Ce site offre un intérêt plus marqué de mai à juillet. Pour une visite fructueuse des lieux, il faudra y passer quelques heures tôt en matinée.

Description du site : Le mont Saint-Grégoire est l'une des dix collines montérégiennes. Il s'agit de la plus petite. Îlot forestier en pleine région agricole, le mont Saint-Grégoire est bien connu pour l'exploitation de ses érablières à sucre. Les principales espèces présentes sont typiques des forêts décidues du sud-ouest du Québec : Grive des bois, Pioui de l'Est, Viréo aux yeux rouges, etc. Depuis quelques années, l'Urubu à tête rouge fréquente la falaise du côté est de la montagne durant la saison de reproduction.

Itinéraire suggéré : Le principal site d'intérêt dans ce secteur est le Centre d'interprétation du milieu écologique situé sur le chemin

Le mont Saint-Grégoire

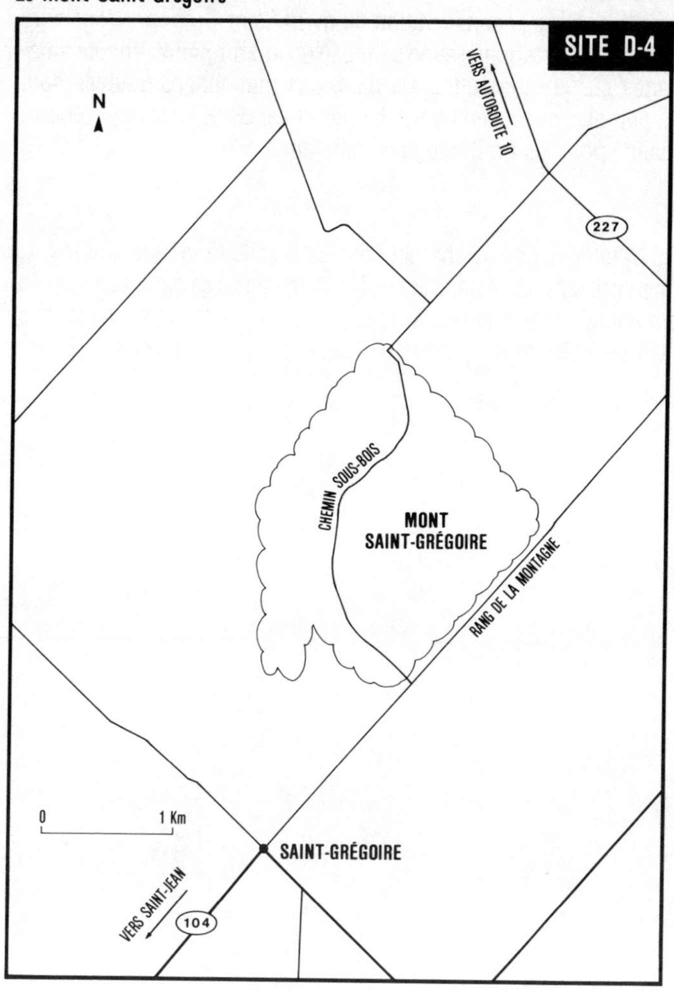

Sous-Bois. Ce centre fut créé dans le but d'éduquer et de sensibiliser le public à la conservation du mont Saint-Grégoire. Plusieurs sentiers de randonnée avec panneaux d'interprétation ont été aménagés sur la montagne. De plus, des randonnées guidées sont disponibles sur réservation. L'endroit est donc fortement recommandé pour les ornithologues débutants.

À l'intersection du chemin Sous-Bois et du rang de la Montagne, on peut examiner le flanc est de la montagne en se garant en face du cimetière Mont-Saint-Grégoire. C'est surtout sur ce flanc que l'Urubu à tête rouge peut être observé au printemps et en été.

Site D-5

Saint-Jean-sur-Richelieu

Profil ornithologique : canards plongeurs. *Spécialités :* Garrot de Barrow.

Localisation : La ville de Saint-Jean-sur-Richelieu est implantée sur la rive ouest de la rivière Richelieu, un peu au sud-est de Montréal; on s'y rend facilement à partir de Montréal en 30 minutes.

Accès : À partir du centre-ville de Montréal, on accède à ce site via le pont Champlain, l'autoroute 10 est (autoroute des Cantons-de-l'Est) et l'autoroute 35 sud.

Périodes cibles : C'est à l'automne, particulièrement en novembre, que ce site affiche le plus d'intérêt. En moins d'une heure, il est possible d'explorer complètement cet endroit.

Description du site : Les eaux lentes de la rivière Richelieu coulent du lac Champlain jusqu'au fleuve Saint-Laurent où elles se déversent près de Sorel. La vallée du Richelieu est une importante voie de migration pour la sauvagine, particulièrement au printemps. Depuis quelques années toutefois, l'utilisation intensive de ce cours d'eau par les plaisanciers, la construction domiciliaire sur les rives ainsi que le drainage des terres agricoles avoisinantes ont entraîné une réduction considérable du nombre d'oiseaux observés. Néanmoins, on note encore des rassemblements de sauvagine en certains endroits au printemps (voir site D6) ainsi qu'à l'automne. À l'automne, l'un de ces endroits, situé en plein centre de la ville de Saint-Jean, est fréquenté par plusieurs espèces de canards plongeurs. La rivière étant peu large à cet endroit, il est facile de repérer les canards à l'aide de jumelles ou mieux encore à l'aide d'une lunette d'approche. Voici la liste des canards plongeurs qui ont été observés sur ce site ces dernières années : Morillon à dos blanc, Morillon à tête rouge, Morillon à collier, Grand Morillon, Petit Morillon, Canard kakawi, Macreuse à bec jaune, Macreuse à ailes blanches, Garrot à oeil d'or, Garrot de Barrow, Petit Garrot, Bec-scie couronné, Grand Bec-scie, Bec-scie à poitrine rousse, Canard roux.

Itinéraire suggéré : À partir de l'autoroute 35, le visiteur doit emprunter le boulevard du Séminaire (sortie 7) et tourner à gauche sur la rue Loyola afin de rejoindre le boulevard Champlain en bordure de la rivière. Deux points stratégiques permettent l'examen de la rivière; le premier se trouve à 500 mètres vers la gauche le long du boulevard Champlain. Il s'agit d'une aire de stationnement en bordure de la rivière face au motel Harris. On accède au deuxième site en tournant à droite sur le boulevard Champlain. Au coin de la rue Saint-Paul (1,5 km), le visiteur devra laisser sa voiture et traverser l'écluse no 9 du canal Chambly pour se rendre sur la promenade d'où il pourra examiner une autre portion de la rivière. On optera préférablement pour ces deux sites en après-midi alors que le soleil se trouve à l'ouest derrière l'observateur.

D'autres sites d'observation situés sur la rive est de la rivière offriront de meilleures conditions d'éclairage en matinée. Pour s'y rendre, on retourne vers l'autoroute 35 et on traverse la rivière; la sortie 6 mène directement sur la rive est. Il est alors possible d'examiner la rivière après avoir stationné sous le pont sur l'accotement de la route ou environ 1 km en amont, face au collège des Frères Maristes.

Saint-Jean-sur-Richelieu

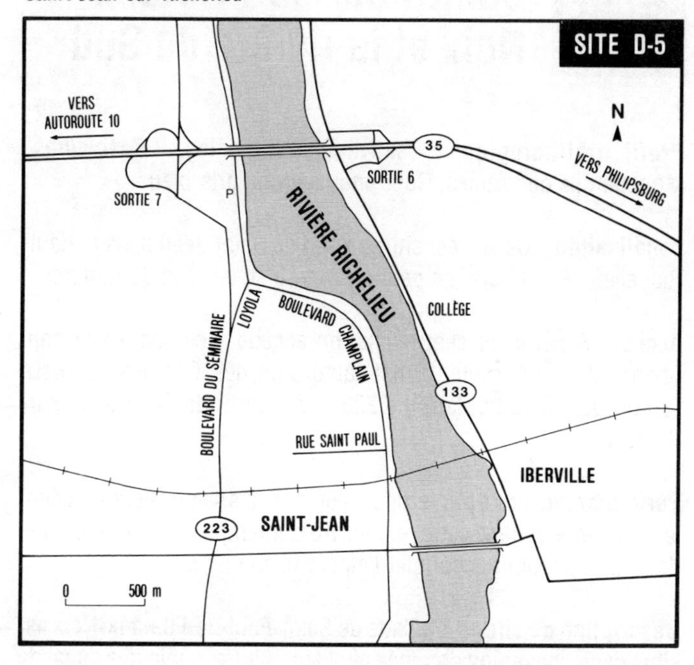

Site D-6

Saint-Paul-de-l'Île-aux-Noix et la rivière du Sud

Profil ornithologique : sauvagine, limicoles. *Spécialités :* Moucherolle des saules, Gobe-moucherons gris-bleu.

Localisation : Ce site est situé au sud de Saint-Jean dans le Haut-Richelieu. En voiture, on peut s'y rendre en environ 60 minutes.

Accès : À partir du centre-ville, on accède à ce site via le pont Champlain, l'autoroute 10 est (autoroute des Cantons-de-l'Est), l'autoroute 35 sud et la route 223 sud à partir de Saint-Jean-sur-Richelieu.

Périodes cibles : Le printemps et l'été sont les saisons qui suscitent le plus d'intérêt dans cette région. Au printemps, il faut prévoir une demi-journée pour accomplir l'itinéraire suggéré.

Description du site : Le village de Saint-Paul-de-l'Île-aux-Noix est situé dans une région dominée par l'agriculture, sur la rive ouest de la rivière Richelieu, à peu près à mi-chemin entre la ville de Saint-Jean et la frontière canado-américaine. La vallée du Richelieu a toujours été une voie de migration très importante pour la sauvagine. Depuis quelques années, toutefois, le drainage des terres agricoles en bordure du Richelieu ainsi que la construction domiciliaire ont considérablement modifié le visage de cette région. Les concentrations de sauvagine observées dans la région sont à la baisse tandis que l'accessibilité aux bons sites d'observation devient de plus en plus difficile.

Il en est de même pour les marécages du bassin de la rivière du Sud dont l'étendue a été considérablement réduite suite aux divers travaux de dragage et de remblayage en 1983.

Les espèces les plus fréquemment rencontrées au printemps dans ce secteur sont l'Oie des neiges, la Bernache du Canada, les différentes espèces de canards plongeurs (incluant le Morillon à dos blanc) et de canards barboteurs ainsi que quelques ardéidés et quelques limicoles. Parmi les ardéidés, le Grand Héron est le plus fréquent tandis que la Grande Aigrette et l'Ibis falcinelle n'ont été observés qu'à quelques reprises. Parmi les limicoles, plus d'une vingtaine d'espèces ont été signalées incluant des espèces aussi inusitées que le Bécasseau combattant et le Bécasseau cocorli.

Le Haut-Richelieu est aussi une région intéressante pour observer certains rapaces diurnes ainsi que le Balbuzard au printemps.

Durant la période de nidification, il subsiste encore quelques bons endroits où l'on retrouve des canards nicheurs et quelques autres espèces associées aux milieux humides.

Itinéraire suggéré : L'itinéraire débute sur la rive ouest du Richelieu, au sud de Saint-Blaise, le long de la route 223. De Saint-Blaise à Saint-Paul-de-l'Île-aux-Noix, les champs en bordure de la rivière

Sturnelle des prés

sont souvent inondés au printemps. L'importance des crues est toutefois très variable d'une année à l'autre. C'est lors de cette crue que l'on remarque des rassemblements de sauvagine dans les champs, parfois dès la fin de mars. Si la crue survient tardivement, par exemple à la fin de mai, on pourra alors observer des limicoles. L'examen des champs inondés peut se faire en circulant lentement sur les nombreuses avenues sans issue qui relient la route 223 et la rive du Richelieu. Le meilleur site semble être localisé entre la 81e avenue et la 93e avenue *(Site 1)*. Ce site est traversé par un petit ruisseau juste un peu au nord de la 81e avenue; ce dernier se déverse dans le Richelieu à la pointe de Bleury. Durant la saison de nidification, plusieurs espèces de canards barboteurs élèvent leur nichée le long du ruisseau. On y retrouve alors le Canard branchu, la Sarcelle à ailes vertes, le Canard colvert, la Sarcelle à ailes bleues, le Canard souchet et le Canard siffleur d'Amérique. Parmi les autres espèces nichant à la pointe de Bleury, on rencontre le Grèbe à bec bigarré, la Poule-d'eau, la Bécassine des marais, la Guifette noire, le Moucherolle des saules (abondant dans ce secteur), le Troglodyte des marais, et d'autres. Au sud de Saint-Paul-de-l'Île-aux-Noix, il est toujours possible d'observer des rassemblements de sauvagine au printemps mais l'accessibilité à la rivière reste très difficile.

Environ 8 km au sud de Saint-Paul-de-l'Île-aux-Noix, le visiteur devra tourner à gauche sur la route 202, ce qui l'amènera sur l'autre rive du Richelieu. Le chemin Bord-de- l'eau sud à droite lui permettra d'examiner cette rive jusqu'à la frontière *(Site 2)*. D'importantes bandes de morillons sont signalées en avril dans ce secteur. De retour à la route 202, on devra emprunter le chemin Bord-de-l'eau nord, suivi de la route 225 nord. Tout au long de cette route, les champs inondés peuvent attirer la sauvagine. Le chemin Melaven, situé à environ 7 km au nord de la route 202 se rend vers une pointe de terre s'intercalant entre le Richelieu et l'embouchure de la rivière du Sud; c'est la pointe du Gouvernement *(Site 3)*. Le ministère de l'Environnement a récemment institué une réserve écologique, la réserve Marcel-Raymond, sur une partie de cette pointe afin de préserver un peuplement de Chênes bleus. Le Gobe-moucherons

Saint-Paul-de-l'Île-aux-Noix et la rivière du Sud

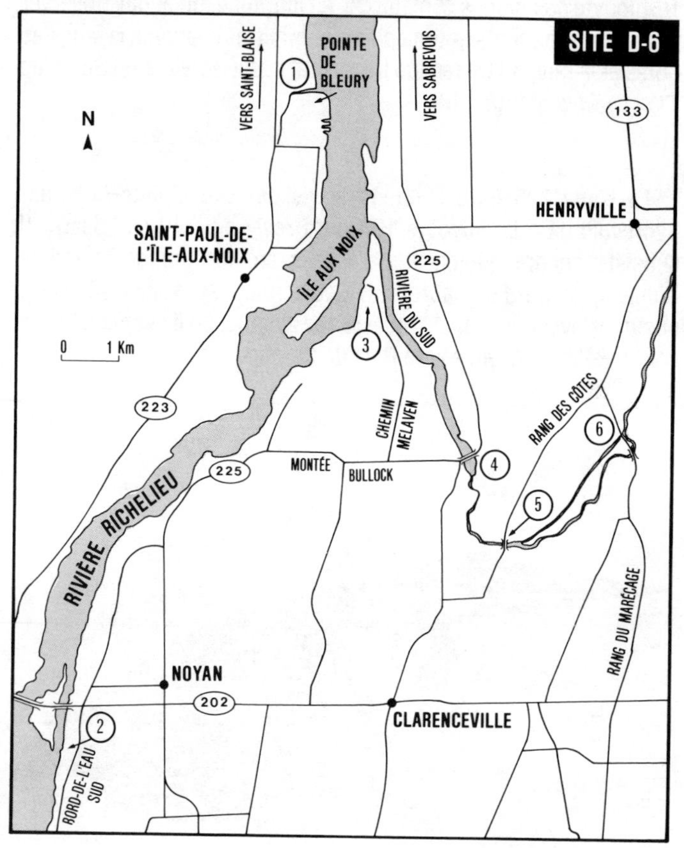

gris-bleu et le Viréo à gorge jaune ont récemment niché sur ce territoire.

De retour sur la route 225 (montée Bullock), le visiteur traversera plus loin la rivière du Sud *(Site 4)*. À cet endroit, on découvrira de part et d'autre du pont un marais peu profond où nichent quelques espèces de canards barboteurs, la Poule-d'eau, la Guifette noire, le Troglodyte des marais et d'autres. À l'automne, on peut y observer des rassemblements de limicoles. Deux autres chemins, le rang des Côtes et le rang du Marécage traversent aussi la rivière du Sud plus à l'est *(Sites 5 et 6).*

La route 225 nord conduira le visiteur vers Sainte-Anne-de-Sabrevois. De là, la route 133 nord revient vers Saint-Jean. Il subsiste encore quelques marécages en bordure de la rivière Richelieu au nord de Sabrevois. Ces derniers sont accessibles via quelques avenues, par exemple la 16e avenue, où il est possible de voir le Râle de Virginie et le Râle de Caroline.

Héron vert

Site D-7

Le refuge d'oiseaux migrateurs de Philipsburg

Profil ornithologique : espèces associées aux marais, rapaces diurnes, passereaux. *Spécialités :* Héron vert, Canard branchu, Urubu à tête rouge, Épervier de Cooper, Viréo à gorge jaune, Paruline azurée, Roselin familier.

Localisation : Ce refuge est situé dans l'extrême sud de la province en bordure de la baie Missisquoi et tout près de la frontière avec l'état du Vermont.

Accès : À partir de Montréal, on accède au site via le pont Champlain, l'autoroute 10 est (autoroute des Cantons-de-l'Est), l'autoroute 35 sud et la route 133 sud.

Périodes cibles : Toutes les saisons peuvent motiver l'amateur d'oiseaux à effectuer une visite à Philipsburg mais ce sont surtout le printemps et l'été qui procurent le plus de satisfaction. Comme partout ailleurs, les premières heures suivant le lever du soleil sont toujours les plus fructueuses. Il faudra prévoir y passer une demi-journée.

Renseignements spéciaux : Ce territoire est entièrement constitué de propriétés privées. Comme il se doit, les visiteurs doivent donc respecter la propriété d'autrui. Le terrain de stationnement situé à l'extrémité nord-est de l'étang Streit ainsi que l'aire de pique-nique adjacente se trouvent également en terrain privé. Une contribution volontaire de 2,00 $ par personne permet au propriétaire d'entretenir les lieux. La Société québécoise de protection des oiseaux (SQPO) voit, par ailleurs, à maintenir un réseau de sentiers dans le refuge. La numérotation des sentiers utilisée sur la carte correspond à celle retrouvée sur des écriteaux en forme de triangle et qui est accompagnée du sigle SQPO. En quelques endroits du refuge, on trouvera par ailleurs des panneaux de forme carrée portant un numéro qui n'est pas suivi du sigle SQPO. Il ne faut pas confondre cette numérotation avec celle utilisée dans ce texte.

Description du site : Le refuge d'oiseaux migrateurs de Philipsburg, créé en mars 1955, comprend plusieurs propriétés privées couvrant 480 hectares de terrains en bordure de la baie Missisquoi. Il englobe une partie du village de Philipsburg, un petit plan d'eau entouré de marais et de marécage (l'étang Streit) ainsi qu'un important secteur forestier. Au nord de l'étang Streit, on trouve également des champs et des friches.

Le refuge est traversé par deux axes routiers, la route 133 et le chemin Saint-Armand. La diversité des habitats dans cette région engendre une importante variété d'espèces d'oiseaux. Plus de 180 espèces ont été répertoriées dans le refuge, dont certaines sont très rares au Québec ; environ 115 y nichent. Lors des excursions organisées par la SQPO, en mai et en septembre de chaque année, plus de 100 espèces sont habituellement dénombrées.

Environ deux douzaines de nichoirs à Canard branchu ont été installés par la SQPO dans le marécage de l'étang Streit ; le pourcentage d'utilisation varie habituellement autour de 50%. À l'occasion, le Bec-scie couronné, le Garrot à oeil d'or, le Petit-duc maculé et la Crécerelle d'Amérique utilisent aussi ces nichoirs. En juin et juillet, il est fréquent d'observer une cane accompagnée de ses canetons sur l'étang. Outre ces espèces, plusieurs autres oiseaux aquatiques nichent en périphérie de ce dernier; on y trouve le Butor d'Amérique, le Petit Butor, le Héron vert, la Sarcelle à ailes vertes, le Canard noir, le Canard colvert, le Canard pilet, le Busard Saint-Martin, le Râle de Virginie, le Râle de Caroline, le Pluvier kildir, le Chevalier branlequeue, la Bécassine des marais, le Troglodyte des marais et le Bruant des marais.

À proximité de l'étang, on trouve également de bons endroits pour observer les rapaces diurnes, particulièrement lors de leur déplacement saisonnier. Presque tous les rapaces y ont été aperçus incluant le Pygargue à tête blanche et l'Aigle royal. Le rapace le plus commun, en particulier au printemps et à l'automne, est probablement l'Urubu à tête rouge. D'ailleurs, il est possible que ce dernier niche dans le refuge. Des bandes regroupant jusqu'à 40 individus ont déjà été vues en septembre au-dessus des collines au sud de l'étang. L'Épervier de Cooper et la Buse à épaulettes, deux oiseaux de proie très spectaculaires y nichent également. Depuis quelques années, le Grand Corbeau est régulièrement signalé ; il a d'ailleurs niché près du refuge.

Parmi les nombreux passereaux notés à Philipsburg, soulignons que le Viréo à gorge jaune, la Paruline à ailes dorées et la Paruline azurée, trois espèces se retrouvant ici à la limite septentrionale de leur aire de répartition, nichent ou ont déjà niché dans le refuge. Ce fut d'ailleurs dans ses limites que l'on fit en 1971 la découverte du premier nid de Paruline à ailes dorées au Québec et, en 1989, celle du premier nid de Paruline azurée. Plusieurs observations exceptionnelles ont également été consignées à Philipsburg ; pour piquer la curiosité, ne mentionnons ici que la Grue du Canada, la Mésange bicolore, la Paruline à gorge jaune, le Tangara vermillon et le Bruant des plaines.

Itinéraire suggéré : Le refuge de Philipsburg est partagé en trois secteurs. Le secteur le plus intéressant est situé à l'est de la route 133 et au sud du chemin Saint-Armand. Il comprend l'étang Streit, qui est la propriété de la SQPO, ainsi qu'un vaste territoire boisé. Les deux autres secteurs, soit celui situé entre les rives de la baie Missisquoi et la route 133 et celui situé au nord du chemin Saint-Armand présentent moins d'intérêt.

Le principal point d'accès au refuge est situé au nord-est de l'étang Streit. À partir de la route 133, il faut rouler 0,8 km sur le chemin Saint-Armand et tourner à droite sur un chemin de gravier conduisant à une aire de stationnement.

De cet endroit, on peut partir sans délai à la découverte de l'étang qui est situé tout près. En longeant ce dernier du côté nord, on trouvera une cache d'observation ainsi qu'un poste d'alimentation installés près d'un secteur densément peuplé de quenouilles; c'est l'endroit idéal pour surprendre un Petit Butor, un Canard branchu ou un râle. Le sentier No 6 qui suit le bord de l'escarpement au sud-est de l'étang permet, par ailleurs, d'obtenir un excellent coup d'oeil en plongée sur ce milieu. En suivant ce sentier ainsi que le sentier No 19 (qu'il faut utiliser pour éviter une section dangereuse du sentier No 6), on peut rejoindre éventuellement l'extrémité sud de l'étang, où une tour d'observation facilite aussi l'examen du marais. Pour se rendre plus rapidement à cette tour, on pourra, d'autre part, prendre l'autre extrémité du sentier No 6, à partir de la route 133 (près de l'intersection avec la route 7). Il faudra toutefois laisser sa voiture en bordure de la route 7 près du cimetière puisqu'il n'y a pas d'aire de stationnement à proximité.

Un réseau complexe de sentiers quadrille le territoire situé entre l'étang et la frontière, permettant ainsi d'explorer chaque coin de la forêt. Une douzaine d'espèces de parulines ainsi que le Viréo à gorge jaune nichent dans ce secteur. Depuis quelques années, un petit groupe de Parulines azurées revient à chaque printemps dans l'érablière qui s'étend au nord et à l'est de la cabane à sucre, tout près de la frontière. Il semble que cet endroit soit actuellement le seul au Québec où il est possible d'observer avec quasi-certitude cette espèce. Pour se rendre à proximité de la cabane à sucre, on pourra utiliser soit le sentier No 9, soit le sentier No 10 (suivi du sentier No 13). Ces deux sentiers partent d'un petit pré situé à environ 300 mètres au sud du terrain de stationnement. (Il faudra bien examiner les nichoirs installés en bordure de ce pré car ils sont souvent fréquentés par le Merle-bleu de l'Est). Le sentier No 10, qui suit le sommet d'une colline est beaucoup plus ardu que le sentier No 9. L'observateur impatient préférera donc ce dernier. Dans ce cas, l'aller-retour entre le terrain de stationnement et la cabane à sucre représente une randonnée d'environ 5 km.

Le refuge d'oiseaux migrateurs de Philipsburg

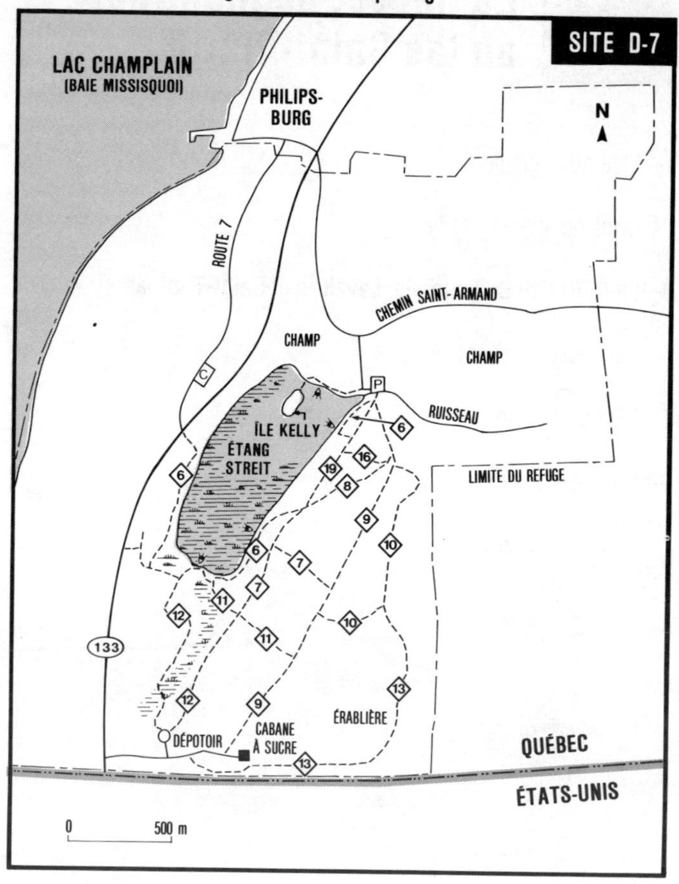

Pour découvrir la Paruline azurée, il faudra la chercher tôt le matin au mois de juin. La recherche de cette espèce n'est pas une tâche facile puisque cette dernière fréquente, presqu'en permanence, la cime des arbres les plus élevés; une bonne connaissance de son chant aidera à la localiser plus rapidement.

Secteur E

Le fleuve, de Montréal au lac Saint-Pierre

1- L'île aux Fermiers

2- Contrecoeur et ses îles

3- La tourbière de Lanoraie, Lavaltrie et Saint-Thomas

4- Berthierville et ses îles

5- L'île du Moine

6- Saint-Barthélemy

7- Baie-du-Febvre

Le fleuve, de Montréal au lac Saint-Pierre

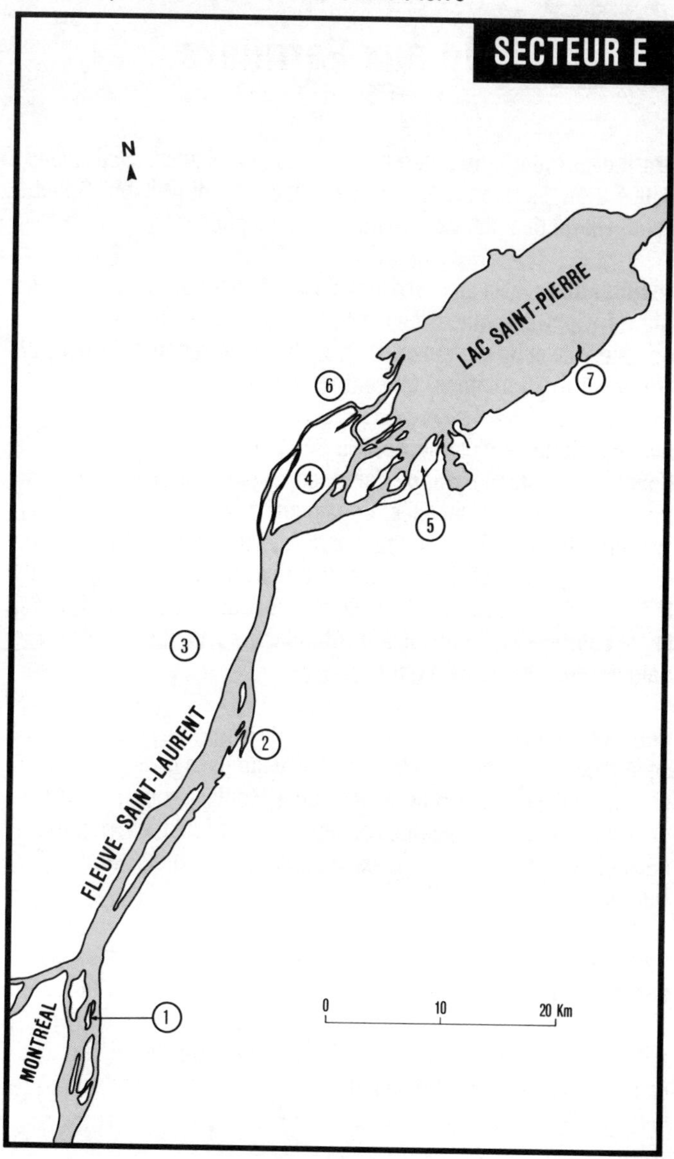

Site E-1

L'île aux Fermiers

Profil ornithologique : hérons, canards et limicoles. *Spécialités :* Petit Butor, Morillon à tête rouge, Phalarope de Wilson, Guifette noire, Hibou des marais, Bruant à queue aiguë.

Localisation : L'île aux Fermiers est située près de la pointe est de l'île de Montréal, sur le fleuve Saint-Laurent, entre les villes de Boucherville et de Varennes. Bien visible de Varennes, l'île est à 28 km (environ 25 minutes) du centre-ville de Montréal.

Accès : Cette île n'est accessible que par bateau, soit à partir de Boucherville, soit à partir de Varennes. À partir de Montréal, on se rend dans ces municipalités en gagnant d'abord la rive sud et en suivant la route 132 est. À Boucherville, le quai le plus rapproché de l'île aux Fermiers est situé au coin du boulevard Marie-Victorin et de la rue de Mézy. À Varennes, on se rend au quai via la route 132 est, la rue Sainte-Anne à gauche (en entrant dans Varennes), puis la rue Sainte-Thérèse encore à gauche.

Périodes cibles : L'île est intéressante de la mi-mai jusqu'au début de septembre avant l'ouverture de la saison de la chasse. De 4 à 5 heures sont nécessaires pour bien couvrir toute la superficie de l'île, ses marais et ses rivages. Les observations se font bien à n'importe quelle heure de la journée mais les jours très venteux sont moins fructueux.

Renseignements spéciaux : Des bottes peuvent être utiles, particulièrement au printemps, ou après un gros orage ou au cours d'étés très pluvieux. Cet endroit très plat ne peut être bien couvert qu'avec une lunette d'approche, si l'on ne veut pas effaroucher canards, bécasseaux et goélands.

Au quai de Varennes, M. Hugues Durocher peut assurer l'aller-retour avec son embarcation. On le rejoint à l'avance à (514) 652-0543, mais il n'est pas disponible en juillet et en août. Son tarif est de 5,00 $ par personne et de 20,00 $ au minimum.

Pour le visiteur possédant son propre canot, la traversée la plus courte est celle qui passe sous les lignes à haute tension, entre Boucherville et Varennes.

Il est conseillé de laisser les embarcations du côté est de l'île à l'abri des fortes vagues provoquées par les cargos qui empruntent la voie maritime.

Description du site : Cette île plate, peu élevée, de 3 km de long sur 0,6 km de large était, à l'origine, un archipel de 4 îles. Il y a plusieurs années, ces îles ont été reliées en une seule par le dépôt des résidus du dragage de la voie maritime ; une grande baie et trois étangs ont ainsi été formés.

L'île se présente donc maintenant comme une grande prairie entrecoupée de marais. Le côté ouest, un peu plus élevé, est fortement érodé par les vagues dues au passage des cargos, ce qui crée des plages argileuses de ce côté.

Même si l'île appartient au ministère fédéral des Transports (seule une mince bande appartient à Hydro-Québec pour le passage de ses pylônes), les prairies sont malheureusement utilisées tout l'été pour le pâturage d'une centaine de bovins, ce qui nuit à l'intégrité des berges, à la diversité floristique et à la nidification des oiseaux au sol. À l'automne, quelque 150 chasseurs sont présents sur l'île à l'ouverture de la chasse.

Un phare avec échelle, permet d'avoir, à 12 mètres du sol, une vue unique sur l'ensemble de l'île.

Au moins 32 espèces ont niché sur l'île et 82 autres y ont été observées au cours des dix dernières années dont un bon nombre d'espèces inusitées. Signalons par exemple le Courlis à long bec en juillet 1987, le Bruant de Smith en septembre 1989 et l'Avocette d'Amérique en mai 1980 et 1985.

En mai, l'île est souvent inondée et sa physionomie est bien modifiée. Ses rivages accueillent alors les bécasseaux qui, sans être très abondants, sont variés. Pas moins de 28 espèces d'oiseaux de rivage ont été observées sur l'île, dont certaines exceptionnelles. En migration printanière, on y voit morillons, garrots et becs-scies en faible nombre.

En juin, tous les canards de surface y nichent : le Canard chipeau, le Canard siffleur d'Amérique, le Canard pilet, le Canard colvert, le Canard souchet, le Canard noir, la Sarcelle à ailes bleues et la Sarcelle à ailes vertes. Bien qu'observé, le Canard branchu ne peut y nicher puisque les seuls arbres de l'île sont 5 petits ormes près de la grande baie. Une dizaine de couples de Morillons à tête rouge partagent les trois étangs avec les Grèbes à bec bigarré et les Poules-d'eau. La Foulque d'Amérique y a niché en 1985. Les roseaux bordant ces étangs sont fréquentés par les Troglodytes des marais et les Carouges à épaulettes. Le Butor d'Amérique, le Busard Saint-Martin et le Hibou des marais nichent dans la prairie avec le Goglu et le Bruant des prés. Le Petit Butor, la Guifette noire et le Phalarope de Wilson sont d'autres nicheurs intéressants.

En juillet, avec la centaine de Goélands à bec cerclé et de Goélands à manteau noir, s'observent quelques Goélands argentés. Depuis quelques années, la Sterne caspienne y est vue. À la fin du mois, les bécasseaux sont de retour sur l'île et ils s'y attardent jusqu'en septembre.

En août, les Grands Hérons et les Bihoreaux à couronne noire sont nombreux. On en a compté jusqu'à une quarantaine de chaque

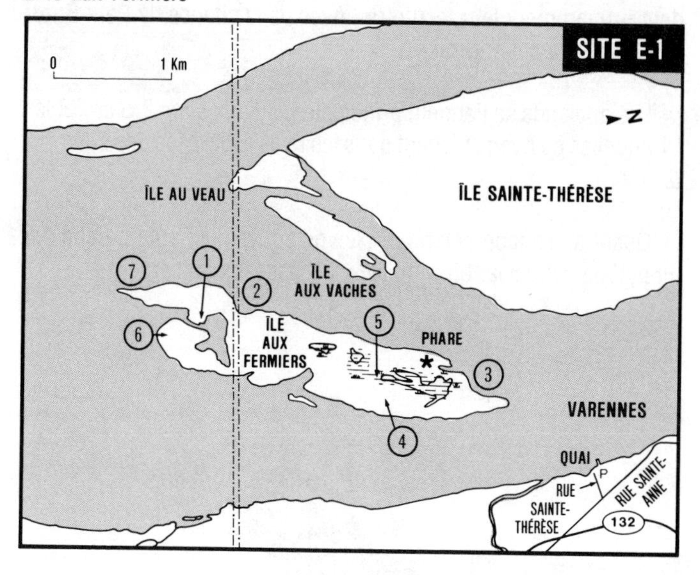

espèce. À cette période, les canards se chiffrent par centaines jusqu'à l'ouverture de la chasse à la mi-septembre.

Itinéraire suggéré : Trois endroits sont particulièrement favorables à l'observation des oiseaux de rivage : l'entrée de la grande baie intérieure *(Site 1)*, la plage près du pylône *(Site 2)* et la plage de la pointe nord *(Site 3)*.

Les Phalaropes de Wilson et les Bruants à queue aiguë sont surtout localisés dans la prairie entre les étangs et le rivage est de l'île *(Site 4)*.

Au *site 5*, une colonie d'une vingtaine de Guifettes noires défendent bruyamment leur territoire. Avec de la chance, le Petit Butor peut être vu à cet endroit.

Les goélands se tiennent principalement aux *sites 2, 3 et 7* et les Hirondelles de rivage nichent dans les rives escarpées des *sites 2 et 6*.

Quant au Faucon pèlerin, on le voit souvent en août perché sur un pylône, surveillant hirondelles, bécasseaux ou sarcelles.

Râle de Caroline

Site E-2

Contrecoeur et ses îles

Profil ornithologique : canards barboteurs et autres espèces de milieux humides. *Spécialités :* Grèbe à bec bigarré, Poule-d'eau, Guifette noire, Moucherolle des saules, Paruline des pins.

Localisation : Contrecoeur est située à environ 75 km au nord-est de Montréal sur la rive sud du fleuve Saint-Laurent. Il faut prévoir environ une heure pour s'y rendre.

Accès : À partir de Montréal, on peut utiliser l'une des différentes voies d'accès à la rive sud et ensuite la route 132 est jusqu'à Contrecoeur. On peut aussi emprunter l'autoroute 30 est via les autoroutes 10 ou 20 et rouler jusqu'aux sorties 158 ou 160 pour Contrecoeur. La marina de Contrecoeur est située devant l'église.

Périodes cibles : La période recommandée pour visiter les îles s'étend du 15 mai au 15 septembre. À mesure que l'été progresse, la végétation aquatique croît considérablement, et il devient de plus en plus difficile d'observer avec aisance. Par ailleurs, au début de l'été, les moustiques peuvent s'avérer un inconvénient majeur, particulièrement sur l'île Bouchard.

Renseignements spéciaux : Une embarcation est indispensable pour se rendre dans les îles. En 1989, deux jeunes résidants de la région ont offert leurs services pendant les fins de semaine pour transporter des visiteurs dans les îles à l'aide d'une embarcation motorisée. Il s'agit de Francis Saint-Pierre (tél: 514-743-0620) et de Stéphane Caisse (tél.: 514- 587-2625). Pour un tarif modique, il est possible de visiter plusieurs îles, y compris la pointe nord-est de l'île Bouchard. M. Denis Lamothe, un représentant du Club d'ornithologie Sorel-Tracy et résidant de Contrecoeur peut, à l'occasion, accompagner les visiteurs (tél.: 514-742-9792).

Description du site : Plusieurs îles jalonnent le fleuve Saint-Laurent entre Montréal et le lac Saint-Pierre. La plupart de ces îles ne sont accessibles que par voie d'eau cependant. À partir de la marina de Contrecoeur, le visiteur disposant d'une embarcation peut accéder rapidement à deux des archipels les plus riches du couloir fluvial, soit ceux de Contrecoeur et de Verchères.

L'archipel de Contrecoeur s'étend sur un peu plus de 11 km en face de la municipalité de Contrecoeur ; il se compose d'une dizaine d'îles et d'une quinzaine d'îlots séparés par des chenaux envahis par des plantes émergentes. La faible élévation des îles rend le tout semblable à un vaste marais. La plupart de ces îles appartiennent au ministère fédéral des Travaux Publics et ont un statut de réserve nationale de la faune. Les parties les plus élevées des îles sont couvertes de prairies tandis que les herbiers aquatiques occupent plus de 500 hectares dans les chenaux entre les îles.

Les canards barboteurs sont parmi les oiseaux les plus en évidence dans cet archipel. En 1975, des biologistes du Service canadien de la faune ont trouvé 322 nids de canards dont près de la moitié était des nids de Canards chipeaux. Parmi les autres canards nicheurs, on rencontre le Canard pilet, le Canard siffleur d'Amérique, le Canard souchet, le Canard colvert et le Canard noir. Outre les canards, le Grand Héron, la Guifette noire, le Grèbe à bec bigarré, la Poule-d'eau, la Bécassine des marais et le Butor d'Amérique fréquentent ce site. Au début de juin, il est possible d'observer quelques limicoles. On trouve aussi en abondance le Carouge à épaulettes, l'Hirondelle de rivage, le Bruant chanteur, le Bruant des marais, la Paruline masquée et la Paruline jaune. Il y a par ailleurs d'immenses colonies de Goélands à bec cerclé sur l'île Saint-Ours et autres buttes de dragage.

Composé de huit îles et situé un peu en amont de Contrecoeur, l'archipel de Verchères s'étend sur plus de 18 km ; les îles Marie et Bouchard, les deux principales îles qui composent cet archipel, affichent une superficie beaucoup plus considérable que les îles de

Contrecoeur et sont aussi légèrement plus élevées au-dessus du niveau des eaux. Une portion importante de ces îles est exploitée par des agriculteurs. Par contre, l'extrémité nord-est de l'île Bouchard qui est la plus proche de Contrecoeur a conservé un caractère plus sauvage et présente encore quelques secteurs boisés qui côtoient des zones marécageuses et des marais. Le bois de cette île, une érablière argentée, est un des seuls rencontrés dans les archipels.

Poule-d'eau

Les canards barboteurs (incluant le Canard branchu), ainsi que la Poule-d'eau, la Guifette noire et d'autres espèces telles que le Troglodyte des marais et le Moucherolle des saules fréquentent l'île Bouchard. De plus, plusieurs oiseaux forestiers sont présents. En 1979, une héronnière a été localisée et le Grand-duc d'Amérique, le Hibou des marais et le Busard Saint-Martin ont aussi niché sur l'île. D'autre part, même si cette île n'a jamais été fréquentée assidûment par les amateurs d'oiseaux en hiver, la présence de trois Chouettes lapones, d'une Nyctale boréale, d'une Chouette rayée et d'un Harfang des neiges vers la fin de l'hiver en 1974 est une motivation suffisante à la fréquentation de ce site durant la saison froide.

Itinéraire suggéré : Une visite de l'archipel de Contrecoeur et de la partie nord-est de l'île Bouchard peut facilement s'effectuer en 4 ou 5 heures en utilisant une embarcation motorisée. En canot ou en chaloupe non motorisée, il vaut mieux s'en tenir à l'archipel de Contrecoeur. Le club d'ornithologie Sorèl-Tracy prévoit organiser à l'occasion des excursions dans les îles. Il faudra communiquer avec les responsables de ce club pour obtenir plus de détails.

D'autre part, l'amateur surtout intéressé par les espèces fréquentant les écosystèmes terrestres trouvera plusieurs secteurs boisés prolifiques dans les régions de Contrecoeur et de Tracy. L'un d'eux permet, par surcroît, d'observer la Paruline des pins, une espèce recherchée dont la distribution est très locale au Québec. L'itinéraire suggéré est le suivant (non indiqué sur la carte): à partir de Contrecoeur, il faut rouler vers l'est sur la route 132 pour environ 15 km jusqu'à la rue Annie à Tracy. Un quartier résidentiel à cet endroit comprend encore un peuplement de Pins blancs où la Paruline des pins revient à chaque année. Reprenant la route 132 vers l'est, le visiteur parviendra sous peu au chemin du Golf où il devra tourner à droite et rouler jusqu'à la voie ferrée. Un chemin sablonneux longe cette voie ferrée vers l'ouest à travers un corridor forestier où persistent plusieurs petits groupements de Pins blancs fréquentés par la Paruline des pins. Ce chemin qui se poursuit sur une distance de quelques kilomètres est peu carrossable ; il est donc

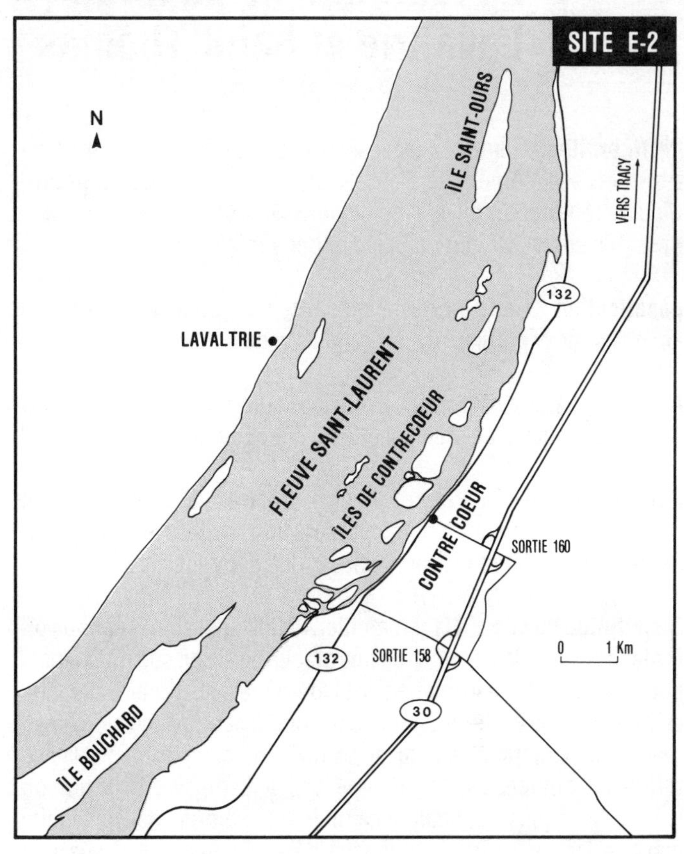

conseillé de le parcourir à pied tôt le matin. Plusieurs autres espèces sylvicoles habitent ce secteur et agrémenteront sûrement cette promenade matinale.

Site E-3

La tourbière de Lanoraie, Lavaltrie et Saint-Thomas

Profil ornithologique : rapaces diurnes et passereaux : *Spécialités :* Bécasse d'Amérique, Petite Nyctale, Engoulevent bois-pourri, Moucherolle à côtés olive, Troglodyte à bec court, Tohi à flancs roux, Bruant vespéral, Bruant de Lincoln, Bec-croisé rouge.

Localisation : Cette tourbière est située au nord de Lanoraie à 50 km à l'est de Montréal. On s'y rend en moins d'une heure.

Accès : À partir de Montréal, on utilise l'autoroute 40 est jusqu'à la sortie 130, puis le chemin Joliette en direction nord.

Périodes cibles : La saison la plus propice à l'observation des oiseaux est sûrement le printemps, de la fin d'avril à la mi-juin. Il faut s'y rendre très tôt et prévoir y passer une demi-journée.

Description du site : Il faut remonter 10 000 ans, soit à l'époque où la mer de Champlain recouvrait une grande partie du sud du Québec, pour comprendre la formation de la tourbière de Lanoraie, Lavaltrie et Saint-Thomas. Un relèvement du continent empêche alors l'eau marine de pénétrer à l'est du lac Saint-Pierre et un immense lac se forme en amont ; on l'a nommé Lac à Lampsilis du nom du coquillage le plus abondant à ce moment. Là où le fleuve se jette dans ce lac, un large delta jonché d'îles comme celles que l'on retrouve aujourd'hui à Sorel, se forme. Entre 6500 et 8500 ans avant notre ère, ces îles se trouvaient à la hauteur de Lanoraie. La rivière l'Assomption, qui se jetait auparavant dans la mer à la hauteur de Sainte-Mélanie, est contrainte de se déplacer plus à l'ouest, contrairement à tous les autres tributaires du Saint-Laurent. C'est un ancien méandre de cette rivière qui a créé la pointe du Coteau-jaune. Des périodes de réchauffement suivies de périodes de refroidissement ont modifié les forêts. La tourbière s'est formée il

La tourbière de Lanoraie, Lavaltrie et Saint-Thomas

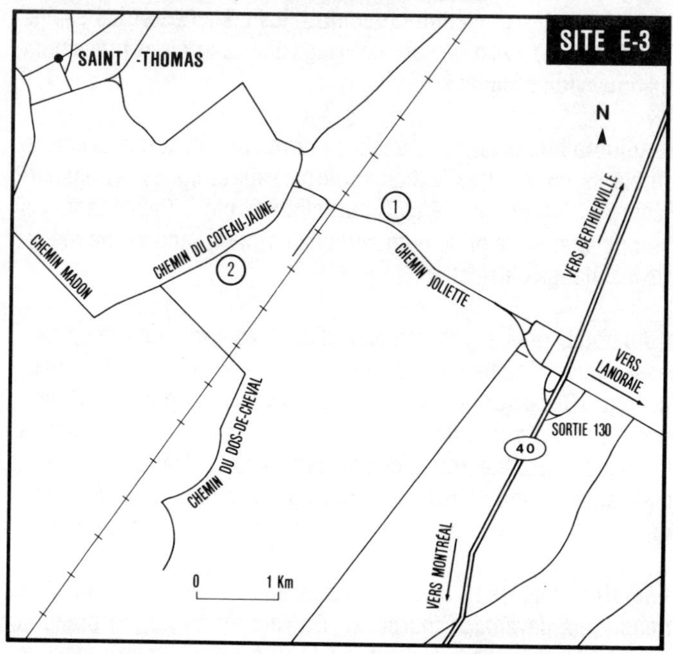

y a 3500 ans, alors que les mousses sont apparues sur les anciens chenaux. C'est aussi à cette époque que sont apparus les cassandres, les rhododendrons et les andromèdes, tels qu'on les retrouve aujourd'hui. Comme déjà plus de trois mètres de débris se sont accumulés, la sphaigne se développe au-dessus de la nappe phréatique. Elle n'est plus alimentée que par l'eau de pluie, et sa croissance est faible: à peine 3 mm par année. La tourbière atteint alors une même altitude sur l'ensemble de son territoire et forme un écosystème stable, en équilibre, et qui n'évoluera plus.

Les Amérindiens ont occupé le territoire suivant les conditions climatiques. C'était un lieu privilégié pour la récolte des petits fruits et du gibier. Avant l'arrivée des Européens, le climat s'étant refroidi, les Amérindiens quittèrent la région ; les épinettes et les sapins l'envahirent alors et c'est sous ce visage que Lanoraie se présentera aux nouveaux occupants.

Aujourd'hui, plusieurs projets de développement menacent les tourbières, entre autres l'extraction, le passage de lignes de transport d'énergie, les grenouillères, l'horticulture, etc. Cependant, les champs en culture prêtent un certain charme à l'endroit de même que les étangs d'irrigation.

Au total, près d'une centaine d'espèces, principalement des passereaux, fréquentent ce secteur. Les espèces d'intérêt particulier sont la Bécasse d'Amérique, l'Engoulevent bois-pourri, le Bruant vespéral et le Bruant de Lincoln. Jusque dans les années 40, la Paruline à couronne rousse nichait dans la tourbière, le seul site de nidification connu pour cette espèce dans la région de Montréal. Aujourd'hui, on ne l'observe que rarement durant les migrations.

Itinéraire suggéré : Deux sites sont intéressants à visiter. Le premier est davantage tourbeux. De l'autoroute 40, on prend la sortie 130 puis le chemin Joliette en direction nord. Près des limites de Saint-Thomas et Lanoraie, soit à 2,7 km au nord de la sortie 130, on trouvera un poste d'observation. Une promenade en bordure du chemin Joliette tôt le matin, avant que la circulation automobile ne devienne trop importune, permettra de découvrir les trésors ornithologiques de la tourbière. On pourra aussi utiliser le chemin sous les lignes à haute tension près de la voie ferrée (0,7 km plus au nord).

La tourbière du Coteau-jaune est le deuxième site proposé au visiteur. Il faut alors poursuivre vers le nord sur le chemin Joliette, 0,6 km au-delà de la voie ferrée, tourner à gauche sur le chemin du Coteau-jaune, rouler 2 km et emprunter à gauche le chemin du Dos-de-cheval. Ce chemin, d'une longueur d'environ 4 km, traverse principalement des terres cultivées.

Site E-4 Berthierville et ses îles

Profil ornithologique : anatidés, limicoles et autres espèces associées aux milieux humides. *Spécialités :* Butor d'Amérique, Grand Héron, Grande Aigrette, Héron vert, Bernache du Canada, Balbuzard, Poule-d'eau, Maubèche des champs, Harfang des neiges, Moucherolle des saules, Troglodyte des marais, Paruline des pins.

Localisation : Berthierville est située à l'extrémité ouest du lac Saint-Pierre sur la rive nord du fleuve Saint-Laurent. Il faut compter au moins une heure pour s'y rendre à partir de Montréal.

Accès : De Montréal, on s'y rend par l'autoroute 40 est et la route 158 est via la sortie 144. On peut aussi s'y rendre à partir de Sorel sur la rive sud en utilisant le traversier jusqu'à Saint-Ignace-de-Loyola. À partir de la route 132, on prend le boulevard Fiset à Sorel, suivi de l'avenue de l'Hôtel-Dieu à gauche et de la rue Elizabeth à droite jusqu'au traversier. Sur l'autre rive, on atteint Berthierville par la route 158 ouest.

Périodes cibles : L'observation des oiseaux y est intéressante toute l'année ; il y a bien sûr une période de pointe au printemps, mais l'été et l'automne sont aussi des saisons au cours desquelles on peut passer une belle journée. Il faut prévoir au moins une demi-journée pour effectuer la tournée des îles.

Renseignements spéciaux : Tôt au printemps, il faut surveiller les conditions météorologiques ; il y a parfois des inondations assez importantes dans les îles. Il faut prévoir des bottes de caoutchouc et des vêtements chauds, le vent du fleuve étant parfois assez surprenant. Une lunette d'approche sera des plus utiles. Un guide d'observation des sites du lac Saint-Pierre est aussi disponible sur le marché.

Description du site : La région de Berthierville et ses îles est depuis longtemps fréquentée par les amateurs de pêche et de gibier à plume ; cependant depuis quelques années, l'observation des oiseaux attire davantage de visiteurs. Même si l'occupation humaine est très forte, la faune ailée y est restée diversifiée et très abondante. L'ensemble du territoire est surtout reconnu comme halte migratoire pour la sauvagine.

Les habitats y sont des plus variés : marais profonds, peu profonds, marécages arbustifs et arborescents, prairies humides et champs cultivés composent surtout le territoire. Certaines îles sont accessibles en voiture mais pour d'autres, on doit s'y rendre en canot ou en chaloupe avec moteur.

Les données recueillies dans le cadre du projet d'Atlas des oiseaux nicheurs du Québec atteignent un total de 115 espèces. Les canards nicheurs sont surtout représentés par le Canard colvert, le Canard pilet, le Canard souchet, le Canard siffleur d'Amérique et la Sarcelle à ailes bleues. Des aménagements de Canards Illimités viendront, au cours des années, augmenter le potentiel de ces milieux.

Le Grand Héron fréquente tous les plans d'eau des îles; il niche cependant sur une île loin des dérangements. Le Butor d'Amérique trouve aussi des endroits pour nicher. À chaque année, des observateurs chanceux aperçoivent une Grande Aigrette. Quant à la Poule-d'eau, au Râle de Virginie et au Râle de Caroline, ils fréquentent les marais peu profonds où il y a abondance de plantes émergentes.

Les oiseaux de proie sont assez abondants sur tout le territoire et incluent le Busard Saint-Martin, la Petite Buse, la Buse à épaulettes, le Faucon pèlerin, la Crécerelle d'Amérique et quelquefois le Pygargue à tête blanche. Tard à l'automne et au début de l'hiver, il est intéressant de noter que de nombreux rapaces, en particulier la Buse pattue et la Buse à queue rousse, s'attardent dans la région tant qu'il n'y a pas d'accumulation importante de neige au sol.

Le Grand-duc d'Amérique et le Hibou des marais s'ajoutent aussi à l'avifaune nicheuse des îles tandis que, l'hiver, de nombreux Harfangs des neiges y séjournent.

La diversité des habitats fait aussi en sorte qu'un très grand nombre de passereaux fréquente cette région. Dans les milieux proprement humides, on retrouvera la Paruline masquée, le Bruant des marais, le Carouge à épaulettes, le Troglodyte des marais et le Moucherolle des saules. Ajoutons que la pépinière de Berthierville est aussi un très bon endroit pour l'observation; de larges surfaces de forêts naturelles où prédomine le Pin blanc accueillent à chaque année la Paruline des pins.

Canard noir

Itinéraire suggéré : L'ensemble de ce territoire regroupe six points d'intérêt tout aussi attrayants les uns que les autres.

La halte routière de Berthierville (Site 1) : À partir de l'intersection avec la route 158, il faudra rouler 6 km vers l'ouest sur la route 138 pour accéder à ce site. À cet endroit, le fleuve s'étend à perte de vue et on peut apercevoir à l'est l'île aux Foins dont l'habitat principal est une prairie humide. Au printemps, des Bernaches du Canada se rassemblent sur les battures ainsi que des canards barboteurs de toutes les espèces, principalement le Canard pilet. Plusieurs espèces de ces canards demeureront pour nicher.

Au printemps et à l'automne, les canards plongeurs fréquentent le voisinage des herbiers aquatiques ; on y voit alors le Bec-scie couronné, le Grand Bec-scie, le Bec-scie à poitrine rousse, le Garrot à oeil d'or, le Grand Morillon et le Petit Morillon.

Une Grande Aigrette a été observée à partir de cette halte au printemps 1985. On ne manquera pas d'observer l'Hirondelle noire qui niche en colonie dans une maisonnette sur un terrain privé près de la halte.

La pépinière provinciale de Berthierville (Site 2) : La pépinière est située en face de la halte routière. Il faut d'abord obtenir une autorisation soit en téléphonant, soit sur place en demandant au gardien.

Après avoir traversé les plantations bordées de haies de thuyas, on y retrouvera une belle érablière où, à cause du sol sableux, il y a de nombreux Pins blancs. Ainsi, on pourra observer une grande diversité de passereaux tels que la Paruline des pins, la Paruline à poitrine baie, la Paruline couronnée, le Grimpereau brun, la Paruline à croupion jaune, la Sittelle à poitrine blanche, la Grive des bois, le Cardinal à poitrine rose, le Viréo aux yeux rouges, le Moucherolle

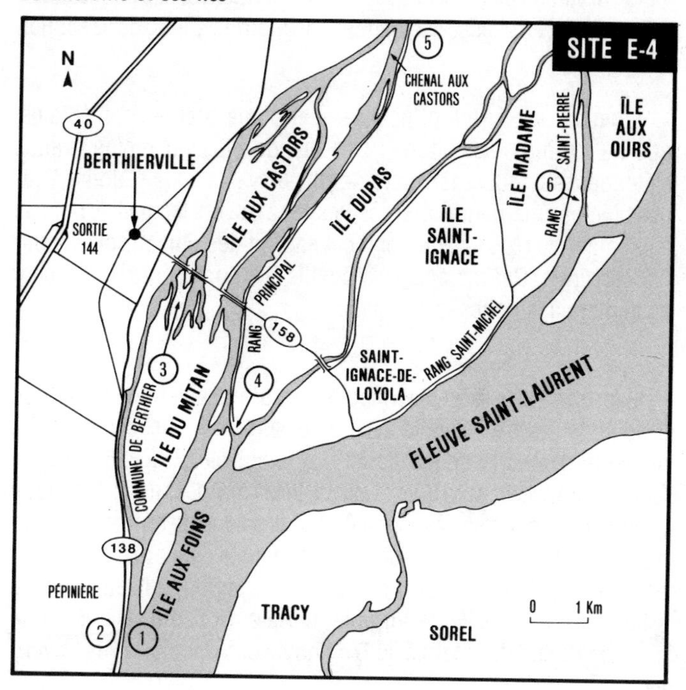

tchébec, le Pioui de l'Est, le Tyran huppé et le Tangara écarlate. Très souvent, la Petite Buse est présente de même que le Grand-duc d'Amérique.

La commune de Berthier (Site 3) : À Berthierville, on se dirige vers les îles via la route 158 est. La commune est située à l'ouest, immédiatement après le premier pont ou juste avant le dernier pont si on vient de Sorel.

C'est un territoire d'un peu plus de 6 km carrés qui sert encore de pâturage. La Société de conservation, d'interprétation et de recherche de Berthierville et ses îles (SCIRBI) a aménagé un sentier d'interprétation incluant des tours d'observation et des panneaux de camouflage. La chasse est maintenant interdite le long de ce sentier.

L'habitat est formé principalement d'une prairie broutée ainsi que de champs en culture. Des étangs plus ou moins grands s'étendent sur tout ce territoire ; enfin, un vaste marais, dominé par des plantes émergentes à larges feuilles à travers lesquelles pousse également du riz sauvage, rend cet endroit des plus propices pour l'observation. Des marécages arbustifs et arborescents contribuent également à la richesse du milieu.

Il faut attendre la fin d'avril pour savourer pleinement la joie que procure la grande diversité aviaire de ce milieu. Aux canards déjà présents depuis le début d'avril s'ajoutent alors le Balbuzard, le Grand Héron, le Busard Saint-Martin, le Martin-pêcheur d'Amérique et quelques limicoles. Avec le début de la saison de reproduction en mai, tous les oiseaux associés aux marais convergent vers cet endroit pour y nicher : on y trouvera alors la Poule-d'eau, le Grèbe à bec bigarré, le Râle de Virginie, le Râle de Caroline, la Guifette noire, le Bruant des marais, le Troglodyte des marais, le Héron vert, etc.

Le phare de l'île Dupas (Site 4) : À partir du site précédent, il faut continuer sur la route 158 est ; après avoir traversé le deuxième pont, on se dirige vers l'ouest (à droite) sur le rang Principal tout en observant attentivement le long du chenal aux Castors. Il y a une aire de pique-nique municipale juste avant la fin de la route tout près du phare. De Sorel, à la descente du traversier, on emprunte la route 158 ouest jusqu'au rang Principal de l'île Dupas où l'on tourne à gauche.

Le chenal aux Castors est un site par excellence pour observer facilement les canards plongeurs au printemps et admirer le spectacle de la capture des poissons par le Balbuzard. Comme c'est le cas pour la plupart des sites d'intérêt sur ce territoire, on y trouve fréquemment le Harfang des neiges en hiver. À l'occasion, le visiteur chanceux pourra apercevoir un Grèbe cornu, un Garrot de Barrow et peut-être un Faucon pèlerin. Des amateurs très veinards ont pu voir un Cygne siffleur en mai 1985 et un Pygargue à tête blanche pourchassé par des Canards pilets en mai 1989.

La commune de l'île Dupas (Site 5) : En provenance de Berthierville, on s'y rend par la route 158 est ; après le deuxième pont, on tourne vers l'est (à gauche) sur le rang Principal de l'île Dupas et on continue sur environ 7 km. Des sentiers non aménagés partent de cet endroit jusqu'à la barrière. En provenance de Sorel par le traversier, on poursuit sur la route 158 ouest et on tourne vers l'est (à droite) juste avant le deuxième pont sur le rang Principal. L'habitat est surtout constitué d'une prairie broutée en bordure d'une érablière argentée. Des aménagements de Canards Illimités réalisés en 1987-88 rendront, au fil des ans, cet endroit des plus propices pour la nidification de la sauvagine.

Ce site offre au visiteur la possibilité de voir des rapaces lors de leur déplacement vers le nord au printemps, tandis qu'à l'automne, des limicoles fréquentent la bordure vaseuse au nord de la commune ; le Bécasseau à échasses et la Barge hudsonienne y ont déjà été aperçus. Au début de l'été, le Moucherolle des saules, un nicheur peu commun au Québec, est présent dans les zones arbustives ; plus tard en été, on peut observer sur la rive nord des rassemblements de laridés ainsi que la Grande Aigrette, à l'occasion.

Une visite exhaustive de ce site nécessite une journée entière.

L'île Saint-Ignace et l'île Madame (Site 6) : De Berthierville, il faut continuer sur la route 158 est jusqu'au quai de l'île Saint-Ignace et se diriger ensuite vers l'est (à gauche) sur le rang Saint-Michel ; il faudra éventuellement tourner à droite sur le rang Saint-Pierre. À la descente du traversier de Sorel, on tourne immédiatement à droite pour emprunter le rang Saint-Michel, près du quai de débarquement.

En avril, des bandes de canards plongeurs peuvent être aperçues sur le fleuve à droite du rang Saint-Michel. Elles sont composées surtout de Grands Morillons, de Petits Morillons et de Garrots à oeil d'or.

Par contre, le rang Saint-Pierre permettra surtout d'observer des canards barboteurs dans les champs inondés. La Maubèche des champs y trouve aussi son habitat préféré. Au printemps, des limicoles s'attardent sur les îlots dans le chenal aux Ours à droite de la route. En mai 1989, un Bécasseau combattant mâle, paré d'un plumage éclatant, fut observé sur un de ces îlots.

Site E-5

L'île du Moine

Profil ornithologique : hérons, canards barboteurs, râles, limicoles, goélands, sternes. *Spécialités :* Faucon pèlerin, Phalarope de Wilson, Troglodyte à bec court, Bruant à queue aiguë.

Localisation : Cette île est située à environ 75 km de Montréal, près de la rive sud du fleuve Saint-Laurent, à Sainte-Anne de Sorel. Il faut compter 75 minutes en automobile et 10 minutes en embarcation pour s'y rendre à partir de Montréal.

Accès : De Montréal, sur la rive sud, l'autoroute 30 est accessible via les autoroutes10 est (pont Champlain) ou 20 est (tunnel L.-H. Lafontaine). Elle mène à Sorel, 60 km plus loin. À Sorel, l'autoroute 30 se termine après 3 feux de circulation, sur la route 132 ou le boulevard Fiset. Il faut alors prendre Fiset à gauche, le suivre sur 100 mètres et tourner à droite sur la rue Monseigneur-Desranleau. Cette dernière route se nomme plus loin Chenal-du-Moine ; elle doit être suivie sur 14 km avant d'arriver à un stationnement, juste en face du restaurant "Chez Bedette", au 3703 Chenal-du-Moine, avant le pont enjambant le chenal d'Embarras.

De la rive nord, il faut prendre le traversier à Saint-Ignace-de-Loyola (près de Berthierville) pour atteindre Sorel. En sortant du traversier, les rues à gauche mènent au boulevard Fiset qu'il faut prendre à droite et suivre jusqu'à Monseigneur-Desranleau, 2 km plus loin.

Pour se rendre à l'île du Moine, il faut une embarcation. Un passeur, M. Rousseau, peut être rejoint au 3706 Chenal-du-Moine. Il vaut mieux réserver à l'avance (tél.: 514-743-3025). Si on a sa propre embarcation, elle peut être mise à l'eau à la rampe située au restaurant "La Grange du Survenant" au 1665 Chenal-du-Moine.

Périodes cibles : La meilleure période pour visiter l'île du Moine débute avec l'arrivée des limicoles vers le 15 mai ; auparavant, l'île est souvent inondée. L'été, il faut s'y rendre en juillet pour le Bruant à queue aiguë et les autres oiseaux nicheurs ; en août, pour les barboteurs, les limicoles et les goélands. Après la mi-septembre, le site est envahi par les chasseurs et il est à éviter.

Le site est bon à visiter à n'importe quelle heure du jour. Il vaut mieux prévoir une journée complète pour faire le tour de l'île.

Renseignements spéciaux : Il est nécessaire de porter de bonnes bottes imperméables car les prairies sont souvent plus ou moins inondées. Il est préférable d'avoir une lunette d'approche pour observer les oiseaux sur l'île des Barques où des espèces intéressantes y sont souvent découvertes.

Description du site : L'île du Moine était une commune qui sert encore de lieu de pacage collectif aux moutons, aux vaches et aux chevaux, de mai à novembre. Elle a été achetée en 1987, à partir des fonds disponibles chez Habitat faunique Canada, en vue de la soustraire aux spéculations et d'y effectuer certains aménagements fauniques, conjointement avec Canards Illimités.

L'île est une vaste prairie humide à Phalaris roseau et à Pâturin palustre. Une plage borde la rive nord. De nombreux marais peu profonds se trouvent dans la partie sud-est, entourés parfois de saulaies arbustives.

La pointe nord-est est une prairie humide basse qui ressemble à des battures frappées par la marée, en raison de l'eau qui la traverse de part-en-part au passage de chaque cargo.

L'île du Moine est l'un des rares endroits au lac Saint-Pierre où on retrouve des plages limoneuses. Ceci en fait un site très recherché par les différentes espèces d'oiseaux de rivage. Au printemps, à partir de la mi-mai, elle est visitée par des bécasseaux

(Bécasseau roux, Bécasseau à poitrine cendrée, Bécasseau variable, Bécasseau maubèche, Bécasseau minuscule, Bécasseau à croupion blanc), des pluviers (Pluvier kildir, Pluvier argenté, Pluvier semipalmé), des chevaliers (Grand Chevalier, Petit Chevalier, Chevalier solitaire et Chevalier branlequeue) et le Phalarope de Wilson. Au début de juin, il faut ajouter le Tournepierre à collier. Parfois certaines raretés se glissent parmi eux : Barge marbré, Bécasseau combattant.

Ces différentes espèces de limicoles reviendront à l'île du Moine à partir de la fin de juillet jusqu'en fin de septembre. Le nombre et la variété augmenteront (Bécasseau de Baird, Bécasseau à échasses, Bécasseau sanderling). Là encore, certaines raretés y ont déjà été observées : Bécasseau d'Alaska, Bécasseau roussâtre, Bécasseau à long bec. Il faudra être attentif aux phalaropes, de la fin d'août jusqu'à la mi-septembre, car les 3 espèces y ont été vues à cette période : Phalarope de Wilson (nicheur), Phalarope hyperboréen et Phalarope roux.

Les meilleurs endroits pour observer les oiseaux de rivage sont la pointe nord-est de l'île du Moine et l'extrémité sud-est de l'île des Barques (visible à partir du centre-nord de l'île du Moine).

Les oies et les canards barboteurs sont abondants et variés. Au printemps, à la fin de mai, un groupe de Bernaches cravants broute souvent à la pointe nord-est. Toutes les espèces de canards barboteurs nichent sur l'île mais, à partir du mois de juillet, ils se rassemblent en grands nombres dans les marais de la pointe nord-est ou dans ceux situés dans la baie en face de l'île des Barques.

Parmi les rapaces, le Faucon pèlerin doit être particulièrement recherché lorsque les canards ou les oiseaux de rivage s'envolent dans une réaction de panique. Le Busard Saint-Martin est très commun et la Buse à queue rousse se voit à l'occasion.

Parmi les hiboux, le Grand-duc d'Amérique niche dans la petite érablière argentée au centre de l'île ; le Hibou des marais niche dans la prairie humide et le Harfang des neiges patrouille le secteur durant l'hiver.

Les goélands et les sternes utilisent les plages du nord-est de l'île du Moine et de la pointe sud-est de l'île des Barques comme aire de repos. Le Goéland à bec cerclé, le Goéland argenté, le Goéland à manteau noir, la Sterne pierregarin et la Guifette noire sont les plus communs. Parfois, des espèces inhabituelles sont présentes : Sterne caspienne, Mouette de Bonaparte, Mouette pygmée, Mouette de Sabine et Mouette de Franklin. La meilleure période s'étend de la mi-août à la mi-septembre bien que les laridés soient abondants de mai à novembre.

Durant l'été, le Grand Héron, le Butor d'Amérique et le Bihoreau à couronne noire sont communs dans le marais à la pointe nord-est et au sud-est de l'île du Moine. À tous les ans, on observe également des raretés à ces endroits : Grande Aigrette, Aigrette neigeuse, Aigrette bleue ou Aigrette tricolore.

Les différentes espèces de râles sont assez abondantes bien que le Râle jaune n'ait pas été signalé récemment. Le Troglodyte des marais est difficile à manquer dans les marais de l'extrémité est de l'île. Le Troglodyte à bec court se voit tous les ans, vis-à-vis l'île des Barques, dans la prairie humide ou la saulaie arbustive. Au sommet des tiges de Phalaris roseau, dans le même secteur, en juillet, le Bruant à queue aiguë est facile à découvrir si on connaît son chant. Le Bruant des marais est d'autre part très abondant, partout au centre de l'île, lorsqu'il y a un arbuste pas loin. Le Bruant des prés préfère la bordure sablonneuse. Le Traquet motteux a été vu au début de septembre à une reprise.

Itinéraire suggéré : La visite de l'île du Moine est assez longue. Faire le tour nécessite une bonne journée de marche (13 km). On devrait débuter l'excursion à la pointe nord-est, longer le côté nord

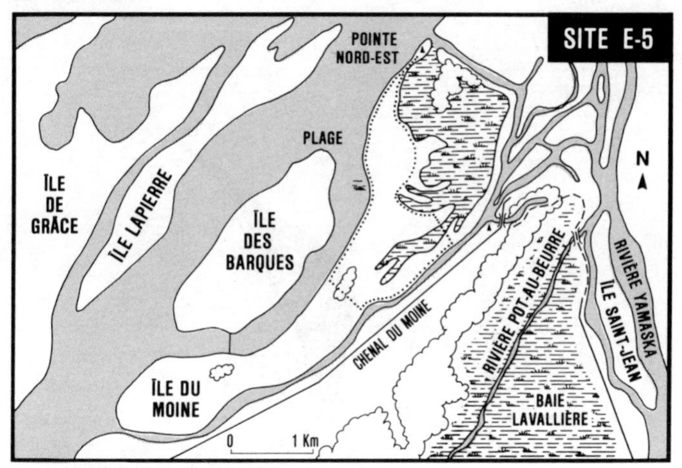

..... ITINÉRAIRE SUGGÉRÉ SUR L'ÎLE DU MOINE

_ _ _ SENTIER SUR LA DIGUE DE CANARDS ILLIMITÉS DE LA BAIE LAVALLIÈRE

de l'île jusqu'en face de l'île des Barques puis traverser la prairie humide pour se diriger vers la rive sud de l'île ; il faut alors longer cette rive jusqu'aux marais et remonter progressivement vers le nord en terminant de nouveau à la pointe nord-est (7-8 km). Cet itinéraire devrait permettre de visiter tous les points d'intérêts soit :

1) la pointe nord-est et ses marais
2) les plages du nord de l'île
3) la plage de l'extrémité sud-est de l'île des Barques
4) la prairie humide
5) les marais du sud-est

Butor d'Amérique

La baie Lavallière :

Très tôt le matin, avant une visite de l'île du Moine, il peut être intéressant de suivre le sentier menant à la baie Lavallière. Ce dernier est difficile à découvrir. Après avoir stationné devant le restaurant "Chez Bedette", il faut longer le côté sud du chenal d'Embarras jusque dans l'érablière argentée. Il faut traverser un terrain privé pour cela et il est préférable de demander la permission. Dans l'érablière nichent le Grand-duc d'Amérique, le Viréo mélodieux, le Moucherolle tchébec, le Cardinal à poitrine rose, la Grive fauve, la Sittelle à poitrine blanche, le Pioui de l'Est, le Tyran huppé, l'Oriole du Nord et le Pic maculé.

Après avoir traversé le bois, le sentier débouche sur une digue à crête déversante aménagée par Canards Illimités. Lorsque le niveau d'eau est élevé, il est rare que cette digue soit inondée et on peut circuler dessus. L'observateur traverse le marais en longeant un chenal. L'été, la Poule-d'eau, le Grèbe à bec bigarré, le Troglodyte des marais, le Bruant des marais, le Tyran tritri, les canards barboteurs et le Grand Héron y sont nombreux. La digue se termine 1 km plus loin sur l'embouchure de la rivière Pot-au-beurre. La rivière Yamaska peut alors être longée à partir d'un sentier qui débute à ce niveau. Au printemps, les canards barboteurs sont particulièrement abondants à cet endroit. Pour revenir, il faut faire demi-tour.

Site E-6

Saint-Barthélemy

Profil ornithologique : canards barboteurs, canards plongeurs, rapaces, limicoles. *Spécialités :* Oie rieuse, Canard siffleur d'Europe, Faucon pèlerin.

Localisation : Ce site est situé sur la rive nord du lac Saint-Pierre à environ 75 km de Montréal. Il faut compter environ 1 heure pour s'y rendre.

Accès : De Montréal, à partir de l'autoroute Métropolitaine est ou de l'autoroute 25 nord (tunnel L.-H. Lafontaine), on prend l'autoroute 40 est qui se dirige vers Trois-Rivières, en longeant le nord du Saint-Laurent pour environ 75 km. On prend ensuite la sortie 155 ou Saint-Barthélemy. Cette sortie mène à deux voies de service qui longent l'autoroute vers l'est, au sud et au nord de celle-ci. Il faut suivre ces deux voies l'une après l'autre jusqu'à leur extrémité. Les oiseaux s'observent de chaque côté de ces voies. Par la suite, on se rend vers le fleuve (direction sud), puis, à la route du Fleuve, on tourne à gauche (direction est) et on poursuit jusqu'à la rivière Maskinongé.

Pour reprendre l'autoroute en sens inverse, une fois arrivé à la rivière Maskinongé, il faut traverser le viaduc au-dessus de l'autoroute, tourner immédiatement à droite pour traverser la rivière Maskinongé sur le petit pont et revenir ensuite vers la droite jusqu'à l'autoroute 40.

Périodes cibles : La mi-avril semble être la période de choix pour effectuer une excursion à cet endroit. Il faudra y investir quelques heures.

Saint-Barthélemy

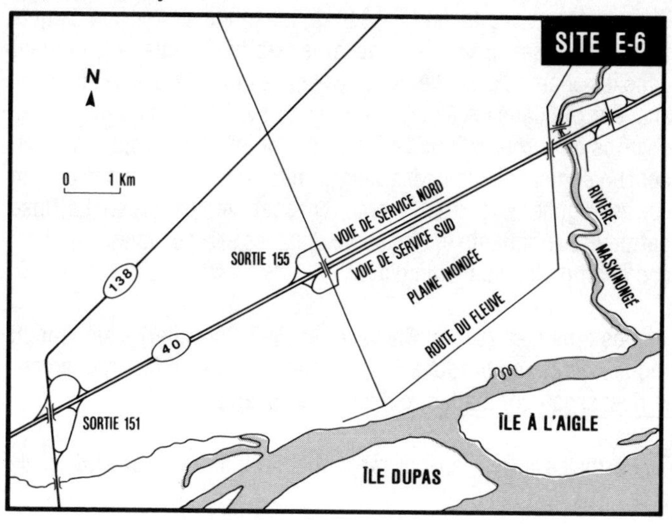

Description du site : Le lac Saint-Pierre et ses rives forment une étendue très plane. La dénivellation est minime. Au printemps, lors du dégel, le lac se gonfle et inonde les terres riveraines cultivées. Ce milieu est très productif en raison du réchauffement rapide de l'eau. Il est très recherché par les canards barboteurs car la profondeur de l'eau est idéale pour barboter (15-45 cm).

La plaine inondée de Saint-Barthélemy constitue l'une des plus importantes haltes migratoires printanières de canards barboteurs du Québec (jusqu'à 3000 canards). Toutes les espèces du Québec sont présentes. Le Canard pilet est le plus abondant. Les autres espèces se voient en quantités variables selon les dates. La meilleure période s'étend du début d'avril jusqu'au début de mai avec un pic maximal à la mi-avril. La voie de service longeant le sud de l'autoroute est le meilleur secteur d'observation. Le Canard siffleur d'Europe y est vu presqu'à tous les ans.

Sur la voie de service longeant le côté nord de l'autoroute, la Bernache du Canada est l'espèce dominante avec parfois jusqu'à 5000 individus. Il faut bien observer les bernaches qui broutent dans les champs car l'Oie rieuse y est vue (1 ou 2 oiseaux) tous les ans, surtout dans les fossés, entre la mi-avril et la fin du mois. Les champs sont moins inondés du côté nord de l'autoroute mais on peut également observer des canards barboteurs. Le Faucon pèlerin est vu régulièrement de ce côté, chassant les canards. La Buse pattue est abondante et s'observe dans les arbres isolés au milieu des champs jusqu'à la fin d'avril.

Des limicoles (Grand Chevalier et Petit Chevalier) s'alimentent régulièrement en bordure des champs inondés. Il faut rechercher le Bécasseau combattant qui les accompagne parfois.

Parmi les autres espèces rares, mentionnons le Cygne tuberculé et la Grue du Canada.

À partir de la mi-mai, lorsque l'eau se retire, il n'y a plus d'intérêt à visiter ce site, les oiseaux l'ayant déserté et les cultivateurs l'ayant envahi.

Itinéraire suggéré : Les deux voies de service longeant l'autoroute constituent les meilleurs secteurs d'observation. On peut par ailleurs faire un circuit en se dirigeant vers le sud et en prenant la route du Fleuve vers l'est jusqu'à la rivière Maskinongé. Cette route borde également des champs inondés, recherchés par les canards barboteurs. Pour revenir au point de départ, il suffit de reprendre l'autoroute 40 vers l'ouest.

Site E-7

Baie-du-Febvre

Profil ornithologique : oies, canards barboteurs, canards plongeurs, rapaces, limicoles, strigidés. *Spécialités :* Bernache du Canada, Oie des neiges, Oie de Ross, Oie rieuse, Canard siffleur d'Europe, Morillon à tête rouge, Canard roux, Phalarope de Wilson, Hibou des marais, Harfang des neiges.

Localisation : Baie-du-Febvre est situé sur la rive sud du lac Saint-Pierre dans le comté Nicolet-Yamaska, à environ 90 km de Montréal. Il faut compter 90 minutes pour s'y rendre à partir de Montréal.

Accès : La principale voie d'accès vers Baie-du-Febvre est la route 132 est. À partir de Montréal, il vaut mieux prendre l'autoroute 30 est jusqu'à Sorel. Cette autoroute peut être atteinte à partir des autoroutes 10 est (pont Champlain) ou 20 est (tunnel L.-H. Lafontaine). Arrivé à Sorel, il s'agit de continuer sur la route 132 est jusqu'à Baie-du-Febvre.

Les gens situés au nord du fleuve peuvent atteindre la route l32 en traversant le fleuve à l'extrémité ouest du lac Saint-Pierre, à Saint-Ignace-de-Loyola près de Berthierville ou, à l'extrémité est, en traversant le pont à Trois-Rivières.

À partir de l'autoroute 20, près de Drummondville, on peut rejoindre la 132 à partir des routes 122, 143 ou 226 nord.

Périodes cibles : L'observation des oiseaux est intéressante au printemps et à l'été. L'hiver, le Harfang des neiges est habituel mais l'automne, la chasse rend les excursions hasardeuses. Les meilleures heures sont surtout le matin (entre 7h00 et 9h00) et le soir (entre 17h00 et 19h00). Un minimum de 2 heures est nécessaire pour visiter le site mais on peut également prévoir y passer une journée sans s'ennuyer (surtout au printemps).

Renseignements spéciaux : L'abondance des oiseaux au printemps est souvent liée à l'importance de la plaine d'inondation du lac Saint-Pierre. Lorsque le niveau d'eau est élevé, les champs sont inondés et les oiseaux plus nombreux et plus faciles à observer.

Description du site : La rive sud du lac Saint-Pierre forme durant l'été un immense marais bordé au sud par une prairie humide et de chaque côté par une érablière argentée. Le secteur est de la rive est un vaste champ de tir au canon de la Défense Nationale. L'accès sur ce territoire est interdit et bien clôturé. Il sert en même temps de sanctuaire d'oiseaux migrateurs où vont se rassembler les canards barboteurs à l'automne.

Les champs cultivés, au printemps, sont inondés à partir de la fin de mars jusqu'au début du mois de mai. Cette vaste plaine inondée forme alors un habitat idéal où se rassemblent jusqu'à 15 000 Bernaches du Canada, 56 000 Oies des neiges et 4000 canards barboteurs. C'est la halte migratoire la plus importante du Saint-Laurent pour la Bernache du Canada et la deuxième en importance pour les canards barboteurs et l'Oie des neiges.

Le projet d'Atlas des oiseaux nicheurs a permis de déceler environ 130 espèces d'oiseaux qui peuvent nicher sur ce site. Parmi ceux-ci, mentionnons certaines espèces d'intérêt particulier : le Phalarope de Wilson, le Canard roux, le Morillon à tête rouge, le Canard branchu et le Hibou des marais.

Les oiseaux de marais sont présents en abondance durant l'été (les râles, la Poule-d'eau, le Grèbe à bec bigarré, la Bécassine des marais, le Troglodyte des marais, le Bruant des marais et la Guifette noire).

Les rapaces sont parfois nombreux au printemps. En avril, la Buse pattue se perche dans les arbres isolés. Le Busard Saint-Martin fréquente les marais, se chicanant avec le Hibou des marais et ce dernier avec le Harfang des neiges, pour la capture des Campagnols des champs. Le Faucon pèlerin pourchasse les canards et le Pygargue à tête blanche recherche les carpes échouées. L'Urubu à tête rouge et tous les autres rapaces survolent en migration le territoire lors des belles journées ensoleillées.

Plusieurs espèces de hérons fréquentent ce site. Le Grand Héron niche (petite colonie de 15 nids) dans le secteur de la Défense Nationale. Le Butor d'Amérique est vu fréquemment dans les champs semi-inondés.

Certaines espèces rares doivent être recherchées lors des excursions printanières. Mentionnons : l'Oie rieuse (1 à 2 individus broutant avec les bernaches dans le secteur ouest de la plaine inondée), l'Oie de Ross, la Grande Aigrette, le Bécasseau combattant, le Héron garde-boeufs, l'Ibis falcinelle, le Bécasseau à long bec, la Sterne de Forster et le Cygne siffleur.

Itinéraire suggéré :

L'étang de sédimentation de Baie-du-Febvre (Site 1) : Pour s'y rendre, il faut suivre la route 132 sur la rive sud du lac Saint-Pierre jusqu'à Baie-du-Febvre. On prend ensuite la route de gravier au centre du village qui se dirige vers le nord (route Janelle) sur une distance d'environ 1 km. L'étang est situé à droite au bord de la route ; un poste d'observation y est aménagé.

Cet étang sert à nettoyer les eaux usées du village. Il s'agit d'un milieu propice pour l'élevage des barboteurs en raison de sa grande densité d'invertébrés.

Il commence à dégeler vers le 20 avril. Des canards plongeurs viennent alors le visiter jusqu'au début de mai (Grand Morillon, Petit Morillon, Morillon à collier, Petit Garrot, Garrot à oeil d'or, Bec-scie couronné et Morillon à tête rouge). Au début de mai arrivent régulièrement 2 à 3 douzaines de Phalaropes de Wilson. C'est le seul endroit au Québec où cet oiseau s'observe facilement et régulièrement.

En juin, il faut surveiller l'apparition du Canard roux qui a déjà niché à cet endroit avec succès en 1981 et en 1989.

En juillet et en août, ce site devient l'endroit d'élevage où on retrouve la plus grande concentration de jeunes canards barboteurs (souvent plusieurs centaines à l'hectare et de toutes les espèces). Le Morillon à tête rouge niche également autour de l'étang.

La commune de Baie-du-Febvre (Site 2) : Ce site est voisin de celui de l'étang de sédimentation (site précédent). Il suffit de continuer à partir de la route 132 sur la route Janelle au centre du village de Baie-du-Febvre vers le nord jusqu'à la rive sud du lac Saint-Pierre.

Ces terres servaient autrefois comme zone de pacage collectif. Actuellement, une partie a été récupérée pour l'agriculture maraîchère. Le reste sera aménagé par Canards Illimités pour favoriser la reproduction des canards barboteurs.

Baie-du-Febvre

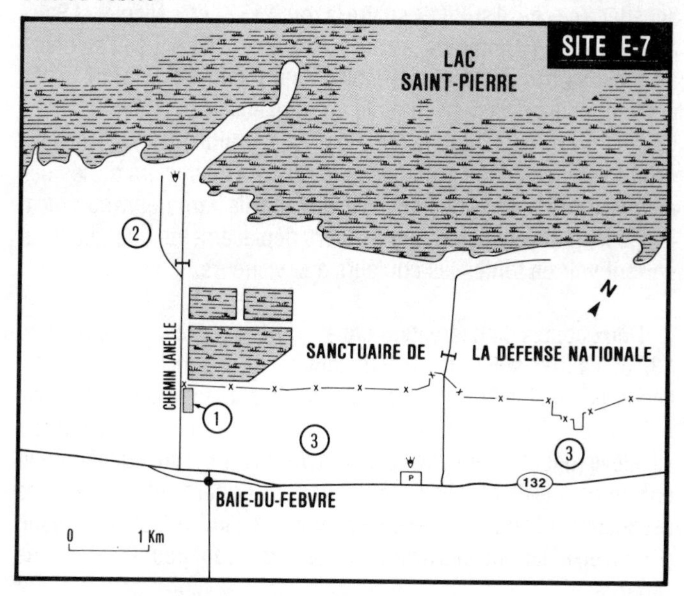

Une tour d'observation permet une vue sur le fleuve et sur les marais de la Défense Nationale. Elle est située au sud-est des chalets du Club de la Landeroche. Une rampe de mise-à-l'eau permet également de faire une excursion en canot ou en chaloupe sur le fleuve.

Durant l'hiver, on observe régulièrement le Harfang des neiges sur ce site. Au printemps, le Hibou des marais vient le détrôner et nichera plus tard dans la prairie humide. On y remarque aussi le Phalarope de Wilson comme nicheur.

Au printemps, dans les labours inondés juste au sud des chalets, il faut rechercher les différents limicoles (Bécasseau à poitrine cendrée, Bécasseau à croupion blanc, Bécasseau minuscule et Bécasseau roux).

La plaine d'inondation Nicolet-Baie-du-Febvre (Site 3) : Pour accéder à ce site, il suffit de suivre la route 132 entre Nicolet et Baie-du-Febvre. Au printemps, à partir de la fin de mars jusqu'au début de mai, les basses terres agricoles sont inondées. L'ampleur de cette inondation va faire varier le nombre et la variété des espèces. Ce secteur devient alors le témoin d'un des plus beaux spectacles ornithologiques que le Québec peut offrir. Les milliers d'Oies des neiges, de Bernaches du Canada et de canards barboteurs survolent le site le matin et le soir, lors de leurs déplacements quotidiens, et en font voir de toutes les couleurs aux visiteurs.

Deux postes d'observation ont été aménagés le long de la route 132 et d'autres suivront vraisemblablement. Parmi les espèces qui accompagnent la Bernache du Canada, il faut surveiller l'Oie rieuse qui est vue à tous les ans (1 à 2 individus). Lorsque le niveau d'eau est élevé (début d'avril), le Morillon à dos blanc est vu régulièrement en compagnie du Morillon à tête rouge. Le Canard siffleur d'Europe est également souvent présent en avril (1 à 2 individus). Le Faucon pèlerin et le Harfang des neiges se concurrencent pour la capture de canards.

Phalarope de Wilson

Secteur F

Au nord de Montréal

1- La région d'Oka et le parc Paul-Sauvé

2- Le Centre éducatif forestier Le Bois de Belle-Rivière

3- La région de Saint-Colomban

4- La région de Lachute

5- Le parc du Mont-Tremblant et la réserve faunique Rouge-Matawin

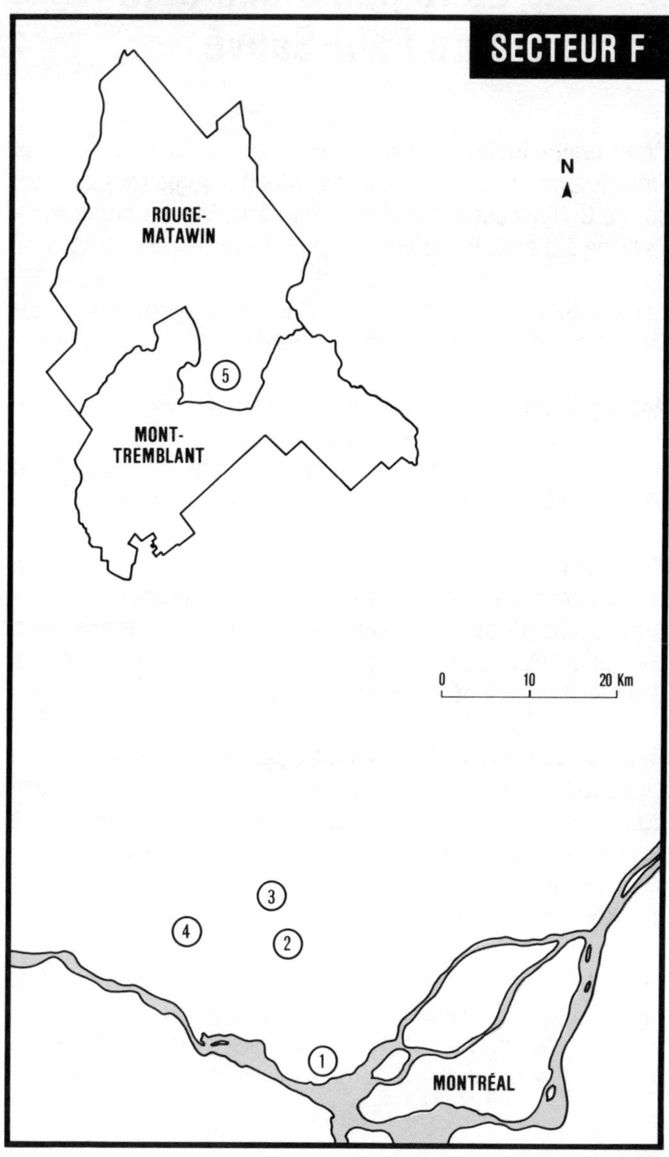
SECTEUR F
N
ROUGE-
MATAWIN
5
MONT-
TREMBLANT
0
10
20 Km
3
4
2
1
MONTRÉAL

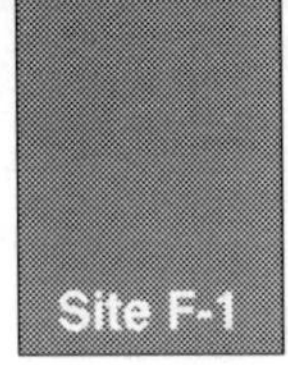

La région d'Oka et le parc Paul-Sauvé

Profil ornithologique : espèces associées aux milieux humides, limicoles, passereaux. *Spécialités :* Huart à gorge rousse, Grèbe cornu, Grèbe jougris, Morillon à dos blanc, Viréo à gorge jaune, Paruline des pins, Bec-croisé rouge, Bec-croisé à ailes blanches.

Localisation : La région d'Oka est située sur la rive nord du lac des Deux-Montagnes à environ 45 minutes de Montréal par route.

Accès : À partir de Montréal, on se rend à ce site via l'autoroute 13 nord et l'autoroute 640 ouest. Pour accéder au parc Paul-Sauvé, on n'a qu'à poursuivre tout droit au bout de la route 640. Pour aller au village d'Oka, on tourne à droite sur la route 344 ouest.

Périodes cibles : Ce site offre beaucoup d'intérêt, particulièrement au printemps et à l'automne. De plus, les nombreuses pistes de ski de randonnée du parc Paul-Sauvé permettent d'associer ce sport de plein air à l'observation des oiseaux durant l'hiver. Au moins une demi-journée sera nécessaire pour compléter la visite de ce site.

Renseignements spéciaux : Le parc Paul-Sauvé n'ouvre ses portes qu'à 7h00. Pour celui qui prévoit faire de l'observation dans le parc avant cette heure, il est alors indispensable de camper dans le parc. Pour obtenir des brochures, dépliants ou autres informations sur le parc Paul-Sauvé, il faut écrire à : Parc Paul-Sauvé, Case postale 447, Oka, Québec J0N 1E0

Description du site : La région d'Oka est caractérisée par un relief beaucoup plus accidenté que celui de la région environnante. En effet, on y retrouve plusieurs collines collectivement appelées les collines d'Oka. La région présente aussi d'importants espaces boisés ainsi que plusieurs vergers et des champs en culture. Les forêts sont principalement dominées par l'Érable à sucre, l'Érable argenté, le Pin blanc et le Chêne rouge.

En bordure du lac des Deux-Montagnes, on retrouve le parc Paul-Sauvé, un parc de récréation d'une superficie de 1800 hectares où la présence de quelques milieux humides ajoute à la diversité des habitats de la région. Une importante zone marécageuse, la Grande Baie, située dans la partie est du parc, abrite une faune ailée aquatique importante.

Les principales activités pratiquées dans le parc sont le camping, le pique-nique, la baignade, la randonnée pédestre ainsi que le ski de fond et la raquette. Un programme d'interprétation de l'histoire et de l'écologie du parc ainsi que des randonnées guidées sont également offerts aux visiteurs. Durant la saison estivale, il est possible de participer à des excursions en canot dans la Grande Baie.

Selon la documentation disponible au centre d'interprétation du parc Paul-Sauvé, 210 espèces d'oiseaux ont été observées dans les limites du parc et il est fort probable que plus d'une centaine d'entre elles nichent dans la région d'Oka. Les espèces associées aux milieux humides, y compris les anatidés, font belle figure; l'immense marais de la Grande Baie est un site de nidification idéal pour plusieurs d'entre elles tandis que, tard à l'automne, on retrouve de grands rassemblements de canards plongeurs sur le lac des Deux-Montagnes. Une colonie de Grands Hérons en bordure de la Grande Baie semble en voie de disparaître, résultat probable d'une activité humaine trop intense dans le secteur. Par ailleurs, les rivages sablonneux du lac des Deux-Montagnes invitent plusieurs limicoles à faire une halte lors de leur migration automnale.

Les rapaces diurnes et nocturnes fréquentent aussi la région. Durant la saison de nidification, on y rencontre, entre autres, la Buse à épaulettes, le Grand-duc d'Amérique, la Chouette rayée et le Petit-duc maculé. La Petite Nyctale y a aussi niché à l'occasion. L'Urubu à tête rouge, un nouveau venu dans la région, pourrait nidifier sur l'une des collines d'Oka.

Parmi les espèces dont la distribution est très locale au Québec, on trouve régulièrement le Viréo à gorge jaune et la Paruline des pins durant la saison de nidification, tandis que le Gobe-moucherons gris-bleu et le Pic à tête rouge ont niché au moins à une occasion dans les limites du parc.

Itinéraire suggéré :

La Grande Baie (Site 1) : Aux feux de circulation situés à l'extrémité de la route 640, le visiteur doit emprunter le chemin des Collines en direction du centre d'interprétation du parc Paul-Sauvé. Le sentier de la Grande-Baie débute en face du centre ; ce dernier amène d'abord le visiteur à travers des champs en jachère, puis à travers une vieille érablière, avant de le conduire en bordure de la Grande Baie. Ce morcellement des habitats favorise une grande diversité aviaire. Le Viréo à gorge jaune est particulièrement commun dans l'érablière de mai à juillet. En bordure de la baie, il est possible d'observer quelques oiseaux aquatiques, entre autres, la Guifette noire, le Canard branchu et nos deux espèces de sarcelles. Une passerelle de bois et une tour d'observation facilitent la recherche de ces espèces. Il faut compter environ deux heures pour compléter cet itinéraire. Des excursions en canot dans la baie sont organisées durant la saison estivale ; les renseignements à ce sujet peuvent être obtenus au centre d'interprétation.

Le rivage du lac des Deux-Montagnes (Site 2) : La plage du parc Paul-Sauvé, particulièrement la section ouest, qui est moins fréquentée par les baigneurs, est un endroit réputé pour l'observation des limicoles à l'automne. Une vingtaine d'espèces de pluviers et bécasseaux y ont été observées, incluant des espèces très peu communes dans la région telles que la Barge hudsonienne, le

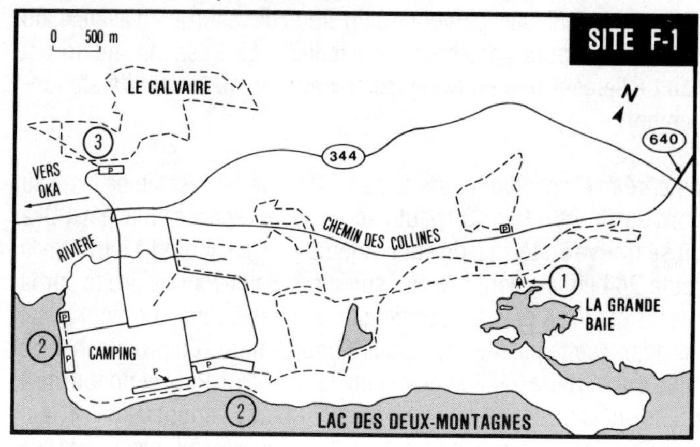

Bécasseau à échasses et le Bécasseau à long bec. De plus, la Sterne caspienne (jusqu'à 4 individus en 1989) séjourne à cet endroit, durant l'été, depuis quelques années.

En avril, de même qu'en octobre, on peut observer, sur le lac, le Huart à gorge rousse, le Grèbe cornu, le Grèbe jougris ainsi que plusieurs canards plongeurs, entre autres, le Morillon à dos blanc. Au début de l'été, la forêt humide en bordure de la plage accueille plusieurs espèces nicheuses ; c'est dans ce secteur que le Gobe-moucherons gris-bleu et le Pic à tête rouge ont déjà élevé leur progéniture. La Paruline des pins est régulièrement présente dans les petits groupements de Pins blancs. Pour accéder rapidement à ce site, on s'y rend en voiture et on la laisse dans l'aire de stationnement adjacente à la plage. Des frais d'entrée sont alors exigés.

Le Calvaire (Site 3) : Le sentier du Calvaire est situé dans le parc Paul-Sauvé du côté nord de la route 344 en face du poste d'accueil Ouest. On peut garer sans frais sa voiture dans une aire de stationnement à l'entrée du sentier. Ce dernier sillonne une forêt d'essences feuillues, parvenue à un stade de maturation avancé, où nichent plusieurs passereaux sylvicoles. Le Passerin indigo est habituellement très en évidence aux abords du terrain de stationnement.

La pinède (non indiquée sur la carte) : La pinède est située juste au nord du village d'Oka. On peut y accéder par le parc municipal d'Oka où se trouve un terrain de stationnement. On s'y rend à partir de la route 344 en tournant à droite sur la rue Saint-Paul, à droite sur la rue Saint-Denis et enfin à droite sur la rue des Pins. On peut aussi accéder à cette pinède par la rue l'Annonciation. En provenance de l'est, sur la route 344, on emprunte la rue Saint-Paul et on tourne à droite sur la rue Saint-Jacques, jusqu'à la rue l'Annonciation ; il faut alors laisser sa voiture en bordure de cette rue. À l'ouest de la rue l'Annonciation, entre le village et le club de golf municipal, on trouve un peuplement pur de Pins blancs tandis qu'à l'est de la rue, la forêt mixte est surtout dominée par le Pin blanc et la Pruche du Canada. Des sentiers sillonnent la forêt des deux côtés de la rue l'Annonciation. Les espèces d'intérêt dans ce secteur sont la Paruline des pins, qui s'y reproduit durant l'été, et les deux espèces de becs-croisés ; ces derniers fréquentent l'endroit surtout durant l'hiver. Divers projets menacent malheureusement l'intégrité de cette superbe pinède.

Troglodyte des marais

Site F-2

Le Centre éducatif forestier Le Bois de Belle-Rivière

Profil ornithologique : rapaces diurnes, hiboux, chouettes, parulines. *Spécialités :* Autour des palombes, Grand-duc d'Amérique, Chouette rayée, Grand Pic, Merle-bleu de l'Est.

Localisation : Le Centre éducatif forestier Le Bois de Belle-Rivière est situé en direction nord-ouest, à environ 65 km du centre-ville de Montréal, dans le comté d' Argenteuil.

Accès : Situé sur la route 148, à mi- chemin entre Saint-Eustache et Lachute, on y accède facilement, soit en empruntant la sortie 11 de l'autoroute 640 en direction de Lachute, ou soit par le boulevard Mirabel, situé à la sortie 35 de l'autoroute 15, menant à la route 148, à proximité de l'entrée du site.

Périodes cibles : Ouvert toute l'année, sauf pendant la période des Fêtes, le Centre offre des possibilités d'observation intéressantes en toutes saisons. L'hiver est probablement la saison la plus propice pour apercevoir les hiboux tels que le Grand-duc d'Amérique et la Chouette rayée, ou encore pour partir à la recherche du Grand Pic. Deux postes d'alimentation d'oiseaux sont entretenus en cette saison, attirant plusieurs espèces, certaines plus familières et d'autres moins fréquentes.

D'autre part, le printemps est la saison privilégiée pour observer de nombreuses espèces en migration. Le verger, alors en fleurs, est tout désigné pour la recherche des parulines et autres passereaux. C'est également la période la plus favorable pour apercevoir le Merle-bleu de l'Est.

Enfin, c'est au début de l'été, alors que la saison de nidification bat son plein, que l'on peut se familiariser avec l'avifaune forestière caractéristique de l'érablière.

Le matin étant le meilleur moment de la journée pour l'observation, le Centre offre, lors des deuxième et troisième fins de semaine de mai, la possibilité d'accéder au site dès 6h00. Toutefois, les observateurs désireux de venir tôt en dehors de ces périodes devront marcher 1 km à partir de la barrière d'accès pour rejoindre le réseau de sentiers. Environ 8 km de pistes traversent différents milieux et permettent au randonneur de s'adonner en toute quiétude à son loisir préféré.

Gélinotte huppée

Renseignements spéciaux : Le bois de Belle-Rivière a été ouvert officiellement au public en septembre 1981. Depuis le 15 avril 1987, les installations de ce centre ont été transférées au ministère de l'Énergie et des Ressources. Le Centre éducatif forestier Le Bois de Belle-Rivière devient ainsi le neuvième centre du réseau provincial québécois. Situé au coeur de l'un des plus beaux patrimoines forestiers du Québec, celui de l'érablière à caryer, le Centre est un lieu privilégié pour apprendre à connaître et à apprécier la forêt et ses composantes. Il est ouvert toute l'année de 8h30 à 16h30 du lundi au vendredi (fermé de 12h00 à 13h00), et de 9h00 à 16h00 les samedis, dimanches et jours fériés. Durant les mois de novembre et décembre, il est possible de venir sur semaine seulement. Signalons que durant les mois de janvier et février, le Centre est fermé les samedis.

Le pavillon d'interprétation est le point de départ des sentiers, le long desquels trois abris permettent de se reposer ou encore de prendre un repas. Cependant, pour manger sur place, il faut apporter son goûter puisqu'il n'y a ni cafétéria, ni distributeur automatique sur le site.

Pour préserver la vocation éducative du Centre et l'intégrité du milieu, la cueillette d'éléments naturels, la circulation en véhicule et la pratique de jeux sont interdites. De même, les animaux domestiques ne sont pas admis. L'accès au Centre est gratuit ainsi que les services qui y sont offerts.

Durant la période hivernale, un sentier de 1,8 km est aménagé pour la marche en forêt. De plus, un sentier de raquettes permet aux visiteurs une randonnée de près de deux (2) heures dans l'érablière. Le ski de fond est cependant interdit sur le site.

Description du site : Le Centre éducatif forestier Le Bois de Belle-Rivière couvre une superficie de 182 hectares. La forêt, surtout l'érablière, recouvre la plus grande partie du territoire. On y retrouve également des peuplements de Pruches du Canada et de cèdres ainsi qu'un verger, des bosquets, des haies d'arbres ou d'arbustes. Certains champs sont aménagés en jardin forestier et en jardin ornemental. Situé en milieu agricole, le Centre est bordé par des secteurs boisés, des pâturages, des champs cultivés ou en friche.

Il fait partie de la zone de l'érablière à caryer caractéristique du sud du Québec. Il comprend plusieurs essences décidues comme le Caryer cordiforme, le Noyer cendré, le Hêtre à grandes feuilles et bien entendu l'Érable à sucre qui est l'espèce dominante.

La forêt présente différentes formations qui vont de la futaie aux peuplements en regain, créant ainsi de nombreux milieux et favorisant l'établissement d'une avifaune variée.

En 1976, une recherche couvrant la zone de l'Aéroport international de Montréal et englobant le Centre a été entreprise pour étudier l'avifaune de la région. Les résultats de cette étude révèlent que 185 espèces d'oiseaux ont été repérées dans cette zone. De ce nombre, 97 espèces peuvent être considérées comme nicheuses sur le site.

Les terres agricoles ainsi que les champs abandonnés entourés de clôtures de pierres et de haies sont des milieux privilégiés pour l'alimentation et la reproduction de petits rongeurs. Ces derniers attirent spécialement les oiseaux de proie. Quelques espèces de rapaces diurnes sont fréquemment observées dans le voisinage, entre autres, la Petite Buse, le Busard Saint-Martin et la Crécerelle d'Amérique. La Buse à queue rousse, pour sa part, a été observée sur son nid en bordure du site. L'Autour des palombes et l'Épervier brun sont deux espèces qui fréquentent sporadiquement le couvert de la forêt.

Les hiboux sont aussi de ceux qui profitent du milieu forestier et de l'abondance des rongeurs pour s'y établir. Le Grand-duc d'Amérique et la Chouette rayée ont été signalés fréquemment, surtout durant la période hivernale. Le Hibou moyen-duc et la Petite

Nyctale sont des espèces que l'on peut voir, plus particulièrement lors des migrations.

Les secteurs de haute futaie sont le domaine du Grand Pic. Cette espèce, dont les traces d'activité sont nombreuses dans l'érablière, est observée plus facilement en hiver. Quant aux secteurs plus jeunes de la forêt, ils sont fréquentés abondamment par la Gélinotte huppée.

Dans les milieux ouverts, on rencontre des espèces familières comme les tyrans et les hirondelles, les moqueurs, la Paruline jaune et la Paruline masquée, le Passerin indigo, certains bruants, le Goglu et d'autres ictérinés ainsi que le Chardonneret jaune.

Mais c'est chez les passereaux forestiers que l'on enregistre la plus grande variété. Les groupes les plus souvent rencontrés sont les moucherolles, les geais, les mésanges, les sittelles, les grimpereaux, les grives, les viréos et les parulines. Le Cardinal à poitrine rose et le Tangara écarlate sont également du nombre.

Malgré son nom évocateur, le Centre éducatif forestier Le Bois de Belle-Rivière ne possède aucun plan d'eau appréciable qui soit susceptible d'attirer les oiseaux limicoles ou aquatiques. Toutefois, quelques espèces comme le Grand Héron ou le Canard noir sont aperçues sporadiquement au printemps, alors que les baissières sont inondées par la fonte des neiges.

Itinéraire suggéré : Des aménagements spécifiques ont été installés sur le site afin de faciliter l'observation de certaines espèces. Ainsi, environ une trentaine de nichoirs à merle-bleu ont été disséminés dans les secteurs propices. Des mentions de nidification de cette espèce y ont déjà été enregistrées.

De plus, deux postes d'alimentation attirent plusieurs espèces ; les unes, plus familières comme le Gros-bec errant, le Geai bleu et

Le Centre éducatif forestier Le Bois de Belle-Rivière

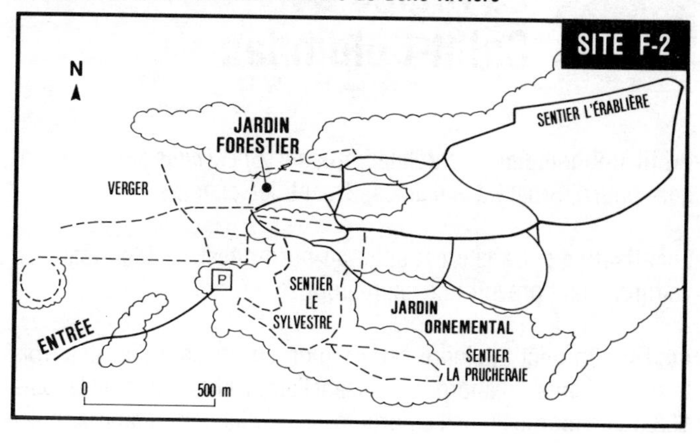

la Tourterelle triste, et d'autres, moins fréquentes, comme le Geai du Canada, le Cardinal rouge et la Pie-grièche grise.

Enfin, depuis quelques années, des abreuvoirs à colibris sont assidûment visités par cet oiseau particulièrement peu farouche, à la grande joie des photographes.

L'avifaune du Centre et de la région environnante n'a, jusqu'à ce jour, fait l'objet que de très peu de recherches et de dénombrements. Pour cette raison, il se peut que des particularités ornithologiques intéressantes soient encore ignorées. Ainsi, dans le rapport cité précédemment, on mentionne la présence du Bruant des plaines, une espèce rare dans la région de Montréal. Des observations plus soutenues dans le futur sauront mettre en évidence d'autres caractéristiques particulières pour le bénéfice de tous.

Site F-3

La région de Saint-Colomban

Profil ornithologique : parulines, bruants. *Spécialités :* Engoulevent bois-pourri, Bruant des plaines, Bruant des champs.

Localisation : Ce site est situé au nord-ouest de Montréal. En voiture, il faut prévoir une heure pour s'y rendre.

Accès: On peut atteindre cette région en utilisant l'un des trois trajets suivants : d'abord, en utilisant l'autoroute 15 nord et la route 158 ouest (sortie 39 de l'autoroute 15) sur laquelle il faudra rouler 13,8 km avant de tourner à droite sur la montée Saint-Rémi ; après avoir franchi la rivière du Nord, on tournera finalement à gauche sur le chemin Rivière-du-Nord. On peut aussi accéder à ce site via le boulevard Mirabel (sortie 35 de l'autoroute 15). Après avoir roulé environ 15 km, on tournera à droite sur le rang Saint-Rémi pour rejoindre la route 158 après 4 km. La troisième voie d'accès consiste à utiliser l'autoroute 13, la route 640 ouest et la route 148 ouest à Saint-Eustache (sortie 11). Environ 2,6 km après le Centre éducatif forestier Le Bois de Belle-Rivière, on tournera à droite sur le chemin Mirabel puis éventuellement à gauche sur le rang Saint-Rémi pour rejoindre le chemin Rivière-du- Nord.

Périodes cibles : La période s'échelonnant de mai à juillet semble présenter le plus d'intérêt dans cette région. Deux à trois heures seront nécessaires pour compléter l'itinéraire proposé.

Description du site : Cette région est située entre les municipalités de Saint-Canut et de Lachute juste aux confins de la plaine de Montréal et des Laurentides. Elle est caractérisée par une forêt mixte parvenue à différents stades de développement et entrecoupée de pâturages et de champs cultivés. Certains peuplements de jeunes pins et de thuyas abritent une faune ailée très intéressante.

La région de Saint-Colomban

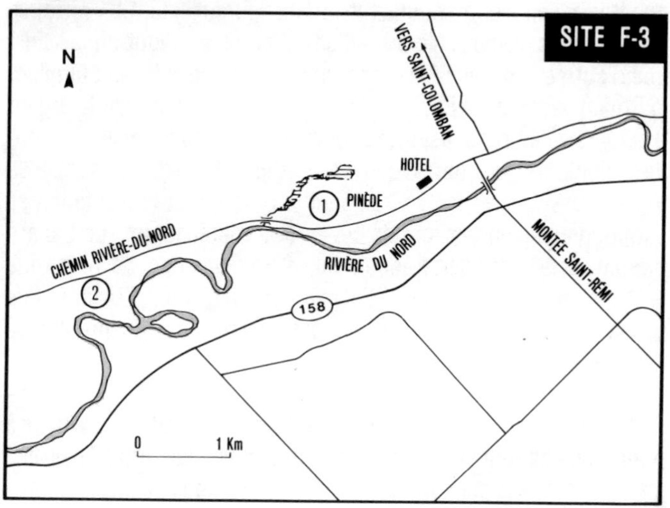

Durant la saison hivernale, le Cerf de Virginie est très en évidence dans ce secteur. Le groupe des parulines et particulièrement celui des bruants sont responsables de l'attrait qu'exerce cette région pour l'ornithologue. En effet, environ dix espèces de bruants peuvent être observées durant l'été à Saint-Colomban. Parmi celles-ci, le Bruant des plaines et le Bruant des champs sont très recherchés par l'observateur d'oiseaux.

Itinéraire suggéré : Une seule voie carrossable franchit le secteur qui nous intéresse. Il s'agit du chemin Rivière-du-Nord, route non pavée, très pittoresque et peu fréquentée, encaissée entre la rivière du Nord et les premières collines des Laurentides. À partir de la montée Saint-Rémi, on se dirige vers l'ouest sur ce chemin ; peu après avoir passé devant l'hôtel Colford, on trouve à droite une vaste plantation de jeunes pins parvenus à différents stades de maturité *(Site 1)*. Un sentier dont l'accès est situé exactement à 1,4 km de la montée Saint-Rémi sillonne la plantation. Cette dernière est fréquentée par plusieurs espèces de bruants durant l'été. On y retrouve le Bruant des plaines et le Bruant des champs à chaque année ainsi que d'autres espèces plus communes telles que le Bruant familier, le Bruant vespéral, le Bruant des prés, le Bruant chanteur, le Bruant des marais, le Bruant à gorge blanche et le Junco ardoisé. Au nord de la plantation, un cours d'eau marécageux abrite d'autres espèces toutes aussi intéressantes. Le sentier parcourant la plantation se continue jusqu'en bordure de cet endroit marécageux. Le Canard branchu et le Héron vert fréquentent cet emplacement de même que le Moucherolle à côtés olive à l'occasion. Par ailleurs, l'Urubu à tête rouge plane souvent au-dessus des collines qui se profilent à l'arrière-plan.

De retour sur le chemin Rivière-du-Nord, le visiteur est invité à poursuivre sa route vers l'ouest en direction de Lachute. Environ 3 km à l'ouest de la plantation, un pré sous une ligne de haute tension d'Hydro-Québec accueille occasionnellement le Bruant sauterelle durant l'été *(Site 2)*. Encore plus à l'ouest, le chemin Rivière-du-Nord traverse des peuplements mixtes où les parulines abondent. On peut y observer la Paruline des pins à l'occasion. En soirée, le cri répétitif de l'Engoulevent bois-pourri est facilement perceptible en maints endroits, particulièrement en mai et en juin. Tôt au printemps (en avril), la Petite Nyctale émet ses longues séries de sifflements monotones, en particulier lors des soirées de pleine lune. Le Cerf de Virginie est aussi très abondant dans ce secteur.

À l'extrémité ouest du chemin Rivière-du-Nord, le visiteur peut se diriger vers le site F4 (région de Lachute) via la route 329 sud et la route 158 est.

Bruant des champs

Site F-4

La région de Lachute

Profil ornithologique : passereaux. *Spécialités :* Paruline des pins, Bec-croisé rouge, Bec-croisé à ailes blanches, Geai du Canada, Mésange à tête brune.

Localisation : Ce site est situé au nord-ouest de Montréal à environ 60 minutes du centre-ville en voiture.

Accès : On accède à ce site par l'autoroute 13 nord, la route 640 ouest puis la route 148 ouest à Saint-Eustache (sortie 11). Après le Centre éducatif forestier Le Bois de Belle-Rivière (15 km), il faut tourner à droite sur le chemin des Sources. On peut également y accéder via l'autoroute 15 nord et la route 158 ouest jusqu'au chemin des Sources.

Périodes cibles : Le printemps et le début de l'été demeurent les meilleures périodes pour entreprendre une excursion dans cette région. Cependant, certaines espèces boréales telles que le Geai du Canada et la Mésange à tête brune n'ont été observées que durant l'hiver. Quelques heures suffiront habituellement pour compléter la visite de cet emplacement.

Description du site : La région de Lachute est située aux confins des Laurentides et de la plaine de Montréal. Vu sa proximité avec les Laurentides et la présence de plusieurs peuplements de conifères, on est plus susceptible d'y rencontrer les espèces d'oiseaux des forêts boréales.

Cette région accueille une grande variété d'espèces associées aux écosystèmes terrestres mais très peu d'espèces affectionnant les milieux humides. Le groupe des parulines est très bien représenté sur ce territoire ; on peut y observer entre autres la Paruline

La région de Lachute

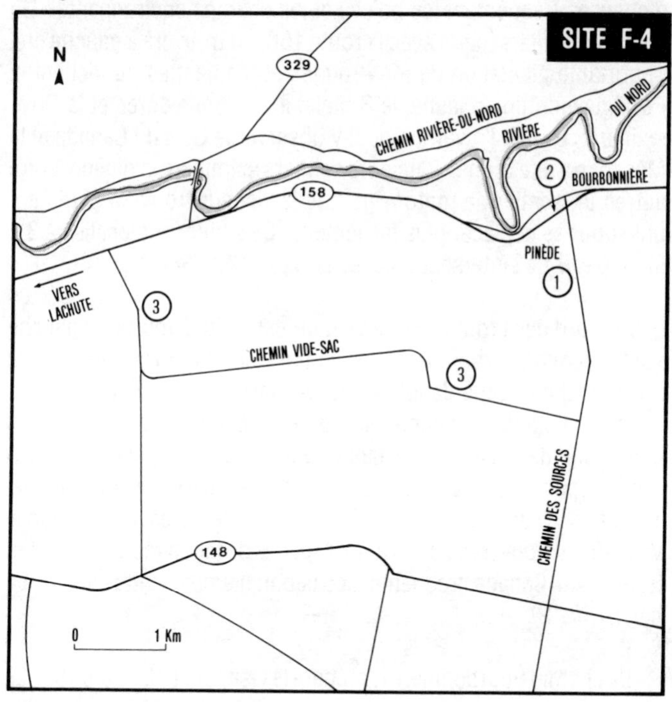

des pins, une espèce qui affiche une distribution très discontinue dans le sud-ouest du Québec.

Les pinèdes de la région de Lachute sont aussi de bons sites pour chercher la Mésange à tête brune, le Geai du Canada et nos deux espèces de becs-croisés, particulièrement durant la période hivernale.

Itinéraire suggéré : Le parcours débute à l'angle de la route 148 et du chemin des Sources. En juin, plusieurs arrêts le long du chemin des Sources feront découvrir au visiteur les nombreuses espèces nicheuses fréquentant les boisés et les champs environnants. Un peu avant l'intersection avec la route 158, on trouvera à gauche une importante plantation de Pins rouges et d'épinettes où nichent la Paruline à croupion jaune, le Roitelet à couronne dorée et la Grive solitaire. Durant l'hiver, on peut y observer le Geai du Canada et la Mésange à tête brune. Plusieurs sentiers sillonnent la pinède, entre autres un sentier de motoneige que le visiteur trouvera sûrement utile pour se déplacer plus facilement. Ce sentier est localisé à 3,4 km à partir de l'intersection avec la route 148 *(Site 1).*

Au nord de la route 158, le visiteur est invité à tourner à gauche sur le chemin Bourbonnière. Ce chemin le conduira à travers un parc résidentiel constitué de jolies petites maisons de bois construites dans un magnifique peuplement de Pins blancs. La Paruline des pins niche dans ce secteur tandis que les deux espèces de becs-croisés peuvent être présentes en toutes périodes de l'année. Toutefois, à cause de leurs habitudes nomades, il est certain que le visiteur n'y trouvera pas ces deux espèces de façon régulière. Enfin, le Geai du Canada fréquente occasionnellement cette pinède en hiver *(Site 2).*

Le chemin Bourbonnière ramènera le visiteur sur la route 158. Le visiteur doit alors se diriger vers l'ouest jusqu'au chemin Vide-Sac (3,8 km). Ce chemin traverse un secteur agricole où il est possible de trouver plusieurs espèces affectionnant les milieux ouverts durant la saison de reproduction : Sturnelle des prés, Goglu et autres *(Site 3).* Le chemin Vide-Sac revient jusqu'au chemin des Sources d'où on peut rejoindre soit la route 148, soit la route 158, pour revenir à Montréal.

À partir de l'intersection du chemin Bourbonnière et de la route 158, le visiteur peut aussi poursuivre son périple vers Saint-Colomban. Il devra alors tourner à droite sur la route 329 nord (2,9 km) puis à droite à nouveau sur le chemin Rivière-du-Nord (1,2 km). Ce chemin très pittoresque sillonne une forêt mixte où l'on retrouve une grande variété d'oiseaux et une importante population de Cerfs de Virginie. Ce chemin amènera éventuellement le visiteur au site F3.

Geai du Canada

Le parc du Mont-Tremblant et la réserve faunique Rouge-Matawin

Profil ornithologique : parulines et autres espèces nicheuses. *Spécialités :* Balbuzard, Tétras du Canada, Pic à dos noir, Moucherolle à côtés olive, Moucherolle à ventre jaune, Geai du Canada, Grand Corbeau, Mésange à tête brune, Bruant de Lincoln, Quiscale rouilleux, Bec-croisé à ailes blanches.

Localisation : Le parc du Mont-Tremblant et la réserve faunique Rouge-Matawin sont situés dans les Laurentides au nord de Montréal. En voiture, il faut compter deux heures ou plus pour s'y rendre.

Accès :

Parc du Mont-Tremblant : Le parc est divisé en trois secteurs administratifs, le secteur La Diable, le secteur La Pimbina et le secteur L'Assomption, chacun ayant des voies d'accès différentes. Des cartes détaillées pour chacun de ces secteurs sont disponibles au bureau de l'administration du parc.

Le principal accès au secteur La Diable est le centre d'accueil La Diable, ouvert durant toute l'année. On y accède par la municipalité de Lac-Supérieur (autoroute 15, route 117, sortie Saint-Faustin) ou par la municipalité de Mont-Tremblant (autoroute 15, route 117, sortie village de Mont-Tremblant, et chemin Duplessis). L'ouest du secteur La Diable est formé du territoire La Cachée auquel on accède par le poste d'accueil La Cachée, ouvert l'été seulement, via la municipalité de Labelle (28 km au nord de Saint-Jovite, sur la route 117). (Il est à noter que le territoire La Cachée n'est relié au reste du secteur La Diable que par des sentiers accessibles à pied, en ski ou en vélo). Le poste d'accueil La Macaza, dans la réserve faunique Rouge-Matawin, donne également accès au secteur La Diable.

On accède au secteur La Pimbina par la municipalité de Saint-Donat (à partir de Montréal, routes 25 et 125 ; ou routes 15 et 329 par Sainte-Agathe-des-Monts). L'été, on peut aussi se rendre dans le secteur par l'intérieur du parc, en empruntant la route 1 en provenance du secteur La Diable ou la route 7 en provenance du poste d'accueil Le Caribou dans le secteur L'Assomption. Le poste d'accueil Saint-Michel-des-Saints, dans la réserve faunique Rouge-Matawin, permet également d'accéder, par la route 3, au secteur la Pimbina.

Le principal accès au secteur L'Assomption est le centre d'accueil Saint-Côme, ouvert toute l'année. On y accède par la municipalité de Saint-Côme (de Montréal, autoroute 40, puis routes 31 et 347 en direction de Saint-Côme ; ou routes 25 et 343 en direction de Saint-Côme), ou encore par la municipalité de Notre-Dame-de-la-Merci. Pendant l'été, on peut s'y rendre par le poste d'accueil Caribou, via la municipalité de Saint-Donat. On peut aussi accéder au secteur L'Assomption par la réserve faunique Rouge-Matawin, via le poste d'accueil Saint-Michel-des-Saints.

Réserve faunique Rouge-Matawin : La réserve, qui est située immédiatement au nord du parc du Mont-Tremblant, est accessible via ce dernier et aussi via trois autres postes d'accueil.

Le poste d'accueil Saint-Michel-des-Saints se trouve à 26 km à l'ouest du village du même nom. Il est situé à 186 km de Montréal via la route 131. Le poste d'accueil La Macaza se trouve à 16 km au nord-est du village du même nom. Il est situé à 182 km de Montréal via l'autoroute 15 et la route 117. Le poste d'accueil L'Ascension se trouve à 11 km au nord-est du village du même nom. Il est situé à 207 km de Montréal via l'autoroute 15 et la route 117.

Périodes cibles : Les mois d'été, plus particulièrement juin et juillet, sont les périodes de choix pour effectuer un séjour dans le parc ou dans la réserve. L'hiver peut, d'autre part, offrir beaucoup d'intérêt pour le visiteur désirant jumeler le ski de randonnée et l'observation des oiseaux. Il faut disposer d'une journée complète pour entreprendre une excursion dans cette région.

Renseignements spéciaux : Pour obtenir tous les renseignements ou documents sur les activités et services du parc du Mont-Tremblant ou pour obtenir des cartes routières de chacun des secteurs, il faut téléphoner à l'un des numéros suivants:

- Centre d'accueil La Diable : (819) 688-2281
- Centre d'accueil Saint-Donat : (819) 424-2954
- Centre d'accueil Saint-Côme : (514) 883-1291

ou écrire à l'administration du parc du Mont-Tremblant : C.P. 129, Chemin de la Pisciculture, Saint-Faustin (Québec) J0T 2G0.

Pour obtenir des renseignements sur la réserve faunique Rouge-Matawin, il faut téléphoner de la mi-mai à la mi-novembre à l'un des numéros suivants : (819) 424-2981

- Poste d'accueil La Macaza : (819) 275-1811
- Poste d'accueil Saint-Michel-des-Saints : (514) 833-5530

ou écrire à : Case postale 370, Saint-Donat, Comté de Montcalm (Québec) J0T 2C0.

Description du site : Le parc du Mont-Tremblant est un vaste territoire de 1248 km carrés situé au coeur des Laurentides et voué principalement à la récréation. On y retrouve une multitude de lacs, de rivières et de montagnes situés dans le domaine de l'érablière à bouleau jaune et de la sapinière. Les eaux du parc appartiennent à trois bassins hydrographiques : celui de la rivière Saint-Maurice, celui de la rivière l'Assomption et celui de la rivière Rouge auquel appartient aussi la rivière du Diable. Par ailleurs, le sommet du mont Tremblant situé à 960 m est le point le plus élevé des Laurentides montréalaises. Plus de 400 km de sentiers sillonnent le parc donnant ainsi accès à une grande variété d'habitats principalement

Huart à collier

forestiers. Durant la saison hivernale, la randonnée de ski de fond est très populaire. Le parc offre plusieurs emplacements de camping dont 900 sont situés dans le secteur La Diable, surtout près du lac Monroe et du lac Chat, et 300 dans le secteur La Pimbina. Le secteur L'Assomption par ailleurs ne fait partie du parc que depuis 1981; ce secteur qui n'offre que 28 emplacements de camping et 7 chalets de villégiature est beaucoup moins perturbé et présente par conséquent une faune très abondante et variée incluant l'Orignal, l'Ours noir, le Castor et le Cerf de Virginie.

La réserve faunique Rouge-Matawin, créée en 1981, s'étend au nord du parc du Mont-Tremblant sur plus de 1635 km carrés de forêts et englobe 450 lacs. Les principales activités pratiquées dans la réserve sont la pêche et la chasse. La forêt très jeune, héritage de l'exploitation forestière des dernières années, abrite l'une des plus fortes densités d'orignaux au Québec.

La documentation sur le parc du Mont-Tremblant nous révèle que 193 espèces d'oiseaux y ont été notées. En pleine saison de reproduction, il est relativement facile pour un observateur seul de repérer 40 à 50 espèces d'oiseaux en une seule matinée. En juin 1987, une quinzaine d'observateurs ont identifié 96 espèces en deux jours dans les secteurs L'Assomption et La Pimbina. Le groupe des parulines est presque toujours le mieux représenté. En juin, environ 20 espèces de parulines se retrouvent dans le parc pour s'y reproduire ; les mâles défendent alors leur territoire en chantant assidûment plusieurs heures par jour, ce qui fait de ce site un véritable laboratoire pour étudier les chants des différentes espèces.

La plupart des spécialités mentionnées au début de ce texte sont relativement communes. Certaines, telles que le Tétras du Canada et le Pic à dos noir, sont toutefois plus rares et plus difficiles à trouver. Durant l'été, ces deux espèces ainsi que le Geai du Canada et la Mésange à tête brune sont plus fréquents dans la partie nord du parc et dans la réserve faunique Rouge-Matawin.

Itinéraire suggéré : Il n'est pas facile de recommander un itinéraire particulier sur un territoire aussi vaste et plus ou moins bien connu sur le plan ornithologique. Le campeur fréquentant les zones de récréation intensive, le lac Monroe par exemple, saura sûrement trouver autour de ces lieux plusieurs sentiers, tels que ceux du lac à l'Ours ou du lac des Femmes, où il pourra observer une bonne variété d'espèces d'oiseaux. Le secret pour allonger sa liste d'oiseaux consiste évidemment à visiter divers types d'habitats : forêts décidues, peuplements de conifères, tourbières, lacs, etc.

Pour le visiteur ne disposant que d'une journée, le trajet en voiture entre le centre d'accueil La Diable et le centre d'accueil Saint-

Le parc du Mont-Tremblant et la réserve faunique Rouge-Matawin

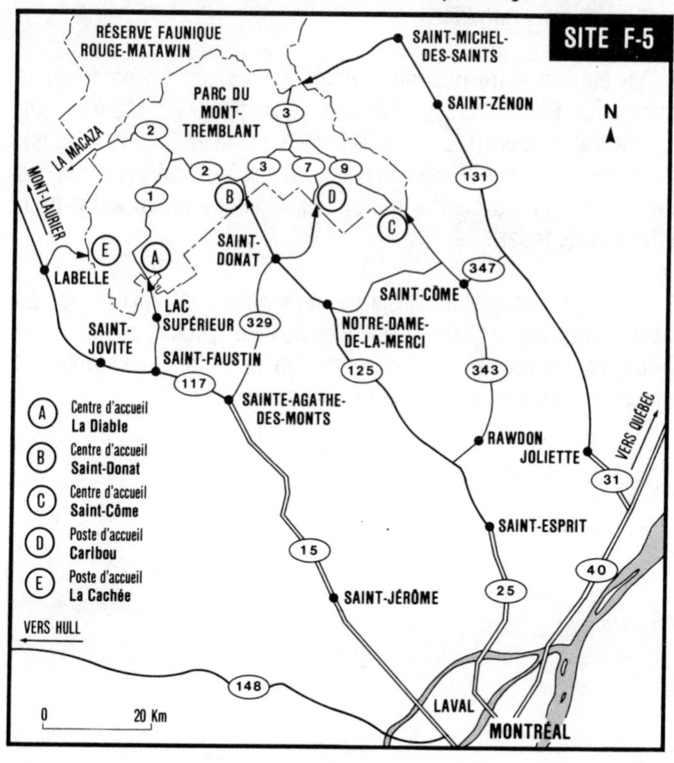

Donat, via la route 1 et la route 2, s'avérera un bon choix d'itinéraire. Le visiteur pourra alors s'arrêter aux endroits où des sentiers ont été aménagés. L'un d'eux, situé le long de la route 1, un peu avant l'intersection avec la route 2, conduit vers le lac Tador, un endroit où plusieurs des spécialités mentionnées précédemment ont déjà été observées, incluant le Tétras du Canada, le Geai du Canada et la Mésange à tête brune. Si le visiteur dispose de suffisamment de temps, il pourra faire un détour vers le lac de la Savane via la route 2 en direction du poste d'accueil La Macaza. Cet immense lac est bordé de marais où il est possible d'observer des espèces fréquentant les milieux humides.

En été, un autre itinéraire intéressant consiste à parcourir le chemin Le Boulé qui est accessible à partir du lac Monroe. On suggère alors des arrêts au lac Racine (colonie de Grands Hérons), au lac de la Fourche (Pic à dos noir), ainsi qu'au lac Allen (Pic à dos noir et Paruline à calotte noire). Une demi-journée suffit pour effectuer ce trajet.

En hiver, des pistes de ski de randonnée sont accessibles au centre d'accueil La Diable ainsi qu'au poste d'accueil La Pimbina. À ce dernier endroit, le Geai du Canada et la Mésange à tête brune sont présents régulièrement durant la saison froide.

Chapitre 3

Des sites pour chaque saison

Comme chacun aura pu le constater lors de la lecture du chapitre précédent, l'intérêt que présente un site varie en fonction des saisons et les groupes d'oiseaux qui le fréquentent sont étroitement associés aux types d'habitats rencontrés. Afin d'aider le lecteur à faire un choix correct lors de la préparation d'une excursion, nous présentons dans ce chapitre un répertoire des meilleurs sites groupés selon la saison et selon les groupes d'oiseaux recherchés.

Pour ce faire, les oiseaux ont été répartis un peu arbitrairement en six groupes : 1) **les oiseaux aquatiques** qui réunissent principalement les oiseaux fréquentant les eaux libres et les marais, c'est-à-dire les huarts, les grèbes, les hérons, la sauvagine, les râles ainsi que quelques passereaux ; 2) **les rapaces diurnes** ; 3) **les limicoles** qui incluent les pluviers et les bécasseaux ; 4) **les laridés**, c'est-à-dire les sternes, les mouettes, les goélands et les labbes ; 5) **les strigidés**, c'est-à-dire les hiboux et les chouettes ; 6) **les passereaux** avec lesquels nous avons réuni tous les oiseaux fréquentant principalement des écosystèmes terrestres et qui n'ont pas été inclus dans les autres groupes.

Les saisons sont définies comme suit :

- le printemps : de mars à mai
- l'été : en juin et juillet
- l'automne : d'août à novembre
- l'hiver : de décembre à février

Chaque site mentionné est suivi de son code d'identification entre parenthèses ce qui permet de le repérer rapidement dans le chapitre précédent.

Espèces aquatiques

Île des Soeurs (A9), Bassin de Laprairie (A18), Île Perrot (B1), Valleyfield et Sainte-Barbe (C3), Saint-Paul-de-l'Île-aux-Noix et la rivière du Sud (D6), Berthierville et ses îles (E4), Saint-Barthélemy (E6), Baie-du-Febvre (E7).

Rapaces diurnes

Parc Summit (A11), Île Perrot (B1), Rigaud (B5), Valleyfield (C3), Mont Saint-Bruno (D1), Mont Saint-Hilaire(D2).

Limicoles

Saint-Paul-de-l'Île-aux-Noix et la rivière du Sud (D6), Île aux Fermiers (E1), Baie-du-Febvre (E7).

Laridés

Le barrage de Beauharnois (C1).

Strigidés

Île des Soeurs (A9).

Passereaux

Arboretum Morgan (A1), Île des Soeurs (A9), Parc Summit (A11), Cimetière du Mont-Royal (A12), Parc du Mont-Royal (A13), Île Perrot (B1).

SUGGESTIONS DE SITES POUR L'ÉTÉ

Espèces aquatiques

Rapides de Lachine (A8), Châteauguay (A17), Les berges de Longueuil (A20), Saint-Étienne-de-Beauharnois (C2), Dundee (C4), Île aux Fermiers (E1), Île du Moine (E5), Baie-du-Febvre (E7).

Laridés

Rapides de Lachine (A8).

Passereaux

Arboretum Morgan (A1), Châteauguay (A17), Hudson (B3), Saint-Lazare (B4), Rigaud (B5),Huntingdon (C5), Réserve du Pin rigide (C6), Hemmingford (C7), Mont Saint-Bruno (D1), Mont Saint-Hilaire (D2), Philipsburg (D7), Oka (F1), Saint-Colomban (F3), Parc du Mont-Tremblant et réserve faunique Rouge-Matawin (F5).

SUGGESTIONS DE SITES POUR L'AUTOMNE

Espèces aquatiques

Rive nord du lac Saint-Louis (A6), Rapides de Lachine (A8), Île des Soeurs (A9), Bassin de Laprairie (A18), Les berges de Longueuil (A20), Île Perrot (B1), Saint-Jean-sur-Richelieu (D5), Île aux Fermiers (E1), Île du Moine (E5), Oka (F1).

Rapaces diurnes

Arboretum Morgan (A1), Île Perrot (B1), Rigaud (B5).

Limicoles

Anse-à-l'Orme (A2), Les berges de Longueuil (A20), Les "gazonnières" de Coteau-Station (B7), Île aux Fermiers (E1), Île du Moine (E5), Oka (F1).

Laridés

Le barrage de Beauharnois (C1).

Strigidés

Île des Soeurs (A9), Mont Saint-Bruno (D1).

Passereaux

Île des Soeurs (A9), Parc Summit (A11), Cimetière du Mont-Royal (A12), Île Perrot (B1), Oka (F1).

SUGGESTIONS DE SITES POUR L'HIVER

Espèces aquatiques

Rive nord du lac Saint-Louis (A6), Rapides de Lachine (A8), Bassin de Laprairie (A18).

Rapaces diurnes

Brossard (A19), Vaudreuil (B2), Saint-Clet et Sainte-Marthe (B6), Saint-Étienne-de-Beauharnois (C2), Dundee (C4).

Laridés

Rapides de Lachine (A8), Bassin de Laprairie (A18), Le barrage de Beauharnois (C1).

Strigidés

Arboretum Morgan (A1), Île des Soeurs (A9), Brossard (A19), Parc régional de Longueuil (A21), Hudson (B3), Saint-Étienne-de-Beauharnois (C2).

Passereaux

Arboretum Morgan (A1), Île des Soeurs (A9), Cimetière du Mont-Royal (A12), Parc du Mont-Royal (A13), Jardin botanique de Montréal (A14), Châteauguay (A17), Hudson (B3), Saint-Lazare (B4), Parc du Mont-Tremblant (F5).

À la recherche de l'oiseau rare

Ce chapitre vise essentiellement à aider l'amateur d'ornithologie qui, après avoir fait la découverte des espèces les plus répandues, veut entreprendre la recherche d'espèces plus difficiles à trouver dans la région de Montréal. Il s'agit ici d'espèces dont les effectifs sont plutôt réduits, dont la distribution est très locale ou dont la présence est limitée à de très courtes périodes de l'année.

À cette fin, nous avons préparé une liste de 81 espèces pour lesquelles nous mentionnons les sites où il est le plus probable de les rencontrer. De plus, pour chaque espèce, la période de l'année la plus favorable à son observation est indiquée.

Cette liste inclut la plupart des espèces désignées par la mention «rare» ou «inusitée» apparaissant dans la liste présentée au chapitre 5. Nous avons également ajouté à la liste quelques espèces aux moeurs nocturnes particulièrement difficiles à trouver ainsi que certaines espèces assez répandues dans la région de Montréal mais dont la présence est inusitée dans la plupart des autres régions du Québec.

Huart à gorge rousse : Île des Soeurs (A9), Oka (F1) ; octobre-novembre.

Grèbe cornu : Île des Soeurs (A9), Les berges de Longueuil (A20), Île Perrot (B1), Valleyfield (C3), Oka (F1) ; avril-mai, octobre-novembre.

Grèbe jougris : Île des Soeurs (A9), Les berges de Longueuil (A20), Île Perrot (B1), Valleyfield (C3), Oka (F1) ; avril-mai, octobre-novembre.

Petit Butor : Châteauguay (A17), Saint-Étienne-de-Beauharnois (C2), Dundee (C4), Île aux Fermiers (E1) ; fin mai-juillet.

Grande Aigrette : Dundee (C4), Île aux Fermiers (E1), Île du Moine (E5), Îles de Berthier (E4) ; mai à septembre.

Héron vert : Châteauguay (A17), Hudson (B3), Dundee (C4), Philipsburg (D7) ; mai à septembre.

Oie rieuse : Sainte-Barbe (C3), Saint-Barthélemy (E6), Baie-du-Febvre (E7) ; mars-avril.

Oie de Ross : Baie-du-Febvre (E7) ; irrégulière en avril.

Canard siffleur d'Europe : Rapides de Lachine (A8), Saint-Barthélemy (E6), Baie-du-Febvre (E7) ; avril-mai.

Morillon à dos blanc : Rive nord du lac Saint-Louis (A6), Île Perrot (B1), Vaudreuil (B2), Valleyfield (C3), Oka (F1); mars-avril, novembre.

Morillon à tête rouge : Dundee (C4), Île aux Fermiers (E1), Baie-du-Febvre (E7) ; mai à septembre.

Canard arlequin : Rapides de Lachine (A8), Bassin de Laprairie (A18) ; irrégulier en hiver.

Garrot de Barrow : Rive nord du lac Saint-Louis (A6), Bassin de Laprairie (A18) ; hiver, surtout février-mars. Saint-Jean-sur-Richelieu (D5) ; novembre.

Canard roux : Saint-Étienne-de-Beauharnois (C2), Baie-du-Febvre (E7) ; mai à août. Saint-Jean-sur-Richelieu (D5) ; novembre.

Urubu à tête rouge : Rigaud (B5), Dundee (C4), Mont Saint-Bruno (D1), Mont Saint-Hilaire (D2), Mont Rougemont (D3), Philipsburg (D7) ; avril à septembre.

Pygargue à tête blanche : Rapides de Lachine (A8) ; irrégulier en hiver. Valleyfield (C3), Baie-du-Febvre (E7) ; avril-mai.

Épervier de Cooper: Arboretum Morgan (A1), Bois-de-Liesse (A4), Valleyfield (C3), Huntingdon (C5), Philipsburg (D7); avril-septembre.

Aigle royal : Arboretum Morgan (A1), Rigaud (B5); octobre-novembre. Valleyfield (C3) ; avril.

Faucon pèlerin : Montréal (A10); en permanence. Mont Saint-Hilaire (D2) ; été. Île aux Fermiers (E1), Île du Moine (E5), St-Barthélemy (E6), Baie-du-Febvre (E7) ; avril et septembre.

Faucon gerfaut : Port de Montréal (A10) ; irrégulier en hiver.

Perdrix grise : Dorval (A6), Île des Soeurs (A9), Jardin botanique de Montréal (A14), Saint-Constant (A18), Sainte-Marthe et Saint-Clet (B6) ; en permanence.

Tétras du Canada : Parc du Mont-Tremblant et réserve faunique Rouge-Matawin (F5) ; en permanence mais très difficile à trouver.

Dindon sauvage : Hemmingford (C7) ; en permanence mais plus évident en avril-mai.

Râle jaune : Dundee (C4), Île du Moine (E5) ; irrégulier de mai à août, rarement signalé maintenant.

Foulque d'Amérique : Saint-Étienne-de-Beauharnois (C2), Baie-du-Febvre (E7) ; mai à octobre.

Pluvier doré d'Amérique : Coteau-Station (B7) ; mi-août à mi-septembre.

Bécasseau violet : Pointe-du-Buisson (C1), Île du Moine (E5) ; fin octobre-début novembre.

Bécasseau roussâtre : Coteau-Station (B7), Île aux Fermiers (E1), Île du Moine (E5) ; fin août-début septembre.

Phalarope de Wilson : Île aux Fermiers (E1), Île du Moine (E5), Baie-du-Febvre (E7) ; mai-septembre.

Mouette à tête noire : Rapides de Lachine (A8), Bassin de Laprairie (A18), Beauharnois (C1) ; irrégulière en été et en automne.

Mouette de Franklin : Rapides de Lachine (A8), Bassin de Laprairie (A18), Beauharnois (C1) ; irrégulière en été (surtout juin) et en automne.

Mouette pygmée : Rapides de Lachine (A8), Beauharnois (C1), Île du Moine (E5) ; mai, août-septembre.

Mouette rieuse : Beauharnois (C1) ; irrégulière d'août à décembre.

Goéland de Thayer : Rapides de Lachine (A8), Beauharnois (C1) ; irrégulier en novembre et décembre.

Goéland brun : Beauharnois (C1) ; irrégulier en novembre.

Mouette tridactyle : Beauharnois (C1) ; surtout en novembre.

Mouette de Sabine : Beauharnois (C1) ; irrégulière en septembre.

Sterne caspienne : Rapides de Lachine (A8), Les berges de Longueuil (A20), Île aux Fermiers (E1), Île du Moine (E5), Oka (F1) ; rare mais régulière en été.

Sterne arctique : Rapides de Lachine (A8), Beauharnois (C1) ; fin mai-début juin.

Sterne de Forster : Rapides de Lachine (A8), Beauharnois (C1), Île du Moine (E5) ; irrégulière au printemps et à l'automne.

Petit-duc maculé : Cap Saint-Jacques (A3), Parc Terra-Cotta (A6), Parc Summit (A10), Cimetière du Mont-Royal (A12) ; en permanence.

Hibou moyen-duc : Île des Soeurs (A9); avril, novembre-décembre.

Hibou des marais : Île des Soeurs (A9), Brossard (A19), Vaudreuil (B2), Saint-Clet (B6) ; mars-avril, décembre, parfois tout l'hiver. Île aux Fermiers (E1), Île du Moine (E5), Baie-du-Febvre (E7) ; été.

Nyctale boréale : Arboretum Morgan (A1), Île des Soeurs (A9), Longueuil (A21) ; irrégulière en novembre, parfois en hiver.

Petite Nyctale : Saraguay (A5), Île des Soeurs (A9), Longueuil (A21), Mont Saint-Bruno (D1) ; mars-avril, octobre-novembre, parfois en hiver.

Engoulevent bois-pourri : Saint-Lazare (B4), Sainte-Marthe (B6), Huntingdon (C5), Réserve du Pin rigide (C6), Saint-Colomban (F3) ; surtout mai-juin en soirée.

Pic à tête rouge : Dundee (C4) ; mai à septembre.

Pic tridactyle : Île des Soeurs (A9), Île Sainte-Hélène (A10), Saint-Lazare (B4) ; irrégulier en hiver.

Pic à dos noir : Île des Soeurs (A9), Hudson (B3), Saint-Lazare (B4) ; rare en hiver. Parc du Mont-Tremblant (F5) ; en permanence.

Moucherolle à côtés olive : Parc Summit (A11) ; fin mai. Parc du Mont-Tremblant (F5) ; juin-juillet.

Moucherolle à ventre jaune : Parc Summit (A11) ; fin mai. Parc du Mont-Tremblant (F5) ; juin-juillet.

Moucherolle des saules : Bois-de-la-Réparation (A16), Châteauguay (A17), Saint-Constant (A18), Brossard et Laprairie (A19), Dundee (C4), Berthierville (E4) ; mai-juillet.

Hirondelle à ailes hérissées : Châteauguay (A17), Saint-Étienne-de-Beauharnois (C2), Huntingdon (C5) ; mai à juillet.

Geai du Canada : Saint-Lazare (B4), Lachute (F4) ; irrégulier en hiver. Parc du Mont-Tremblant (F5) ; en permanence.

Grand Corbeau : Rigaud (B5), Mont Saint-Hilaire (D2), Parc du Mont-Tremblant (F5) ; en permanence.

Mésange à tête brune : Saint-Lazare (B4), Lachute (F4) ; rare en hiver. Parc du Mont-Tremblant (F5) ; en permanence.

Troglodyte de Caroline : Parc Terra-Cotta (A6), Île des Soeurs (A9) ; irrégulier en hiver; peut apparaître aux postes d'alimentation.

Troglodyte à bec court : Dundee (C4), Île du Moine (E5) ; juin-août.

Gobe-moucherons gris-bleu : Parc Summit (A11) ; en mai. Saint-Constant (A18), Brossard (A19), Rivière du Sud (D6) ; mai-juillet.

Grive à joues grises : Parc Summit (A11) ; fin mai.

Moqueur polyglotte : Cimetière du Mont-Royal (A12), Jardin botanique de Montréal (A14), Saint-Constant (A18); été, parfois en hiver.

Pie-grièche migratrice : Bois de la Réparation (A16), Hudson (B3), Dundee (C4). Cette espèce est presque disparue de la région de Montréal.

Viréo à gorge jaune : Rigaud (B5), Huntingdon (C5), Philipsburg (D7), Oka (F1) ; mi-mai à juillet.

Paruline à ailes dorées : Huntingdon (C5) ; mi-mai à juillet.

Paruline verdâtre : Parc Summit (A11), Cimetière du Mont-Royal (A12) ; mai, septembre-octobre.

Paruline des pins : Hudson (B3), Contrecoeur (E2), Berthier (E4), Oka (F1), Lachute (F4); mai à juillet.

Paruline à couronne rousse: Île des Soeurs (A9), Parc Summit (A11), Cimetière du Mont-Royal (A12) ; fin avril-mai, septembre-octobre.

Paruline azurée : Huntingdon (C5), Mont Saint-Hilaire (D2), Philipsburg (D7) ; fin mai-début juillet.

Paruline du Kentucky : Parc Summit (A11), Parc du Mont-Royal (A13) ; irrégulière en mai.

Paruline à capuchon : Parc Summit (A11), Parc du Mont-Royal (A13) ; irrégulière en mai.

Cardinal rouge : Cap Saint-Jacques (A3), Parc Summit (A11), Parc du Mont-Royal (A13), Jardin botanique de Montréal (A14), Châteauguay (A17), Hudson (B3), Hemmingford (C7) ; en permanence.

Tohi à flancs roux : Huntingdon (C5), Réserve du Pin rigide (C6) ; mai-septembre.

Bruant des plaines : Saint-Colomban (F3); juin-juillet.

Bruant des champs : Huntingdon (C5), Réserve du Pin rigide (C6), Hemmingford (C7), Saint-Colomban (F3) ; mai à août.

Bruant sauterelle : Saint-Constant (A18), Sainte-Marthe (B6) ; mi-mai à août.

Bruant à queue aiguë : Île aux Fermiers (E1), Île du Moine (E5) ; mi-juin à août.

Bruant lapon : Saint-Constant (A18), Sainte-Marthe (B6) ; hiver.

Carouge à tête jaune : Saint-Étienne-de-Beauharnois (C2) ; irrégulier en hiver, surtout décembre.

Bec-croisé rouge : Hudson (B3), Mont Saint-Bruno (D1), Oka (F1), Lachute (F4), Parc du Mont-Tremblant (F5) ; surtout en hiver.

Bec-croisé à ailes blanches : Saint-Lazare (B4), Oka (F1), Lachute (F4), Parc du Mont-Tremblant (F5) ; surtout en hiver.

Sizerin blanchâtre : Jardin botanique de Montréal (A14) ; irrégulier en hiver.

Liste des oiseaux de la région de Montréal et des Laurentides

Ce chapitre présente la liste des espèces rencontrées à l'état sauvage dans les limites de la région de Montréal telle que définie au début du chapitre 1.

Puisque la région des Laurentides située au nord de Montréal est un centre de villégiature très fréquenté par les Montréalais tout au long de l'année et puisque le présent guide inclut un site très représentatif de cette région, soit le parc du Mont-Tremblant et la réserve faunique Rouge-Matawin, nous avons aussi dressé parallèlement une liste des oiseaux rencontrés dans cette région. La zone des Laurentides englobée ici est délimitée au nord par une ligne passant par l'extrémité septentrionale de la réserve Rouge-Matawin et au sud par la frontière avec la région de Montréal. À l'ouest, la ligne de démarcation passe par Montebello et le lac Nominingue tandis qu'à l'est, la limite se situe suivant une ligne reliant le réservoir Taureau et la municipalité de Rawdon.

Les deux listes comprennent respectivement 359 espèces (incluant 65 visiteurs exceptionnels) pour la région de Montréal et 239 espèces (incluant 24 visiteurs exceptionnels) pour celle des Laurentides. Le code indiqué pour chaque espèce résume la nature de sa présence en décrivant de façon succinte son état ainsi que la fréquence avec laquelle l'espèce est observée.

État de l'espèce

L'état de l'espèce dans les deux régions considérées est indiqué par des lettres majuscules comme suit :

NM (Nicheur migrateur) : Espèce nicheuse qui arrive au printemps, niche dans le territoire considéré et part à l'automne vers ses quartiers d'hiver, généralement situés plus au sud. Quelques individus de certaines de ces espèces peuvent réussir à hiverner (ex. Chardonneret jaune).

NR (Nicheur résidant) : Espèce nicheuse dont la majeure partie des effectifs demeure à l'intérieur du territoire durant toute l'année (ex. Mésange à tête noire).

NS (Nicheur sédentaire) : Espèce nicheuse dont la totalité des effectifs demeure à l'intérieur du territoire durant toute l'année (ex. Gélinotte huppée).

(**NP**) (Nicheur possible) : Espèce observée pendant la saison de nidification, pour laquelle on ne connaît pas de preuve de nidification mais dont on a certaines raisons de croire qu'elle puisse nicher dans le territoire étudié (ex. Sterne caspienne).

M (Migrateur) : Espèce présente uniquement au cours de ses migrations annuelles, entre ses quartiers d'hiver, situés habituellement plus au sud, et sa zone de nidification située généralement plus au nord (ex. Pipit d'Amérique).

H (Hivernant) : Espèce présente en hiver, c'est-à-dire au moins en janvier et en février. Ce code est également indiqué pour les nicheurs migrateurs (**NM**), les migrateurs (**M**) et les visiteurs (**V**) qui séjournent en hiver dans les deux régions étudiées ; par définition, les nicheurs sédentaires (**NS**) et les nicheurs résidants (**NR**) hivernent dans le territoire considéré. Le code «H» n'est indiqué que pour les espèces dont on connaît au moins un hivernage réussi, c'est-à-dire une présence continue en janvier et en février. Il n'est pas indiqué pour les espèces dont on ne connaît que des présences isolées en hiver.

V (Visiteur) : Espèce se trouvant hors de l'aire qu'elle occupe habituellement, par suite de divers phénomènes de dispersion ou autres (erratisme, dispersion pré- et post-nuptiale, déviation hors du corridor de migration, phénomènes météorologiques inhabituels, présence d'habitats transitoires, etc.) (ex. Eider à duvet).

Abondance relative de l'espèce

La fréquence avec laquelle les espèces sont rencontrées est indiquée par des lettres minuscules. Bien que subjective, l'échelle de gradation utilisée repose sur des informations publiées et sur notre connaissance personnelle de l'avifaune de la région de Montréal et de celle des Laurentides. Les différents échelons ne reflètent pas l'abondance réelle des espèces mais plutôt la probabilité d'observer ces espèces sur le territoire étudié, à condition d'être dans l'habitat approprié et à la bonne période de l'année. Lorsque la fréquence des observations change visiblement à certains moments de l'année, les états appropriés sont qualifiés par des indices différents. Ainsi, le code «NMr, Mc, Hr» signifie que l'espèce est un nicheur migrateur rare (**NMr**), qu'elle est rencontrée communément en période de migration (**Mc**) et qu'elle hiverne rarement (**Hr**). Les indices utilisés sont les suivants :

e (exceptionnel) : cinq présences ou moins ont été rapportées ; le nombre de présence apparaît alors entre parenthèses pour les visiteurs (ex. Bruant à face noire).

i (inusité) : présences sporadiques et non annuelles mais plus de cinq mentions ont été rapportées (ex. Mésange bicolore).

r (rare) : Présent annuellement mais observé en très petit nombre ou à quelques endroits seulement (ex. Moqueur polyglotte).

o (occasionnel) : Présent annuellement mais observé peu souvent durant la période de présence (ex. Merle-bleu de l'Est).

c (commun) : Présent annuellement et observé fort souvent durant la période de présence (ex. Grand Héron).

a (abondant) : Présent annuellement et observé presque toujours durant la période de présence (ex. Carouge à épaulettes).

v (variable) : Fréquence variable selon les années; tantôt commun, tantôt rare durant la période de présence (ex. Sizerin flammé).

		Montréal	Laurentides
☐	Huart à gorge rousse	Mr	-
☐	Huart du Pacifique	Ve (1)	-
☐	Huart à collier	Mc	NMc
☐	Grèbe à bec bigarré	NMo	NMo
☐	Grèbe cornu	Mo	Mr
☐	Grèbe jougris	Mo	Mr
☐	Grèbe élégant	Ve (2)	-
☐	Pétrel océanite	Ve (1)	-
☐	Pétrel cul-blanc	Ve (2)	-
☐	Fou de Bassan	Vi	-
☐	Pélican blanc d'Amérique	Ve (3)	-
☐	Grand Cormoran	Vi, He	-
☐	Cormoran à aigrettes	NMe, Mc	Vr
☐	Butor d'Amérique	NMc	NMo
☐	Petit Butor	NMr	Ve (1)

		Montréal	Laurentides
☐	Grand Héron	NMc	NMc
☐	Grande Aigrette	NMr	-
☐	Aigrette neigeuse	Vi	-
☐	Aigrette bleue	Vi	-
☐	Aigrette tricolore	Ve (4)	-
☐	Héron garde-boeufs	Vr	Ve (1)
☐	Héron vert	NMo	NMr
☐	Bihoreau à couronne noire	NMo	Ve (1)
☐	Bihoreau violacé	Ve (2)	-
☐	Ibis blanc	Ve (2)	-
☐	Ibis falcinelle	Vi	-
☐	Dendrocygne fauve	Ve (1)	-
☐	Cygne siffleur	Vi	Ve (1)
☐	Cygne trompette	Ve (1)	-
☐	Cygne tuberculé	Ve (4)	-
☐	Oie rieuse	Vr	-
☐	Oie des neiges	Mc	Mr
☐	Oie de Ross	Ve (3)	-
☐	Bernache cravant	Mo	Mr
☐	Bernache nonnette	Ve (5)	-
☐	Bernache du Canada	NMr, Ma, Hi	Mc, (NP)
☐	Tadorne casarca	Ve (3)	-
☐	Canard branchu	NMo, He	NMo
☐	Sarcelle à ailes vertes	NMo, Mc, He	NMr
☐	Canard noir	NMo, Mc, Ho	NMc
☐	Canard colvert	NMc, Ho	NMo
☐	Canard pilet	NMo, Mc, Hr	Mr, (NP)
☐	Sarcelle à ailes bleues	NMo, Mc	NMr
☐	Sarcelle cannelle	Ve (2)	-
☐	Canard souchet	NMr, Mo	Mr
☐	Canard chipeau	NMo, He	Ve (1)

	Montréal	Laurentides
☐ Canard siffleur d'Europe	Vr, (NP)	-
☐ Canard siffleur d'Amérique	NMc, He	Mr, (NP)
☐ Morillon à dos blanc	Mo, Hi	Ve(1)
☐ Morillon à tête rouge	NMr, Mo, He	Vi
☐ Morillon à collier	NMr, Mc, He	NMo
☐ Grand Morillon	Ma, Hi	Mc
☐ Petit Morillon	NMr, Mc, He	Mo
☐ Eider à duvet	Vi	-
☐ Eider à tête grise	Ve (3), He	-
☐ Canard arlequin	Vi, Hi	-
☐ Canard kakawi	Mo	Mr
☐ Macreuse à bec jaune	Mo	Mr
☐ Macreuse à front blanc	Mo	Mr
☐ Macreuse à ailes blanches	Mo	Mr
☐ Garrot à oeil d'or	NMr, Ma, Hc	NMo
☐ Garrot de Barrow	Mr, Hr	Ve (1)
☐ Petit Garrot	Mo, Hi	Mo
☐ Harle piette	Ve (1)	-
☐ Bec-scie couronné	NMr, Mo, Hi	NMo
☐ Grand Bec-scie	NMr, Ma, Hc	NMc, Hi
☐ Bec-scie à poitrine rousse	Mo, He	Mo, (NP)
☐ Canard roux	NMi, Mr	Ve (1)
☐ Urubu noir	Ve (2)	-
☐ Urubu à tête rouge	NMo	NMo
☐ Balbuzard	Mc	NMo
☐ Pygargue à tête blanche	Mr, He	Mr, (NP)
☐ Busard Saint-Martin	NMc, He	NMo
☐ Épervier brun	NMr, Mc, Hr	NMo
☐ Épervier de Cooper	NMr, Hi	NMi
☐ Autour des palombes	NRr	NRo
☐ Buse à épaulettes	NMo, Hi	NMo

		Montréal	Laurentides
☐	Petite Buse	NMo, Mc	NMc
☐	Buse de Swainson	Ve (3)	-
☐	Buse à queue rousse	NMo, Mc, Hr	NMc
☐	Buse pattue	Mc, Hr	Mo
☐	Aigle royal	Mr	Mr
☐	Crécerelle d'Amérique	NMc, Hr	NMc
☐	Faucon émerillon	Mr	NMr
☐	Faucon pèlerin	NMr, Hi	NMi
☐	Faucon gerfaut	Hi	-
☐	Perdrix grise	NSo	Ve (1)
☐	Faisan de chasse	NSi	-
☐	Tétras du Canada	Ve (1)	NSr
☐	Lagopède des saules	Ve (1)	-
☐	Gélinotte huppée	NSc	NSc
☐	Gélinotte à queue fine	Ve (1)	-
☐	Dindon sauvage	NSr	-
☐	Râle jaune	Vi, (NP)	-
☐	Râle élégant	Ve (4)	-
☐	Râle de Virginie	NMc	NMo
☐	Râle de Caroline	NMc	NMo
☐	Poule-d'eau	NMo, He	Vi
☐	Foulque d'Amérique	NMr	-
☐	Grue du Canada	Vi	-
☐	Pluvier argenté	Mc	Mr
☐	Pluvier doré d'Amérique	Mo	Vi
☐	Pluvier semipalmé	Mc	Mr
☐	Pluvier siffleur	Ve (1)	-
☐	Pluvier kildir	NMa	NMc

		Montréal	Laurentides
☐	Avocette d'Amérique	Ve (2)	-
☐	Grand Chevalier	Mc	Mo
☐	Petit Chevalier	Mc	Mo
☐	Chevalier solitaire	Mo	NMe, Mo
☐	Chevalier semipalmé	Vi	-
☐	Chevalier branlequeue	NMa	NMc
☐	Maubèche des champs	NMo	Vi
☐	Courlis corlieu	Mr	Vi
☐	Courlis à long bec	Ve (1)	-
☐	Barge à queue noire	Ve (1)	-
☐	Barge hudsonienne	Mr	-
☐	Barge marbrée	Vi	-
☐	Tournepierre à collier	Mo	Vi
☐	Bécasseau maubèche	Mo	-
☐	Bécasseau sanderling	Mo	Mr
☐	Bécasseau semipalmé	Ma	Mo
☐	Bécasseau d'Alaska	Vi	-
☐	Bécasseau minuscule	Mc	Mo
☐	Bécasseau à croupion blanc	Mo	Mr
☐	Bécasseau de Baird	Mr	-
☐	Bécasseau à poitrine cendrée	Mo	Mr
☐	Bécasseau violet	Vi	-
☐	Bécasseau variable	Mc	Mr
☐	Bécasseau cocorli	Ve(1)	-
☐	Bécasseau à échasses	Mr	-
☐	Bécasseau roussâtre	Vi	Ve (2)
☐	Bécasseau combattant	Vr	Ve (1)
☐	Bécasseau roux	Mo	Vi
☐	Bécasseau à long bec	Vi	-
☐	Bécassine des marais	NMc, He	NMc
☐	Bécasse des bois	Ve (1)	-

		Montréal	Laurentides
☐	Bécasse d'Amérique	NMc	NMc
☐	Phalarope de Wilson	NMr	-
☐	Phalarope hyperboréen	Mr	Vi
☐	Phalarope roux	Vi	-
☐	Labbe pomarin	Ve (5)	-
☐	Labbe parasite	Vr	-
☐	Labbe à longue queue	Ve (5)	Ve (1)
☐	Mouette à tête noire	Vi	-
☐	Mouette de Franklin	Vi	-
☐	Mouette pygmée	NMe, Mr	-
☐	Mouette rieuse	Vi	-
☐	Mouette de Bonaparte	Mo	Mr
☐	Goéland cendré	Ve (4)	-
☐	Goéland à bec cerclé	NMa, Hi	Mo, (NP)
☐	Goéland de Californie	Ve (1)	-
☐	Goéland argenté	NMr, Ma, Ho	NMr
☐	Goéland de Thayer	Vi, He	-
☐	Goéland arctique	Ho	-
☐	Goéland brun	Vi	-
☐	Goéland bourgmestre	Hr	-
☐	Goéland à manteau noir	NMr, Mc, Ho	Vi
☐	Mouette tridactyle	Vr	-
☐	Mouette de Sabine	Vi	-
☐	Mouette blanche	Ve (3), He	-
☐	Sterne caspienne	Mr, (NP)	-
☐	Sterne pierregarin	NMo	Vi
☐	Sterne arctique	Mr	-
☐	Sterne de Forster	Vi	-
☐	Guifette noire	NMo	Vi
☐	Bec-en-ciseaux noir	Ve (1)	-

	Montréal	Laurentides
☐ Mergule nain	Ve (4)*	-
☐ Marmette de Brünnich	Vi*	-

* Espèces non observées depuis une quarantaine d'années

	Montréal	Laurentides
☐ Petit Pingouin	Vi	Ve (1)
☐ Guillemot à miroir	Ve (2)	-
☐ Alque marbrée	Ve (1)	-
☐ Alque à cou blanc	Ve (1)	-
☐ Macareux moine	Ve (4)	-
☐ Pigeon biset	NSa	NSc
☐ Tourterelle triste	NMc, Ho	NMo, Hr
☐ Coulicou à bec noir	NMo	NMr
☐ Coulicou à bec jaune	NMi	Ve (1)
☐ Effraie des clochers	Vi, (NP)	-
☐ Petit-duc maculé	NSr	Vi
☐ Grand-duc d'Amérique	NRc	NRc
☐ Harfang des neiges	Hr	Hr
☐ Chouette épervière	Hi	Hi
☐ Chouette des terriers	Ve (1)	-
☐ Chouette rayée	NSo	NSc
☐ Chouette lapone	Hi	Hi
☐ Hibou moyen-duc	NMr, Mo, Hr	NMr, He
☐ Hibou des marais	NMr, Mo, Hr	Ve (1)
☐ Nyctale boréale	Hi	Hi
☐ Petite Nyctale	NRr, Mo	NRo

		Montréal	Laurentides
☐	Engoulevent d'Amérique	NMc	NMc
☐	Engoulevent de Caroline	Ve (1)	-
☐	Engoulevent bois-pourri	NMr	NMo
☐	Martinet ramoneur	NMc	NMc
☐	Colibri à gorge rubis	NMo, Mc	NMc
☐	Martin-pêcheur d'Amérique	NMc, He	NMc, He
☐	Pic à tête rouge	NMr, He	Ve (2)
☐	Pic à ventre roux	Vi, He	Ve (1)
☐	Pic maculé	NMc	NMc
☐	Pic mineur	NRc	NRc
☐	Pic chevelu	NRc	NRc
☐	Pic tridactyle	Hi	Hi
☐	Pic à dos noir	Hr	NRr
☐	Pic flamboyant	NMa, Hr	NMa
☐	Grand Pic	NSo	NSo
☐	Moucherolle à côtés olive	Mo, (NP)	NMo
☐	Pioui de l'Est	NMc	NMc
☐	Moucherolle à ventre jaune	Mo, (NP)	NMo
☐	Moucherolle des aulnes	NMc	NMc
☐	Moucherolle des saules	NMo	Ve (3)
☐	Moucherolle tchébec	NMc	NMc
☐	Moucherolle phébi	NMc	NMc
☐	Moucherolle à ventre roux	Ve (2)	-
☐	Tyran huppé	NMc	NMc
☐	Tyran de l'Ouest	Ve (3)	-
☐	Tyran tritri	NMc	NMc
☐	Tyran à longue queue	Ve (1)	-

	Montréal	Laurentides
☐ Alouette cornue	NMo, Mc, Hr	NMr, Mc
☐ Hirondelle noire	NMo	NMr
☐ Hirondelle bicolore	NMa	NMa
☐ Hirondelle à ailes hérissées	NMo	NMr
☐ Hirondelle de rivage	NMc	NMc
☐ Hirondelle à front blanc	NMc	NMo
☐ Hirondelle des granges	NMc	NMc
☐ Geai du Canada	Hi	NRo
☐ Geai bleu	NRc	NRa
☐ Pie bavarde	Ve (4)	Ve (1)
☐ Corneille d'Amérique	NMa, Hc	NMa, Hr
☐ Grand Corbeau	NSr	NSo
☐ Mésange à tête noire	NRa	NRa
☐ Mésange à tête brune	Hi	NRo
☐ Mésange bicolore	Vi, He	-
☐ Sittelle à poitrine rousse	NRo, Mc	NRc
☐ Sittelle à poitrine blanche	NSc	NSc
☐ Grimpereau brun	NMc, Hr	NMc, Hr
☐ Troglodyte de Caroline	NRe, Vr, Hi	Ve (1)
☐ Troglodyte familier	NMc	NMo
☐ Troglodyte des forêts	NMo, Mc, Hi	NMc
☐ Troglodyte à bec court	NMr	NMe
☐ Troglodyte des marais	NMo	Vi, (NP)
☐ Roitelet à couronne dorée	NMr, Mc, Hr	NMc, Hr
☐ Roitelet à couronne rubis	NMr, Mc, He	NMc
☐ Gobe-moucherons gris-bleu	NMr	-

		Montréal	Laurentides
☐	Traquet motteux	Ve (1)	-
☐	Merle-bleu de l'Est	NMo	NMo
☐	Solitaire de Townsend	Ve(1)	-
☐	Grive fauve	NMc	NMc
☐	Grive à joues grises	Mr	Mr
☐	Grive à dos olive	Mc, (NP)	NMc
☐	Grive solitaire	NMo, Mc, He	NMc
☐	Grive des bois	NMc	NMo
☐	Merle noir	Ve (1)	-
☐	Grive litorne	Ve (1), He	-
☐	Merle d'Amérique	NMa, Hr	NMa
☐	Grive à collier	Vi, He	-
☐	Moqueur chat	NMc	NMc
☐	Moqueur polyglotte	NMr, Hr	NMi
☐	Moqueur roux	NMo, He	NMo
☐	Pipit d'Amérique	Mo	Mo
☐	Jaseur boréal	Hv	Hv
☐	Jaseur des cèdres	NMa, Hr	NMa
☐	Pie-grièche grise	Hr	Hr
☐	Pie-grièche migratrice	NMi	NMi
☐	Étourneau sansonnet	NMa, Hc	NMa, Hr
☐	Viréo aux yeux blancs	Ve (5)	-
☐	Viréo à tête bleue	NMr, Mo	NMo
☐	Viréo à gorge jaune	NMr	-
☐	Viréo mélodieux	NMo	NMr
☐	Viréo de Philadelphie	NMr, Mo	NMo
☐	Viréo aux yeux rouges	NMa	NMa

		Montréal	Laurentides
☐	Paruline à ailes bleues	Ve (3)	-
☐	Paruline à ailes dorées	NMr	Vi, (NP)
☐	Paruline obscure	Mc, (NP)	NMc
☐	Paruline verdâtre	Mr	Mr
☐	Paruline à joues grises	NMo, Mc	NMc
☐	Paruline à collier	Mo	NMo
☐	Paruline jaune	NMa	NMc
☐	Paruline à flancs marron	NMc	NMc
☐	Paruline à tête cendrée	NMr, Mc	NMc
☐	Paruline tigrée	Mo	NMo
☐	Paruline bleue à gorge noire	NMo, Mc	NM c
☐	Paruline à croupion jaune	NMo, Ma, He	NMc
☐	Paruline grise à gorge noire	Ve (2)	-
☐	Paruline à tête jaune	Ve (1)	-
☐	Paruline verte à gorge noire	NMo, Mc	NMc
☐	Paruline à gorge orangée	NMo, Mc	NMc
☐	Paruline à gorge jaune	Ve (1)	-
☐	Paruline des pins	NMr	NMr
☐	Paruline de Kirtland	Ve (1)	-
☐	Paruline des prés	Vi	-
☐	Paruline à couronne rousse	NMe, Mr	Mr, (NP)
☐	Paruline à poitrine baie	NMe, Mc	NMc
☐	Paruline rayée	Mo	Mo
☐	Paruline azurée	NMr	-
☐	Paruline noir et blanc	NMc	NMc
☐	Paruline flamboyante	NMc	NMc
☐	Paruline orangée	Ve (1)	-
☐	Paruline vermivore	Vi	-
☐	Paruline couronnée	NMc	NMc
☐	Paruline des ruisseaux	NMo	NMc
☐	Paruline du Kentucky	Vi	Ve (1)
☐	Paruline à gorge grise	Ve (4)	Ve (1)
☐	Paruline triste	NMc	NMc

	Montréal	Laurentides
☐ Paruline masquée	NMa	NMa
☐ Paruline à capuchon	Vi	-
☐ Paruline à calotte noire	NMi, Mo	NMo
☐ Paruline du Canada	NMo, Mc	NMc
☐ Paruline polyglotte	Ve (3)	-
☐ Tangara vermillon	Ve (5)	-
☐ Tangara écarlate	NMc	NMc
☐ Tangara à tête rouge	Ve (3)	-
☐ Cardinal rouge	NSo	Vi, (NP)
☐ Cardinal à poitrine rose	NMc	NMc
☐ Passerin bleu	Ve(3)	-
☐ Passerin indigo	NMo	NMo
☐ Dickcissel	Vi	-
☐ Tohi à flancs roux	NMr, He	NMe, He
☐ Bruant hudsonien	Mc, Ho	Mc, Hr
☐ Bruant familier	NMc, He	NMc
☐ Bruant des plaines	NMi	Ve (1)
☐ Bruant des champs	NMo, He	NMr
☐ Bruant vespéral	NMo	NMr
☐ Bruant des prés	NMa	NMc
☐ Bruant sauterelle	NMr	-
☐ Bruant de Henslow	NMe, Vi	-
☐ Bruant à queue aiguë	NMr	-
☐ Bruant fauve	Mo, He	Mo, (NP)
☐ Bruant chanteur	NMa, Hr	NMa
☐ Bruant de Lincoln	NMr, Mo	NMo
☐ Bruant des marais	NMc	NMc
☐ Bruant à gorge blanche	NMc, Ma, Hr	NMa
☐ Bruant à couronne blanche	Mc, Hi	Mc
☐ Bruant à face noire	Ve (4), He	-

		Montréal	Laurentides
☐	Junco ardoisé	NMr, Ma, Ho	NMc, Ma, Hr
☐	Bruant lapon	Hr	Mr
☐	Bruant de Smith	Ve (1)	-
☐	Bruant des neiges	Ho	Mo, Hr
☐	Goglu	NMc	NMo
☐	Carouge à épaulettes	NMa, Hr	NMa
☐	Sturnelle des prés	NMc	NMo, He
☐	Sturnelle de l'Ouest	NMe, Vi	-
☐	Carouge à tête jaune	Vi, Hi	-
☐	Quiscale rouilleux	Mo, Hr	NMo
☐	Quiscale de Brewer	Ve (1)	-
☐	Quiscale bronzé	NMa, Hr	NMa
☐	Vacher à tête brune	NMa, Hr	NMc
☐	Oriole des vergers	Vi	Ve (1)
☐	Oriole du Nord	NMc	NMo
☐	Dur-bec des pins	Hv	Hv
☐	Roselin pourpré	NMo, Mc, Hv	NMc, Hv
☐	Roselin familier	NRo	Vi, (NP)
☐	Bec-croisé rouge	NRe, Hi	NRr
☐	Bec-croisé à ailes blanches	Hv, (NP)	NRo
☐	Sizerin flammé	Hv	Hv
☐	Sizerin blanchâtre	Hi	Hi
☐	Chardonneret des pins	NRr, Hv	NRc
☐	Chardonneret jaune	NMa, Ho	NMa, Hr
☐	Chardonneret élégant	Vi	-
☐	Gros-bec errant	NRi, Hc	NRc
☐	Moineau domestique	NSa	NSc

RÉFÉRENCES BIBLIOGRAPHIQUES

Barnhurst, B. et McIntosh, M. 1976. Hawk-watching in Montreal. Tchébec, p. 67-75.

Barnhurst, R.J. et McIntosh, M. 1981. The 1981 fall hawk migration at the arboretum, Sainte-Anne-de-Bellevue, Québec. Tchébec, p. 100-103.

Bourdages, J.-L. et al. 1988. Étude des ressources et des potentiels du parc régional du Cap- Saint-Jacques. Centre de recherches écologiques de Montréal. 227 p.

Communauté urbaine de Montréal. 1981. Parc régional du Bois-de-Liesse. Dossier préliminaire de conception, Mémoire du plan directeur. 260 p.

Coulombe, D. 1982. L'observation des oiseaux dans la région de Montréal. Centre de conservation de la faune ailée de Montréal (carte-synthèse).

David, N. et al. 1977. The ring-billed Gull in the Montréal area. Tchébec, p. 64-71.

David, N. 1980. État et distribution des oiseaux du Québec méridional. Cahiers d'Ornithologie Victor-Gaboriault, numéro 3, Club des ornithologues du Québec Inc., Québec. 213 p.

David, N. et Gosselin, M. 1981. Observer les oiseaux au Québec. Québec Science, Collection "Faire". 165 p.

David, N. 1981. The winter birds of southern Québec. Tchébec, p. 104-112.

de Repentigny, L.-G. 1982. Éléments d'histoire naturelle et humaine de la région de la Réserve nationale de faune du lac Saint-François. Service canadien de la faune. 332 p.

Desrochers, A. et Fragnier, P. 1983. Étude de l'avifaune nicheuse et de la végétation de la Réserve national de faune du lac Saint-François. Service canadien de la faune, Région du Québec. 160 p.

Dion, J. et al. 1988. L'observation des oiseaux au lac Saint-Pierre (Guide des sites). Société ornithologique du Centre du Québec. 243 p.

Gagnon, N. et Giguère, R. 1987. Itinéraire-Nature. Quatre-temps (SAJIB), vol. 11, no 1. 83 p.

Girard, S. 1988. Itinéraire ornithologique de la Gaspésie. Club des ornithologues de la Gaspésie. 166 p.

Godfrey, W. E. 1986. Les oiseaux du Canada. Ottawa, Musée national des sciences naturelles. 650 p.

Holohan, S. et al. 1984. Laridae migration at Beauharnois, Québec. Part 1, Tchébec, p. 28-36.

Houle, G. 1981. Bois de la Réparation, Bois de l'Héritage. Synthèse des données biophysiques et proposition d'un plan directeur. Direction des réserves écologiques et des sites naturels, Gouvernement du Québec, Ministère de l'Environnement.

Lehoux, D., Bourget, A., Dupuis, P. et Rosa, J. 1985. La sauvagine dans le système du Saint-Laurent. Environnement Canada, Service canadien de la faune, Région du Québec. 76 p. Annexe, 72 p.

McIntosh, M. et Barnhurst, R.J. 1980. Fall hawk migration at the Morgan arboretum, Sainte-Anne-de-Bellevue, Québec. Tchébec, p. 97-102.

Montgomery, G. 1980. The history of the Philipsburg sanctuary. Tchébec, p. 103-107.

Mousseau, P. et al. 1984. Évaluation de la valeur écologique de différents bois, ruisseaux et îles du territoire de la Communauté urbaine de Montréal. Centre de recherches écologiques de Montréal. 235 p.

Ouellet, H. et Lemieux, S. 1971. Contribution à l'étude d'une avifaune nicheuse en milieu urbain : Cimetière Mont-Royal, Montréal, Canada. Tchébec, p. 49-63.

Ouellet, H. 1974. Les oiseaux des collines montérégiennes et de la région de Montréal. Musées nationaux du Canada. 167 p.

Ouellet, H. et Gosselin, M. 1983. Les noms français des oiseaux d'Amérique du Nord. Syllogeus No. 43. Musées nationaux du Canada, Ottawa. 36 p.

Peterson, R.T. 1984. Guide des oiseaux de l'Amérique du Nord à l'est des Rocheuses. Montréal, Éditions France-Amérique. 384 p.

Pilon, C. et al. 1980. Les îles du Saint-Laurent de Boucherville à Contrecoeur : Environnement biophysique. Centre de recherches écologiques de Montréal. 292 p.

Powe, N.N. 1969. Le climat de Montréal. Ministère des transports, Direction de la météorologie. 51 p.

Rouleau, R. 1974. Petite flore forestière du Québec. Ministère des Terres et Forêts. Éditeur officiel du Québec. 216 p.

Toussaint, D. et al. 1985. Guide d'observation des oiseaux de l'Outaouais (Québec). Club des ornithologues de l'Outaouais. 223 p.

APPENDICE

Liste des clubs d'ornithologie présents sur le territoire englobé par ce guide

Club ornithologique des Hautes-Laurentides
C.P. 291, Saint-Jovite J0T 2H0

Société d'ornithologie de Lanaudière
C.P. 339, Joliette J6E 3Z6

Club d'observateurs d'oiseaux de Laval
C.P. 46, Succursale Laval Ouest, Laval H7R 5B7

Société québécoise de protection des oiseaux
C.P. 43, Succursale B, Montréal H3B 3J5

Société de biologie de Montréal
C.P. 39, Succursale Outremont, Montréal H2V 4M6

Club d'observateurs d'oiseaux Marie-Victorin
Collège Marie-Victorin, 7000, rue Marie-Victorin, Montréal H1G 2J6

Nature Illimitée
C.P. 638, Succursale Jean-Talon, Montréal H1S 2Z5

Club d'ornithologie d'Ahuntsic
10 640, rue Saint-Hubert, Bureau #11, Montréal H2C 2H7

Club d'ornithologie de Longueuil
70, rue Lévis, Bureau 110, Longueuil J4H 1S5

Société ornithologique du Haut-Richelieu
171, rue Gosselin, Saint-Jean J3B 7J7

Club d'ornithologie Sorel-Tracy
C.P. 1111, Sorel J3P 7L4

Club du loisir ornithologique maskoutain
2070, Saint-Charles, Saint-Hyacinthe J2T 1V2

Club d'observateurs d'oiseaux de Brôme-Missisquoi
C.P. 256, Cowansville J2K 3S7

Société ornithologique du centre du Québec
960, rue Saint-Georges, Drummondville J2C 6A2

LISTE DES ILLUSTRATIONS

Gélinotte huppée, René Roy, 1989, page 28

Chouette lapone, René Roy, 1987, page 35
Collection Mme Caroline Côté

Bruant à couronne blanche, Sylvain Tanguay, 1987, page 39
Collection M. et Mme Charles Poirier

Petite Nyctale, René Roy, 1987, page 47

Hibou moyen-duc, René Roy, 1987, page 56
Collection Mme Lucie Côté

Chouette lapone, *Une ombre dans l'ombre,* René Roy, 1989, page 66

Petit-duc maculé, Sylvain Tanguay, 1990, page 79

Moqueur roux, René Roy, 1990, page 82

Cardinal rouge, René Roy, 1990, page 90

Roselin familier, Sylvain Tanguay, 1990, page 92
Collection M. et Mme Charles Poirier

Bruant à gorge blanche, René Roy, 1988, page 100
Collection M. Jacques Lemieux

Petit Butor, René Roy, 1990, page 105

Perdrix grise, René Roy, 1990, page 117

Hibou des marais, Sylvain Tanguay, 1989, page 118
Collection M. Benoit Tassé

Nyctale boréale, René Roy, 1987, page 132

Canard colvert, René Roy, 1990, page 137
Collection M. Pierre Pelletier

Morillon à collier, René Roy, 1989, page 146

Chouette rayée, Sylvain Tanguay, 1987, page 158
Collection M. Benoit Tassé

Grand-duc d'Amérique, René Roy, 1987, page 163
Collection Mme Caroline Côté

Chouette épervière, René Roy, 1989, page 172

Buse à épaulettes, Sylvain Tanguay, 1991, page 176

Bruant chanteur, Sylvain Tanguay, 1989, page 180
Collection Mme Francine Noël et M. Stéphane Tanguay

Guifette noire, René Roy, 1990, page 184

Bruant des prés, René Roy, 1989, page 192
Collection M. Jacques Lemieux

Pic à tête rouge, Sylvain Tanguay, 1990, page 205

Paruline à ailes dorées, René Roy, 1990, page 212

Tohi à flancs roux, Sylvain Tanguay, 1990, page 216

Chouette rayée, Sylvain Tanguay, 1988, page 230

Junco ardoisé, Sylvain Tanguay, 1987, page 234
Collection M. et Mme Charles Poirier

Maubèche des champs, Sylvain Tanguay, 1990, page 241
Collection M. Benoit Tassé

Sturnelle des prés, Sylvain Tanguay, 1989, page 249
Collection M. et Mme Charles Poirier

Héron vert, Sylvain Tanguay, 1990, page 252
Collection Mme Francine Noël et M. Stéphane Tanguay

Râle de Caroline, René Roy, 1988, page 264

Poule-d'eau, René Roy, 1990, page 267

Canard noir, René Roy, 1990, page 275

Butor d'Amérique, René Roy, 1990, page 286

Phalarope de Wilson, Sylvain Tanguay, 1990, page 297

Troglodyte des marais, Sylvain Tanguay, 1990, page 305

Gélinotte huppée, René Roy, 1989, page 307
Collection M. Jacques Lemieux

Bruant des champs, Sylvain Tanguay, 1990, page 315

Geai du Canada, René Roy, 1989, page 319
Collection Mme Sylvie Roy

Huart à collier, Sylvain Tanguay, 1989, page 323
Collection M. Michael Branigan